МУЛДАШЕВ
Эрнст Рифгатович

Доктор медицинских наук, профессор, генеральный директор Всероссийского центра глазной и пластической хирургии Минздрава России, заслуженный врач России, обладатель медали «За выдающиеся заслуги перед отечественным здравоохранением», хирург высшей категории, почетный консультант Луисвильского университета (США), член Американской Академии офтальмологии, дипломированный офтальмолог Мексики, мастер спорта по спортивному туризму, трехкратный чемпион СССР.

Э. Р. Мулдашев – крупный российский ученый с мировым именем. Он является основоположником нового направления в медицине – регенеративной хирургии «Аллоплант», то есть хирургии по «выращиванию» человеческих тканей. Им впервые в мире успешно проведена операция трансплантации глаза. Ученым разработано свыше 120 новых видов операций, изобретено 93 вида биоматериалов «Аллоплант», опубликовано свыше 500 научных работ, получено 64 патента России и многих стран мира. Ежегодно проводит 600–800 сложнейших операций. С лекциями и операциями он побывал более чем в 50 странах мира.

Им было организовано 8 научных экспедиций в Гималаи, Тибет, Египет, Сирию, Ливан, Монголию и на остров Пасхи, которые значительно углубили понимание проблем регенеративной хирургии. Но эти экспедиции сопровождались еще и сенсационными открытиями философского и исторического толка. По результатам этих экспедиций Э. Р. Мулдашевым издано 6 книг, которые многократно переиздавались и переведены на многие языки мира.

Э. Р. Мулдашев был народным депутатом РСФСР в 1990–1993 гг., то есть работал в том самом парламенте, который перестал существовать после расстрела «Белого Дома» в октябре 1993 года. В 2004 году Э. Р. Мулдашев был доверенным лицом президента России В. В. Путина.

Предлагаемая читателю новая книга является результатом осмысления автором собственного жизненного опыта, неразрывно вплетенного в судьбу России. Книга написана в увлекательном стиле, затрагивает глобальные социальные и философские проблемы и по своей сути глубоко патриотична.

Р. Т. Нигматуллин,
заслуженный деятель науки РФ,
доктор медицинских наук,
профессор

Эрнст Мулдашев

ЗАГАДОЧНАЯ АУРА РОССИИ

В ПОИСКАХ НАЦИОНАЛЬНОЙ ИДЕИ

ОЛМА
МЕДИА ГРУПП

Москва · 2008

УДК 133
ББК 86.42
М90

Мулдашев Э. Р.

М 90   Загадочная аура России. — ЗАО «ОЛМА Медиа Групп», 2008. — 400 с.
ISBN 978-5-373-02148-7

В своей новой книге Э. Р. Мулдашев делает попытку проанализировать прошлое и настоящее нашей страны – России – с точки зрения знаний, полученных им во время восьми его научных экспедиций на Тибет, Гималаи, остров Пасхи и другие загадочные места планеты. Основываясь на наблюдениях, сделанных им в 51 стране мира, где он побывал в качестве российского ученого-хирурга, автор объясняет суть процессов, происходящих в современной России. И приходит к сенсационному выводу, что именно на россиянах лежит Великая Миссия – духовное возрождение человечества.

Но лейтмотивом книги являются размышления о жизненных ценностях современных россиян. Автор преклоняется перед Силой Мечты наших славных предков, нечеловеческими трудами покоривших огромные сибирские пространства и присоединивших эти земли к Российской империи. Тех, которые не жалея сил, а порой и жизни, терпели лишения, голодали и мерзли, сражались и умирали отнюдь не в надежде на щедрое вознаграждение. Э. Р. Мулдашев убежден, что мы, их потомки, не имеем права стремиться к преходящим ценностям.

УДК 133
ББК 86.42

ISBN 978-5-373-02148-7

ЗАГАДОЧНАЯ АУРА РОССИИ

– Эх! – вздохнул я, собираясь в поездку в Ливию, где я должен был прочитать офтальмологам этой страны цикл лекций и сделать показательные операции. – Опять придется отложить написание книги. Только разошелся ведь, а!

Я прилетел в Москву, а оттуда ранним утром долетел до Вены, где должен был провести четыре часа в ожидании самолета на Триполи. Я был один; моя хирургическая бригада уже подбирала больных для операций в Ливии.

Слоняясь по международному венскому аэропорту, я совсем одурел.

– Какая тупая потеря времени! – стал ворчать я про себя. – Вечный цейтнот, вечное сидение до глубокой ночи, а тут… Даже русскую газету не взял с собой, чтоб почитать… весь этот газетный негатив.

О чем бы мне подумать?

Я нашел в аэропорту кафе, сел за столик, заказал литр пива и стал его дуть. Дул, дул и думал о… о чем же мне думать? Но какой-то сумбур в голове мешал мне.

– Странная постановка вопроса – о чем же мне думать?! – подумал я. – А ведь, а ведь… многие люди, наверное, мучаются этим вопросом, беспутно убивая время долгими зимними вечерами.

А потом, когда мне надоело корчить из себя любителя пива на виду сидящей международной публики, я реши-

**Как ужасно думать -
о чём бы мне подумать?**

тельно сказал себе:

– Буду думать о чем-то конкретном!

Но думать о чем-то конкретном не получалось. Мысли мотались туда-сюда, туда-сюда, а вопрос «О чем же думать?» так и висел в воздухе.

– Как ужасно думать – о чем бы мне подумать? – стал негодовать я. – Как, наверное, ужасно, когда жизнь ничем не заполнена, а звенящая

**Лень - это
антиэнергия,
которая борется
с Жизненной Силой,
обесточивая тело
человека и его Дух**

Бог наказывает людей звенящей пустотой мыслей

жизненная пустота сама по себе задает этот злополучный вопрос – о чем бы мне подумать? Хотя бы подумать! Ведь лень, обволакивающая тело, постепенно переползает к самому главному элементу человека – Духу, чтобы и он, бессмертный Дух, «свесил ноги», а не стремился вперед, как велено Богом для утверждения главного принципа, что человек есть самопрогрессирующее начало. Вот тогда-то и наступает момент, когда охваченный ленью Дух способен лишь тихо взывать, раз за разом повторяя – о чем бы мне подумать? А мысли не хотят работать! Не хотят, да и все! Антиэнергия с жутким названием «Лень», идущая от Дьявола, обесточила их.

И надо признать, что таких людей много, очень много – людей – кандидатов… в более низкие формы жизни (например, в черви) в будущей жизни, что будет божьим наказанием за лень. Да и само прозябание в звенящей пустоте мыслей уже является божьим наказанием, тем наказанием, которое готовит человека к более примитивному существованию в будущей жизни… ведь червяку не о чем особенно думать – ешь землю, да и все.

Сиреневое счастье

Я мысленно представил лица некоторых наших российских эмигрантов, которые неоднократно встречались мне в разных странах мира. Печать звенящей пустоты и никчемности своего богатого существования на чужбине лежала на их лицах. Они, эмигранты эти, конечно же, рассказывали мне о том счастье, к которому они стремились и достигли, только вот... бравадой веяло от этих слов, той тупой бравадой, которая призвана скрыть грустный шепот подсознания о будущей жизни в качестве...

Во время этих разговоров о «стране, в которой он хотел жить с детства» или о «стране своей мечты», мне всегда вспоминалось понятие Родины... куда, возможно, ты и послан Богом, чтобы любить ее и делать ее лучше, а не «ободрать как липку» и уйти в «чужую тень», когда на тебя навалится страшный покой, во время которого дьявольская антиэнергия под названием «Лень» обесточит тебя и позволит лишь слегка приоткрывать рот в поисках оправдания своего предательства Родины... Богом данной

«Счастливый» человек

Родины, образ которой так давит, так давит, что не дает возможности даже выучить чужой язык… ведь уже ставшая великой Лень стимулирует образование ранних морщин и упрямо ведет к вечному покою, за которым будет новая жизнь… примитивная жизнь, когда нужно всего-то жрать землю и… когда никакие языки будут не нужны, будь то чужой, будь то родной.

Когда эти «достигшие счастья» люди встречают своего бывшего соотечественника, то они вначале пыжатся, изображая свою былую значимость на посту какого-то там, положим, бывшего замминистра, а потом, когда скучные реалии обители «под пальмами» берут вверх, начинают радоваться «пришельцу с Родины», показывая, например, что у него тоже есть банька по-русски и, что он может угостить винегретом, приготовленным по рецепту его бабушки из Тамбова. Но они все время натужно стараются доказать тебе, что вот это все и есть счастье, к которому должен стре-

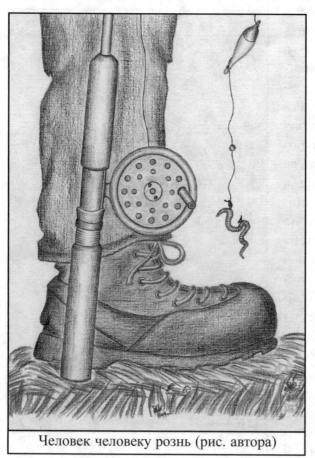
Человек человеку рознь (рис. автора)

миться каждый человек, но достигнуть которого может только «избранный Богом»... видимо тот, которого Бог решил вознаградить перед тем, как в будущей жизни... он...

Эти «счастливые люди» не понимают того, что их деньги уже никому не нужны, и что с этими мертвыми деньгами умирают и они сами. Они не понимают того, что они в своем «богатом счастье» уже мертвы. Они даже не хотят вспоминать того, что они по крупицам отобрали не деньги, а средства к существованию у де-душек и бабу-шек, которые защищали Родину во время Великой Отече-ственной вой-ны, и для кото-рых слово Ро-дина было сродни слову Жизнь.

Но самым страшным для этих «счастли-вых людей» яв-ляется совесть, та самая со-весть, которой у них... вообще-то... никогда не было и нет.

А она все же есть, господа! Она, совесть-то, есть у каждого

Они не понимают того, что их деньги уже никому не нужны, и что вместе с этими мертвыми деньгами умирают и они сами

Совесть

человека! Сиреневым туманом называется... называется оттого, что после смерти Дух каждого человека проходит Суд Совести в отдельной «колбе» специальной субстанции Космоса, которая в эзотерической литературе называется Хрониками Акаши и которая на Востоке обозначается сиреневым цветом. И даже, несмотря на то, что мы чаще всего, не живем, а играем в жизнь, надо понимать, что и в игре есть свои правила, свои законы, которые никто не написал, а элегантно так ввел в подсознание, которое тихо нашептывает тебе: «Не делай так! Не делай так! Не делай так!», напоминая о том, что... «сиреневый туман над нами проплывает».

Как я подписывал избирательные листы

А потом, невесть отчего, мне вспомнился целый ряд эпизодов, связанных с тем временем, когда я был доверенным лицом президента России В. В. Путина в период его вторых выборов.

Короче говоря, меня вызвали в очень важные инстанции и сказали, что мне доверили высокую честь не только агитировать за В. В. Путина, но и подписывать за него избирательные листы. Порекомендовали не отбрыкиваться, а также отметили, что Башкирия, в пределах которой я буду работать, должна выйти на первое место среди других регионов России по проценту голосов, отданных за В. В. Путина. Добавили еще, что после выборов, если Путин выиграет бой с… Хакамадой, то меня пригласят на банкет для доверенных лиц, а также на инаугурацию президента России, да и подарок вручат.

УДОСТОВЕРЕНИЕ

МУЛДАШЕВ
Эрнст Рифгатович

является
доверенным лицом ПУТИНА В.В., кандидата на
должность Президента Российской Федерации

Секретарь Центральной избирательной
комиссии Российской Федерации   О.К.Застрожная

Действительно до 27 марта 2004 г.   30 декабря 2003 г.
(при предъявлении паспорта или заменяющего его документа)   (дата регистрации)

Удостоверение, выданное центризбиркомом

Я согласился, тем более, что В. В. Путина чрезвычайно уважал и уважаю. И есть за что, – именно он стал поднимать погрязшую в унынии и самограбеже страну. Официальным помощником назначили моего друга Венера Габдрахимовича Гафарова.

Самой ужасной оказалась процедура подписывания избирательных листов. Вначале избирательный комитет повозмущался над тем, что моя подпись напоминает смеющуюся рожицу и даже порекомендовал сменить или, хотя бы, облагородить ее. Но я им доказал, что сложившийся за всю жизнь стереотип ставить вместо подписи эту «рожицу» поменять очень трудно, тем более что

Моя подпись, которую
в избиркоме просили
хотя бы облагородить

мне предстояло поставить десятки тысяч этих… подписей.

В республиканском избиркоме нам выделили огромную комнату и притащили туда кипы избирательных листов. Опытные представители избиркома подсказали, что без помощников я не обойдусь: один человек должен подать лист, ты – подписать, а другой человек должен убрать лист. Они еще подсчитали, что если я буду ставить подпись за 10 секунд и работать без перерывов 12 часов в день, то я справлюсь с заданием Центризбиркома. Кроме того, оказалось, что надо собственноручно ставить еще и дату, например, «06.01.2004 г.», обращая особое внимание на то,

ПОДПИСНОЙ ЛИСТ
Выборы Президента Российской Федерации
«14» марта 2004 года
Республика Башкортостан
(наименование субъекта Российской Федерации; если подписи граждан Российской Федерации собираются за пределами территории Российской Федерации, указывается наименование соответствующего иностранного государства)

Номер регистрационного свидетельства: 72/617-4

Мы, нижеподписавшиеся, поддерживаем самовыдвижение кандидата на должность Президента Российской Федерации гражданина Российской Федерации Путина Владимира Владимировича, родившегося 7 октября 1952 г., замещающего должность Президента Российской Федерации, проживающих в городе Москва.

№ п/п	Фамилия, имя, отчество	Год рождения – (в возрасте 18 лет – дополнительно число и месяц рождения)	Адрес места жительства	Серия и номер (номер), дата выдачи паспорта или документа, заменяющего паспорт гражданина	Подпись	Дата внесения подписи
	Камалова Фарида Кашафовна	1937	Республика Башкортостан Кармаскалинский р-н, с. Сахаево, ул. Пионерская 94	8002 948128 22.04.2002	Якамур	31/XII 2003
	Камалова Зульфира Ягафаровна	1973	Республика Башкортостан Кармаскалинский р-н, с. Сахаево, ул. Пионерская 94	8002 948635 16.05.2002	Замок	31.12. 2003
	Бадретдинов Явдат Мирсадырович	1935	Республика Башкортостан Кармаскалинский р-н, с. Сахаево, ул. Пионерская 96	8004 326498 14.04.2003	Бадр	31.12 2003

Подписной лист удостоверяю:
Гареева Салима Муровна паспорт 8002 948815 15.05.2003 код 022-050
(фамилия, имя, отчество, серия, номер и дата выдачи паспорта или документа, заменяющего паспорт гражданина (с указанием наименования или кода
Республика Башкортостан Кармаскалинский р-н, с. Сахаево, ул. Октябрьская д.8 01.01.2004
выдавшего его органа), адрес места жительства лица, собиравшего подписи, его подпись и дата ее внесения

Кандидат (доверенное лицо кандидата): **Мулдашев Эрнст Рифгатович**   06.01.2004
(фамилия, имя и отчество, собственноручная подпись и дата ее внесения

Избирательный лист

чтобы буква «г», означающая год, была написана отдельно, поскольку, по мнению почерковедческой комиссии, проверяющей каждый подписанный тобой лист, не отдельное написание буквы «г» и соединение ее с последней цифрой указываемого года является главной причиной брака избирательных листов. Поэтому мне было рекомендовано, чтобы тот человек, который будет сидеть справа от меня и принимать подписанный лист, постоянно говорил в ухо — «««г» — отдельно», «««г» — отдельно», «««г» — отдельно»...

Медицинская сестра Света произносит фразу: «««г» — отдельно»

Я мобилизовал наших медсестер на помощь. Оксана, Ульяна, Айгуль, Света и Алия искренне помогали мне, а многоголосие произносимой фразы «««г» — отдельно» до сих пор кажется мне прекрасной песней. Особенно смачно произносила эту фразу медицинская сестра Света; она как будто доказывала мне, что в жизни «г» должно быть и в самом деле отдельно и не касаться человека, зарожденного Богом как душевно чистое создание.

Первый день я подписывал с энтузиазмом. Второй день я с трудом терпел. На третий день этой тупой работы я уже полностью охренел. Я попытался подписывать, выпив сто грамм водки — не помогло. Я попытался подписывать в сильно пьяном состоянии — не помогло. Я пытался подписывать в голодном состоянии — не помогло. Я пытался подписывать, изображая из

Процедура подписания избирательных листов

себя йога, умеющего медитировать – не помогло. Я пытался представить себя рабочим конвейера – не помогло… Тупость, стальным кольцом охватившая голову, давила и давила, наворачивая ком негодования в душе.

Моя рука, ставящая подпись

На четвертый день процедуры подписания у меня начало развиваться косоглазие. Но я, будучи глазным врачом, сообразил, что надо то снимать, то надевать очки, чтобы совсем уже не окосеть.

На пятый день я стал здороваться с людьми словами «"г" – отдельно».

На шестой день я заметил, что моя правая рука непроизвольно описывает движения, похожие на те, которые я делаю, ставя свою подпись.

На седьмой день я начал по ночам вскрикивать «"г" – отдельно», пугая кота и жену.

На восьмой день мне стало казаться, что весь видимый мир состоит только из моей подписи, а весь мир звуков – из словосочетания «"г" – отдельно».

На девятый день я повеселел, закоулками души понимая, что я отупел и что мне ничего, кроме моей подписи и слов «"г" – отдельно» уже не нужно.

На десятый день я стал ходить с постоянно приоткрытым ртом.

На одиннадцатый день я ощутил счастье тупости – счастье мыслительной пустоты, когда никакие там мысли тебя не тревожат.

Испытание тупостью – тяжелейшее испытание

На двенадцатый день, когда все закончилось и меня похвалили за то, что почерковедческая комиссия выявила в моей работе мало брака, я сидел с тупо приоткрытым ртом с представителями республиканского избиркома за бутылкой водки. А они хлопали меня по плечу и говорили что-то типа того, что еще не такое бывало – другие, вон, вообще с ума сходили. Они, эти работники республиканского избиркома, еще и философствовали, отмечая, что это хорошо, что от процедуры подписания тупеет доверенное лицо, хуже было бы, если бы отупел сам кандидат в президенты… как же тогда он страной управлять-то будет?

Вспоминая все это, я продолжал сидеть в кафе международного венского аэропорта с литровой кружкой пива в руке. Я отхлебнул пивка и закурил.

– И в самом деле, – подумал я, – испытание тупостью – тяжелейшее испытание. Человек, по своей природе зарожденный как самопрогрессирующее начало, трудно переносит вынужденное отступление назад – в зону давно уже пройденного примитивного мышления, ведь он, человек, в ходе своих предыдущих жизней потратил столько труда, столько труда, чтобы поумнеть, что отступление в «бывшую» тупость кажется ему очень обидным и вызывает подсознательное негодование. Не хочется тупеть-то! Умнеть хочется! Но иногда… приходится тупеть. Вынужденно, конечно. Во время выборов президента России, например. Ну, чего не сделаешь ради хорошего президента-то! И отупеть можно. Патриотизмом это называется.

Как я пил пиво в венском аэропорту

Я сделал большой отхлеб пива. Хлебнул от всей души, короче говоря. В три заглота проглотил, удерживая отхлебнутое пиво во рту. Воздуха при этом много проглотил. А он, воздух-то, обратно полез. Захотелось, как на природе, как в тайге, его обратно со специфическим звуком выпустить, да и гордо, как в тайге, посмотреть на восторженную реакцию окружающих. Но международный венский аэропорт – это тебе не тайга, где ты имеешь право из всех щелей любые звуки издавать. Дичать ведь ходим в походы-то и… отупеть немного… с романтическим налетом, чтобы свободу тупости, так долго удерживаемую в культурном обществе, проявить в натуре и дикарский кайф от этого получить. Ведь все познается в сравнении: одичал – все люди такими культурными кажутся, отупел – от всех людей таким умом веет. Так что, иногда даже очень целесообразно окунуться в дикость и тупость, чтобы оптимистично оценить окружающий нас мир, где даже лезущий из желудка воздух надо культурно и без звуков выпустить, не показывая в глазах удовлетворения от произведенного физиологического акта,

который на татарском языке обзывается ласковым словом «кикерде» и которое не сродни грубому русскому слову «отрыгнул».

Неказистый мужичок

Я сделал маленький глоток пива и культурно так его проглотил. И вдруг... вдруг... здесь, в международном венском аэропорту, в культурном международном обществе, я услышал тот самый специфический звук – смачный звук выхлопа заглоченного воздуха. Я поднял глаза и увидел перед собой неказистого мужичка, с присвистом дорыгивающего последние порции желудочного воздуха.

Арабы (рис. автора на салфетке)

Я охренел от такого бескультурья и даже хотел, вроде как, сделать ему замечание, но… вспомнил туристические походы. А мужичок, как будто бы нарочно, экономно… вместе с воздухом… засосал пива и тут же однократно громко отрыгнул, победно посмотрев на сидящих перед ним арабов.

Восхождение и нисхождение

Я отвернулся и стал думать о том, о чем думал. А думал я о тупости, о лени и тому подобных низменных человеческих качествах.

– Какой же эволюционный путь, – мыслилось мне, – нужно пройти человеку, чтобы через череду жизней поумнеть до того уровня, на котором ты находишься. Десятки, а то и сотни жизней восхождения! Трудного восхождения! Может быть твой человеческий Дух, некогда зарожденный Богом на Том Свете, был первоначально направлен в тело какого-то поганого червя, где вся твоя мощь была заперта, и оставалось лишь маленькое окошечко – сознание червя, через которое ты, великий Дух Того Света, общался с миром и мог понять, что чтобы выжить в виде червя, надо жрать землю. И если ты, великий Дух Того Света, был хорошим в облике червя и не делал ничего плохого другим червям, то Бог в следующей жизни может направить тебя в тело аж самого кузнечика, чтобы ты мог призывно стрекотать. И если ты, великий Дух Того Света, был хорошим в облике кузнечика и стрекотал так страстно, что все кузнечихи повлюблялись в тебя, то в следующей жизни Бог может направить тебя в тело даже самой мыши, наделив тебя таким «высоким» уровнем сознания, которого хватит на то, чтобы догадаться прогрызть мешок с зерном и жрать это зерно от пуза. И если ты, великий Дух Того Света, был хорошим, то в следующих жизнях ты можешь восходить и восходить, поменяв, например, тело каркающей вороны на тело прекрасного орла, вслед за которым ты можешь стать зайцем, лисицей, медведем, потом обезьяной… и, наконец, аж индийским бедняком, способным просить милостыню,

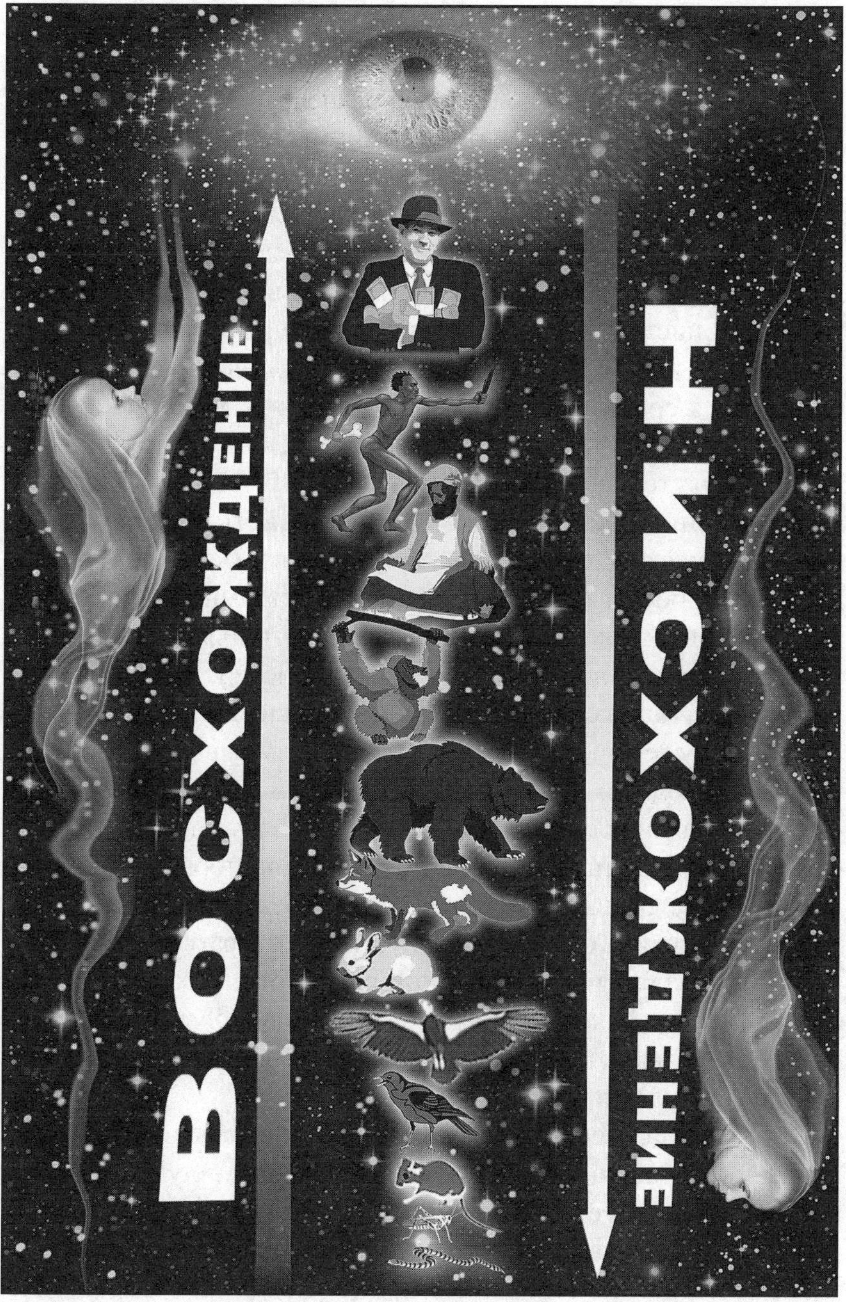
ВОСХОЖДЕНИЕ
НИСХОЖДЕНИЕ

после чего перекочевать в тело индонезийца, умеющего жарить... и, в конце концов, предстать перед миром в черном пиджаке и красном галстуке – символе людей бизнеса, чтобы… чтобы как-то ненароком, соревнуясь с другими бизнесменами, накопить денег на сто жизней вперед и… покатиться по нисходящей линии до… заветного уровня червя, умеющего жрать землю.

А если ты, бизнесмен, был еще и гадом и предательски надувал не только своих друзей, но и весь свой народ, то ты можешь при нисхождении к червю не получить «счастливых минут» жизни в виде индийского бедняка или выбирающей вшей обезьяны, а сразу стать червем, чтобы… жрать землю за свои прегрешения в облике человека, жрать досыта, кочуя от одного «червивого» тела к другому и в промежутках между короткими «червивыми» жизнями, когда ты будешь иметь побывку на Тот Свет и тут же там поумнеешь, то будешь каяться и каяться, задаваясь вопросом – почему же я, дурак, так многотрудно достигнув уровня человека, соблазнился на эти дьявольские деньги и так глупо копил их на сто жизней вперед, чтобы… опять оказаться в теле червя и жрать землю, ожидая, когда Бог простит тебя – уже хорошего червя – и даст возможность тебе опять начать восходить, чтобы через сотни или тысячи жизней ты опять приблизился к заветной цели – человеку, за которой, если он хороший и чистый, открываются такие просторы… такие просторы – просторы других миров? О, как безбрежен мир! О, как трудно восходить! О, как легко опуститься и жрать землю!

Я даже вздрогнул, когда со стороны соседнего стола опять раздался специфический «рыгательный» звук. Я взглянул на неказистого мужичка, – он гордо обозревал окружающую публику. Я отвернулся и продолжил думать.

– Бог создал бесконечную вереницу восхождения из жизни к жизни и… такую же вереницу нисхождения, – думал я, стараясь не смотреть в сторону этого мужичка. – Если человеческий Дух, рожденный на Том Свете, пройдя испытания низкими уровнями сознания червей, зайцев и тому подобных тварей, уви-

дит, наконец, сравни-
тельно широкое окно
сознания плотного
человека, то это не
означает, что восхож-
дение заканчивается.
Нет, оно только начи-
нается. Бог может пе-
ревести этот челове-
ческий Дух в другую,
более высокую форму
жизни, — например, в
систему водной жиз-
ни, где также есть вод-
ные черви, водный
зайцы и… конечно
же, водный человек,
уровень сознания ко-
торого несравнимо
выше уровня созна-
ния нас — плотных
людей. А если челове-
ческий Дух возьмет и
эту вершину – водно-
го человека, то Бог
может перевести его
еще на более высокую
ступень – систему
жизни ангелов эфира,
где есть свои… эфир-
ные черви, эфирные
зайцы… и, конечно
же, эфирный человек.
Но если будет покоре-

ВОСХОЖДЕНИЕ

НИСХОЖДЕНИЕ

Другая
вселенная

Тот Свет 9
Тот Свет 8
Тот Свет 7
Тот Свет 6
Тот Свет 5
Тот Свет 4
Тот Свет 3
Тот Свет 2

на в череде жизней и «эфирная вершина», то Бог может перевести человеческий Дух в систему жизни аж ангелов Времени, в которой живут, наверное же, странные… черви Времени, зайцы Времени и… конечно же, гордый человек Времени – верхний эшелон нашего Того Света. Но если этот настырный человеческий Дух «возьмет и эту вершину», то Бог может перевести его вообще в систему жизни другого Того Света, где нет места плотной, водной и эфирной жизням, и где властвует только Время, но такое Время, равного которому не встретить ни в одном уголке нашего Того Света. А если этот сверхнастырный человеческий Дух пройдет череду жизней следующего Того Света, то Бог его переместит в еще один Тот Свет и… так далее, пока этот настырный человеческий Дух, пройдя девять «Тех Светов», не перейдет в следующую Вселенную, чтобы… опять и опять настырно стремиться к своему Отцу – Богу.

Я опустил голову и чуть было не ткнулся о край литрового фужера с пивом. Я отхлебнул его – пивко-то. Вкусным оно мне показалось. Я взглянул на мужичка, – он затушил бычок и тут же прикурил новую сигарету. Красиво выдул дым и поглядел по сторонам – чо никто не замечает-то, как он красиво выдувает дым?! Сволочи какие-то, а не народ!

Стержень единения Природы

– А ведь религиозный постулат о том, что Бог вначале создал человека, а из него все живое и в самом деле верен, – промелькнула мысль. – Человеческий Дух является стержнем единения Природы! Все формы жизни, будь то черви, зайцы и люди плотного мира, водного мира, эфирного мира, мира Времени, будь то неведомые формы жизни следующего Того Света и других «Тех Светов»… любая форма жизни имеет в себе человеческий Дух – мощный человеческий Дух. Вот только… уровень сознания, определяемый Богом и присущий каждой форме жизни, отличается, позволяя человеческому Духу проявиться в той или иной степени… от червя до почти Бога. Если бы

Человеческий
Дух
является стержнем
единения Природы

каждая форма жизни имела свой Дух (мышиный, например), то не было бы единения всех форм жизни и был бы неверен постулат, что человек есть самопрогрессирующее начало. А так все очень просто – Бог создал только один вид Духа – человеческий, но дал ему разные возможности проявления,

Разные уровни сознания

вселяя в разные тела, поставив рамки в виде уровней сознания... от сознания червя, когда ума хватает лишь на то, чтобы жрать землю и до сознания человека, когда... не дай Бог... ума хватит на то, чтобы накопить денег на сто жизней вперед... по пути к червю, чтобы, в наказание за это, снова жрать землю.

Араб

Со стороны неказистого мужичка раздалось звонкое постукивание. Я посмотрел на него. Он, зараза, достав авторучку, начал выбивать ритм какой-то песенки на своем фужере с пивом. Я обратил внимание на то, что сидящий за соседним столиком один из арабов дикими глазами смотрит на него. Но я смог как-то внутренне отгородиться от этого постукивания и продолжил думать.

О, как важно бороться с антиэнергией Дьявола!

— Если по пути восхождения человеческий Дух толкают вперед страсть, стремление и чистота помыслов, — стал подытоживать я свои мысли, — то на путь нисхождения человеческий Дух становится из-за жадности, завистливости, корыстности и, конечно же, из-за лени. Она, эта проклятая лень, является самой коварной причиной падения вниз. Если жадность и завистливость осуждаемы обществом, то лень... считается естественным желанием человека отдохнуть или, как говорится, правом на законный отдых. А мозговую лень мы склонны выдавать за природную тупость человека, хотя... способности Духа, которым мы думаем, одинаковы у всех людей, вот только... антиэнергия Лени, идущая от Дьявола и обесточивающая человека, мешает, — ведь нормальному человеку легко двинуть паль-

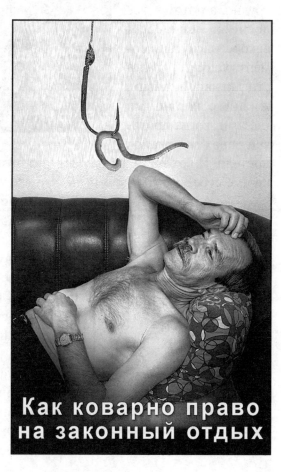

Как коварно право на законный отдых

цем, а ленивому надо преодолеть дьявольскую антиэнергию. О, как важно никогда не лениться! И если даже эта антиэнергия Лени вошла в Вас, то старайтесь преодолеть ее: первый раз преодолеть будет трудно, а потом – все легче и легче… И вскоре наступит момент радости – радости активной жизни, жизни с горящими глазами, когда противен запах залежалой

Если вы преодолеете свою лень, то счастье перельется через край вашей жизненной чаши

постели. И вот тогда, когда наступит этот момент, Вы вдруг откроете себе, что Вы поумнели, что все женщины, несмотря на Ваш возраст, смотрят на Вас, что вокруг Вас кучкуются друзья, а если Вы… еще и не копите деньги и не завидуете, то счастье перельется через края Вашей жизненной чаши. Одно только надо понять, что Лень есть дьявольская антиэнергия и что ее нельзя пускать в душу.

Неказистый мужичок совсем одурел – он начал уже руками на столе выбивать что-то наподобие чечетки. Один из арабов громким окриком сделал ему замечание. Не-

Араб стал ждать…

казистый мужичок перестал выбивать чечетку, но зато стал воспроизводить этот ритм ногтем на фужере. Араб пожаловался официантке. Официантка сделала замечание неказистому мужичку. Тот приутих и отпил пива так, что засосал в основном воздух. Араб стал ждать…

Как мы агитировали за В. В. Путина

Воспоминания о предвыборной кампании В. В. Путина опять нахлынули на меня. Перед глазами пронеслись многочисленные города и районы Башкирии, полные залы людей с полными надежд глазами или… с глазами, полными скепсиса, трибуны, за которыми стояли то я, то мой друг и помощник Венер Габдрахимович Гафаров, банкеты после выступлений, обледенелые мартовские дороги и многое другое.

Я, честно говоря, чувствовал себя не очень-то уютно в качестве агитатора. Не умею я как-то говорить по бумажке и с выражением произносить трафаретные фразы. Я ведь ученый… все же.

И решил я тогда, воспользовавшись ситуацией, поизучать

Мой друг Венер Габдрахимович Гафаров за трибуной

Искушение

массовое человеческое сознание, причем поизучать не путем раздачи традиционных вопросников, в которых надо ставить галочки, а поизучать по глазам и по реакции людей. Глаза, мне казалось, могли сказать больше, поскольку в глазах отражаются не только сознательные реакции людей, но отражается еще и глубокое подсознание, идущее от Бога, который… хотим мы того или не хотим… незримо наблюдает за нами сверху, дав нам полную жизненную свободу… ту, кстати, свободу, к которой мы так долго стремились, родившись в клетке, созданной Псевдобогом – Лениным, но… вырвавшись из которой, мы можем попасть в другую клетку, за которой… будет стоять тень другого Псевдобога, именуемого Долларом.

Искушение

Жизнь – это свет. Но не бывает света без тени. Таким создал мир великий Бог. А создал он мир таким потому, что только Искушение, проклятое Искушение, рядящееся под Бога (но представляющего собой всего лишь очередного Псевдобога) является испытанием, позволяющим Богу определить «кто есть кто» в отношении устойчивости к дьявольским уловкам, чтобы в череде жизней отсеивать тех Духов-Людей, кто не прошел испытание и пополнять ими безбрежный животный мир во имя процветания жизни...

Эх, как часто мы ходим в церковь или мечеть, каная под верующих, но в глубине души утаиваем Искус и трепетно его храним, убеждая себя в том, что до следующей жизни

От искуса к искусу

так далеко, так далеко... умереть еще надо... Поэтому жизнь многих людей протекает в погоне за призрачными Искусами, и ее можно назвать «От искуса к искусу»... к сожалению.

Народная сила решает все

Раз за разом я стоял на трибуне и раз за разом говорил о глубокой человеческой философии.

А говорил я вот о чем. Сделав небольшой экскурс в историю и посокрушавшись, что Ельцин развалил великий Советский Союз по принципу «Хватай, кто сколько может... кто страну, кто завод, кто мешок овса!», я делал особый упор на том, что президент находится в эпицентре психической энергии всех людей страны. В связи с этим его волевые качества и вытекающие из них волевые решения зависят не только от него самого, но и от степени «накачки» его психической энергией народа. Если народ активен (даже на демонстрациях!) и его, народ, в общенародном масштабе не захватила антиэнергия Дьявола, называемая Ленью, то степень «накачки» президента страны «народной энергией»

«Накачка» президента страны народной силой

будет очень велика, в связи с чем все решения его будут иметь «народный отклик», то есть встречать поддержку. Но если народ пассивен, разочарован во всем в этой жизни или жирует в праздности, вспоминая былые заслуги, то можно ставить диагноз — в народ вселилась антиэнергия Дьявола, называемая Ленью, в свя-

зи с чем президент не получает той степени «накачки» психической энергией народа, что приводит к тому, что все его волевые решения звучат как пустые слова и не находят народной поддержки.

Разве такие люди могут дать президенту народную поддержку?!

Когда я говорил обо всем этом, народ в зале начинал перешептываться. Люди, видимо, говорили друг другу, что этот профессор, возможно, и прав, и что во всех бедах виноват не только президент страны, который не может обуздать безудержную вороватость олигархов, присвоивших народное достояние, но виноват и Ахмадулла, который не хочет пасти коров, виноват и Ваня, который с похмелья лежит на печи, виноват и Коля, который с омерзением точит болванку на станке, мечтая о том, чтобы этот станок перестал крутить эту болванку, виновата и Маша, которая сменила профессию швеи на профессию аж проститутки по вызову, мечтая о том, чтобы все мужики были скоротечными, виновата и Алия, мечтающая отхватить арабского мужа, чтобы всю оставшуюся жизнь дремать под паранджой с ненакрашенными губами и тремя килограммами золота на руках, виноват и мальчик Олег, получающий двойки в деревенской школе из пяти учеников и мечтающий о вечном покое... покое с детства...

Я вновь отхлебнул пива. Очень культурно постарался это сделать. Взгляд мой снова упал на неказистого мужичка, сидевшего напротив. Он уже не выбивал чечетку руками на столе или ногтем на кружке. Он сидел смирно-смирно, но какое-то напряжение чувствовалось в нем.

– Что он так напрягся-то? – подумал я.

Арабы тоже смотрели на него, ожидая, видимо, что он, неказистый мужичок-то, после напряжения выкинет такое, что чечетка на столе руками покажется детской шалостью.

Я пригляделся к неказистому мужичку и увидел, что он пе-

Арабы смотрят на коленки
неказистого мужичка

риодически дергает ногами, вернее, стукает коленками друг об друга этак «тук-тук-тук-тук», а потом делает короткий перерыв, после чего опять делает коленками «тук-тук-тук-тук» и снова делает перерыв и так далее.

Арабы, которым коленки неказистого мужичка были видны лучше, чем мне, не сводили с них глаз.

И тут меня осенило, что неказистый мужичок хочет

в туалет, но терпит. Пивко-то действует. Арабы, чувствуется, давно поняли это… и ждали…

Русское экономическое чудо

Мои мысли опять возвратились к предвыборной кампании В. В. Путина. Во время своих выступлений я понимал, что люди, конечно же, не могли сходу усвоить фразу «антиэнергия Дьявола, называемая Ленью», но ее скрытый смысл понимали, гневно поглядывая друг на друга, как бы обличая друг друга в связи с Дьяволом… через свою Лень. И это было хорошо, очень хорошо. Это говорило о том, что люди не совсем еще разленились и не хотят гибели своей страны… через Лень. Люди еще хотят побороться, да так побороться, чтобы когда-нибудь… когда-нибудь… кто-нибудь написал о русском экономическом чуде, том чуде, в основе которого лежит борьба с дьявольской Ленью, сопровождаемой нытьем о плохой жизни.

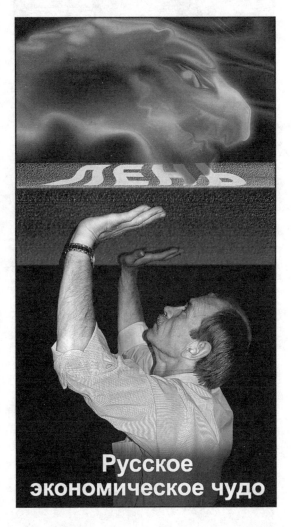

Нефть развращает, господа!

Нефть, может быть, развратила нас?! Ведь ее покупают по высоким ценам те страны, где кроме умелых рук ничего и нет! А может быть и хорошо, что олигархи воруют нефтедоллары и омертвляют их в дьявольских швейцарских банках?! Больше простора остается для рук-то!!! Воруйте… во славу червей! Зато то недовольство народа, который вы обворовываете, будет тем стимулом, будет тем толчком, который заставит российский народ надеяться только на свои руки… как немцы, как японцы… Нефть развращает, господа!

И разврат этот проявляется в целом ряде арабских нефтеносных стран, где дороги окаймлены бордюрами из бутылок и ПОЛИЭТИЛЕНОВЫХ мешков, которые, вообще-то, можно было бы… преодолев Лень… положить в ящики для мусора, которые… тоже преодолев Лень… надо поставить кое-где, чтобы видеть свою пустынную страну в чистоте и во всей ее пустынной красе, чтобы даже пустынный закат был красивым!

Известно, что во время каждой войны случается экономическое чудо, – народ в условиях выживания начинает так работать, так работать, что заводы, производящие танки, растут в тылу как грибы, а поля, согретые человеческим желанием, дают двойной урожай! И даже в мирное время наши деды, лишь заслышав, что в какой-то Челябинской области дают бесплатно землю, снимались семьями и ехали туда на лошадях аж из Ростова, чтобы там, непрерывно работая, построить дом, вспахать целину и начать жить свободно, не отступая от принципа, что только земля и руки могут обеспечить человеку достойную жизнь… стоит только захотеть, сильно захотеть, очень

Во время войны всегда случается экономическое чудо

сильно захотеть, так захотеть, чтобы эти стремления и желания напрочь смыли лень, омерзительную лень, которая, как облако, облекает все туманом, в котором все двигаются медленно-медленно, и за этой медлительностью не замечают, что в них проникла антиэнергия Дьявола, называемая Ленью, коварнее и страшнее которой не бывает. Да и нефть, наверное, создана для искушения.

Я вновь поднял глаза на неказистого мужичка. Он издергался весь. Тяжело ему было, чувствовалось, терпеть-то, чтобы не идти в туалет. Но он терпел, этот неказистый мужичок, терпел, видимо опасаясь того, что кто-нибудь вдруг отхлебнет из оставленной им одинокой кружки… или, что еще хуже, эта проклятая немка-официантка в полосатой юбке уберет его кружку, как недопитую.

Вскоре, наблюдая за неказистым мужичком, я понял, что любому терпению приходит конец. Его периодически стукающиеся коленки, стали стукаться постоянно и издавать сплошную дробь «тук-тук-тук-тук-тук…..».

Один из арабов, видя это, ухмыльнулся, понимая, что…

Неказистый мужичок, остановив постукивание коленок, поднялся, подошел к арабам и сказал им что-то, показав пальцем на одиноко стоящую на его столе кружку. Из этого я понял, что он попросил их присмотреть за кружкой, чтобы… никакая сволочь…

Арабы угрюмо согласились и проводили недобрым взглядом уходящую максимально быстрым шагом слегка согнутую фигуру неказистого мужичка.

Араб ухмыльнулся, понимая, что…

Давай веди, а!

А я опять вспомнил предвыборную кампанию В. В. Путина, вспомнил, как, стоя за трибуной, я говорил о том, что люди хотят, чтобы их кто-то все время вел и вел вперед и… чтобы они, люди, при этом спокойно дремали, укутавшись в одеяло Лени, а, проснувшись… иногда критиковали того, кто их ведет вперед… за то, что он… плохо их ведет. Ведь брюзжать легче, вообще-то.

Всем хочется, чтобы В. В. Путин все решил мгновенно, – и увеличил пенсию, и поборол коррупцию, и урезонил бюрократов и так далее, и тому подобное. А он, Путин-то, не торопится все это делать, чем очень нервирует людей. Что ему, трудно что ли, указ написать… о запрещении коррупции, например?! Трудно, что ли? Написал, да и все, и пусть всякие там чиновники его исполняют. Ведь это указ аж самого президента!

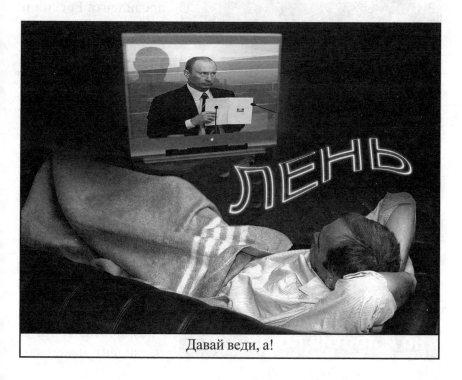

Давай веди, а!

А этот указ просто-напросто не сработает и останется пустой бумажкой. Для того, чтобы указ президента сработал, нужно, чтобы в нем прописалась воля народная, та самая народная воля, которая делает эту бумажку всемогущей. В эту бумажку, называемую указом, должна войти народная энергия, выражаемая в стремлении и желании людей поддержать этот указ и выставить своего рода «народный контроль» над его исполнением.

Бюрократия борется не только против народа, но и против президента

Я помню, как директор одного из крупных заводов России рассказывал мне, что в поисках инвестиций он добрался аж до самого президента России и получил от него положительную резолюцию. А потом этот директор произнес следующую фразу:

— Подпись президента, конечно же, забюрократили. Но все равно приятно, что я у него был.

А если забюрократят одну подпись, вторую, третью…? Бюрократия, она ведь не только против народа борется, но и против президента! И тогда президент может совсем потерять силу и, волей-неволей, станет пешкой в руках черного лидера бюрократов.

Чтобы такого не случилось, есть два пути.

Первый путь можно назвать так – «он уважать себя заставил и лучше выдумать не мог». Надо сказать, добиться президенту уважения и, пользуясь им, вести народ вперед, ой-ой как нелегко! Легко только революционерам, таким как Ленин или Ельцин, которые всю свою энергию вкладывают в разрушение, а когда наступает период созидания теряются и скатываются в болезни или пьянку. Созидателям намного тяжелее! Перед созидателями стоит извечный вопрос – как добиться народного энтузиазма? Ведь народ склонен к самобичеванию и разочарованию, с последующим скатыванием во всепоглощающую Лень.

Например, Сталин – типичный созидатель – добился энтузиазма народных масс путем репрессий, заставив под страхом смерти уважать утопическую коммунистическую идею и работать не ради денег, а во имя величия страны.

Второй путь можно назвать не иначе как «не мытьем, так катаньем». То есть, это постепенный путь, когда президенту нужно уловить и вовремя использовать силу слова «надоело». Есть такая поговорка – «любому терпению приходит конец». И именно во

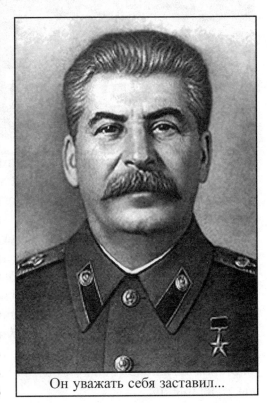

Он уважать себя заставил...

время этого «конца» в народе появляется слово «надоело», которое обладает такой народной энергией, что она способна сделать «указ о надоевшем» всесильным. А если к слову «надоело», произносимому обычно на кухне за бутылкой, добавить еще и демонстрации, когда пара сотен людей проорут на улице с двумя-тремя плакатами о «надоевшем», то сила слова «надоело» удесятерится… удесятерится потому, что она вырвалась за пределы кухни. Вот только президент должен быть мудрым, чтобы издать указ точно в то время, когда сила слова «надоело» достигнет своего апогея.

Именно по второму пути идет, на мой взгляд, Путин. Нас, россиян, еще не полностью поглотила антиэнергия Дьявола под названием Лень, мы еще способны на кухне выкрикивать за бутылкой «Надоело! Надоело, блин!». А, вообще-то, нам уже пора бы выйти на демонстрацию в поддержку президента, созвав из соседних подъездов скучающих старух и желающих тряхнуть стариной стариков, да и плакат намалевать фломастером на ватмане, на который тут же слетятся разные каналы телевидения.

А куда смотрят партии? Почему они народ на демонстрации не зовут... против коррупции, например? Ведь если бы партии это делали, то сила президента увеличилась бы намного. Понятно, Явлинский не может этого сделать, – он на место Путина метит. А партия власти почему бездействует и не использует свой «административный ресурс»?!

Наше счастье в том, что В. В. Путин идет вторым путем. А если бы он «уважать себя заставил»... как Сталин?

Мы должны понять, что нам надо помогать президенту, помогать своей энергией, простым осознанием того, что и ты – слесарь Коля – можешь подать свой голос, да такой голос, сильнее которого не бывает на всем белом свете. Брюзжать только не надо.

Да и выражение «брюзжащее телевидение» очень хорошо подходит нам; найдут какую-то уральскую дыру и смакуют, смакуют и смакуют негатив на тему, например, об отсутствии

Деревенский туалет

канализации в деревне из пяти дворов, хотя можно… выйти в чистое поле… А ведь эти люди, которые за…рали свою деревню из пяти дворов и которым лень взять лопату, выкопать яму и поставить над ней дощатый туалет, нарвав и засунув в щель между досок… по культурному… газетной бумаги, могли бы, вообще-то, сделать это хотя бы из последних сил, памятуя о принципе – «Умрем – отдохнем!», а не с усилием, брюзжа в телекамеру, раскрывать старушечий рот, который раскрывает, наверное, не подернутая возрастом Жизненная Сила, а раскрывает уже дьявольская антиэнергия, называемая Ленью. Лень, она ведь тоже имеет силу, мощную силу, которая способна не только противодействовать Жизненной Силе, но и способна через брюзжащие рты заразить собой целую страну, чтобы население ее тоже стало причитать и брюзжать, причитать и брюзжать, отбирая будущее у внуков и правнуков.

Право на законный отдых опасно, очень опасно! Оно, это право-то, очень коварно. Работать, то есть созидать, должны все, от мала до велика, от молодого парня до седого старика, от юной красующейся девушки до укутавшейся в платок старушки, … ведь Бог, и именно он, Бог, прописал, что человек, зарожденный как самопрогрессирующее начало, должен «пахать, пахать и пахать» до скончания дней своих, так как жизнь продолжится и в следующей жизни, и от того, как ты «допахал» в свои последние годы будет многое зависеть в следующей твоей земной обители. Уважение к возрасту очень опасно, господа! Иногда ведь от уважения к возрасту попахивает уважением к Лени… заслуженной Лени.

Пенсионная лень

Эх, если бы люди уходили на пенсию позже! Как было бы здорово! Ведь это ужасно, что порой сексапильная женщина 55-летнего возраста, которой завидуют 30-летние дуры и стараются ее подсидеть, вынуждена обрести пенсионную грусть в глазах и войти в пенсионную лень… как положено, чтобы…

как положено… добавить антиэнергии Лени в общую ленивую копилку страны. Чем больше люди работают, тем дольше они живут! А постулат, что надо беречь здоровье, является дьявольским постулатом!

Чаще всего, люди болеют от того, что их сжигает нереализованная Жизненная Сила по принципу «А зачем такому человеку жить-то в дьявольско-ленивом тумане?!», в то время как Богом данная Жизненная Сила рвется вверх и ввысь, а ты, дурак, заворачиваешь и заворачиваешь ее в одеяло лени, чтобы… беречь здоровье.

ПЕНСИОННАЯ ЛЕНЬ

Почему мы должны вводить людей в пенсионную лень?!

Рабочая усталость – приятная штука, господа! После нее, усталости-то, и хлеб вкуснее кажется. И когда Вы, дорогой пожилой человек, будете каждый день чувствовать рабочую усталость, то поверьте, что покалывания в области сердца заменятся на тяжесть в натруженных руках, а дети, приезжающие к Вам и видящие то, что Вы сделали, будут с восхищением говорить – «Вот это деда дает!» А ведь это здорово! Очень

здорово! Очень и очень здорово! Классно это – чувствовать себя несгибаемым! Ведь самое страш-

Нереализованная жизненная сила сжигает человека изнутри

ное – сжечь себя своей собственной Жизненной Силой! А это грех, великий грех! Жизненная Сила не для этого дается!

Это великий грех - сжечь себя своей Жизненной Силой

Минлень

Когда я стоял за трибуной и говорил о лени, то ловил себя на том, что никак не могу остановиться. А когда я начинал говорить об узаконенной лени, называемой КЗОТом или кодексом законов о труде, то негодование, бушующее в моей душе, перехлестывало через край.

Вы знаете, сколько времени я – рядовой профессор-медик – должен отдыхать в году? Семьдесят два рабочих дня, в связи с чем вместе с праздниками и выходными я должен отсутствовать на работе около ста дней в году. Как же я, будучи генеральным директором Всероссийского центра глазной и пластической

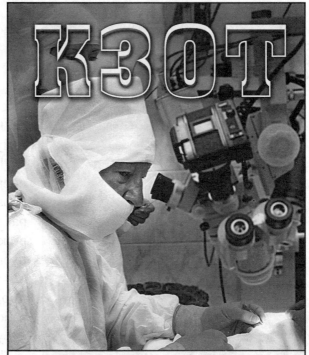

Оказывается, по КЗОТу я должен быть в отпуске 100 дней в году и работать всего с 9 часов утра до 3-х дня.

хирургии, буду командовать вверенным мне учреждением, если треть года я буду отдыхать? А как я смогу делать по 700–800 глазных операций в год? Да за треть года отдыха я просто разучусь оперировать! Руки без скальпеля задеревенеют.

А Вы знаете, какая у меня продолжительность рабочего дня по КЗОТу? С девяти утра до трех часов дня. А я… вообще-то… работаю с 10–11 утра до 2–3 часов ночи*.

А Вы знаете, какой отпуск должен иметь анестезиолог? Пятьдесят два рабочих дня. А продолжительность рабочего дня с 9 утра до 3 дня.

---

* – с женой мне повезло. Она терпит это.

МинТруд
МинЛень

КЗОТ -
защита права на Лень

А Вы знаете, какой положенный по КЗОТу отпуск должна иметь рядовая постовая медсестра? Сорок шесть рабочих дней.

И так далее, и тому подобное.

Вот я и решил, пользуясь правами генерального директора, установить иной режим работы: отпуск у всех – 1 месяц (24 рабочих дня), а продолжительность рабочего дня у всех – с 9 утра до 6 вечера.

Кто-то по этому поводу повыступал, за что я их выгнал с работы… выгнал, да и все, чтобы узаконенную лень не пропагандировали. Писали они жалобы, конечно, а я взял, да и не пустил в наш центр комиссию то ли управления, то ли министерства труда… охранникам отдал приказ – не пускать! Походили они вокруг центра, погрозили и ушли, тем более, что совесть их гложет… ведь основной закон по труду был принят аж в 1972 году. Порекомендовал я им переименовать «Минтруд» в «Минлень». Сказал им – «трудовикам», что кроме их «защиты права на лень», существуют еще и права слепого человека, которого кто-то же должен оперировать.

Последний аспект имеет свое обоснование. Если бы наш центр работал по КЗОТу, то мы бы не смогли делать в среднем по 8 тысяч сложнейших операций в год, а делали бы всего 2–3 тысячи. При этом я хотел бы особо подчеркнуть выражение «сложнейшие операции», продолжительность каждой из которых может варьировать от 1 часа до 8 часов. Ну не зашьешь же ты рану, не завершив операцию, в угоду тому, чтобы закончить свой рабочий хирургический день в 3 часа… по КЗОТу?! Ты, честно говоря, можешь так сделать и обосновать все в истории болезни, но… бездушно это – не побороться до конца во имя счастья слепого человека… Бог не простит. И ему, Богу, вообще-то, плевать на

этот самый КЗОТ, созданный бюрократами под управлением Дьявола во имя искушения под названием Лень.

А если анестезиологи начнут заканчивать наркоз по КЗОТу в 3 часа дня? А если операционная сестра бросит инструменты и уйдет, сказав, что рабочий день уже закончился? А если…

Платить надо людям лучше, а не давать им отгулы за переработанные часы… во имя наказания под названием «безденежная Лень»! Ведь каждый отгул добавляется к длинному-длинному безденежному отпуску, во время которо-

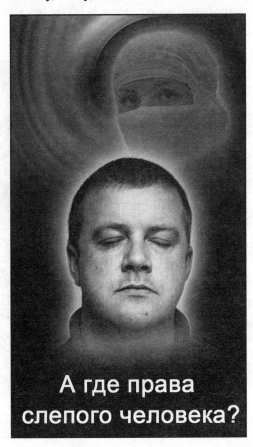

А где права слепого человека?

го… из-за отсутствия денег… трудно куда-либо съездить, а можно только угрюмо вбирать в себя «постельную затхлость».

А новогодние каникулы, созданные, как дань моде, призывающей «канать под Европу»? А что под нее канать-то, находя «радость» в сугробах по пояс при температуре -30^0, в то время как люди приезжают к нам лечиться независимо от праздников!

Мы сейчас много говорим относительно здоровья населения в России. И этот злополучный КЗОТ можно было бы поменять хотя бы в отношении медиков… во имя здоровья нации! Ведь медики, вообще-то, заботятся о здоровье!

Если бы наш Всероссийский центр глазной и пластической хирургии работал по КЗОТу, то мы должны были бы удвоить наш штат и… уменьшить зарплату вдвое. Глазной хирург «со-

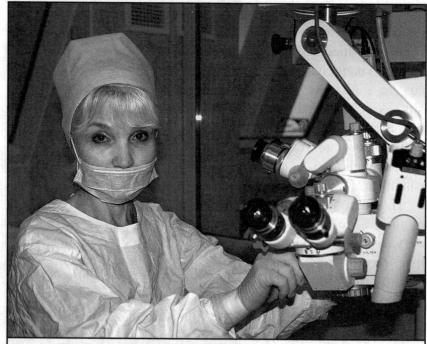

Профессор Венера Узбековна Галимова – «золотая хирургическая единица» Центра

зревает» только через 15–17 лет практической хирургической работы, и каждая «хирургическая единица» ценится на вес золота. Поэтому использовать эту «единицу» не на «полную катушку» не просто глупо, но и безнравственно, особенно если учесть, что настоящий хирург без полной хирургической загрузки «закисает», как «закисает» спортсмен без тренировок. Я знаю, что хирурги хотят много оперировать и иметь счастье послеоперационной усталости. Хирурги знают, что без хирургии они мало проживут… жизненная сила сожжет их.

А пока все держится на Совести людей, той Совести, которая «безденежным путем» противодействует этому самому КЗОТу.

Размышляя обо всем этом, я продолжал сидеть в международном венском аэропорту за кружкой пива. Неказистый мужичок, который оставил на попечение арабам свою недопитую кружку, что-то застрял в туалете.

Арабы, поглядывая на эту кружку, о чем-то живо беседовали. Они даже иногда пальцем показывали на нее, на кружку-то. Чувствовалось, что они хотят что-то сделать с этой кружкой, чтобы… хотя бы… не слышать этих постукиваний по ней или, еще хуже, «желудочных звуков».

Самый молодой из арабов встал из-за стола, слегка зацепился своим балахоном за стул, элегантно отцепился от него и подошел к пустому столу неказистого мужичка. Он взялся за ручку недопитой (неказистым мужиком) кружки пива, поднял ее и с хохотом, оглядевшись по сторонам, сделал движение, будто бы он собирается выплеснуть остатки пива неказистого мужичка на пол.

Молодой араб с кружкой пива

Старший из арабов решительно поднял руку и что-то громко сказал по-арабски, что я расценил как «не надо!» Молодой араб, послушавшись старшего, поставил кружку неказистого мужичка на место, но… при этом небольшая порция пива все же выплеснулась на стол.

Молодой араб, удивительным образом протиснувшись в широком балахоне меж тесно стоящих стульев, сел на место. Старший араб ему строго что-то сказал. А потом все арабы, уставившись на кружку пива рядом с лужицей, стали ждать.

От березы к березе

А мои мысли опять возвратились к тому времени, когда я стоял за трибуной и говорил, что когда-то давным-давно наши люди смогли через лишения на лошадях и оленях освоить не только Сибирь, но и Аляску. И даже смогли дойти до Калифорнии. Наши люди создали огромную Российскую Империю. О какой уж лени тут говорить!!! Попробуйте, хотя бы, проехать на лошади от Петербурга до Владивостока! А зима?! Холодная вьюжная зима! Ясно дело, что «пахали» от мала до велика! Куда уж тут качать права на

Попробуйте на лошадях проехать от Петербурга до Владивостока!

законный отдых! Тут бы землянку вырыть где-то по пути во Владивосток, чтобы отсидеться там в самые холодные зимние месяцы, да и кашки поесть из котелка… иногда.

А ведь что-то тянуло людей в дорогу… что-то тянуло… сильно и неудержимо тянуло, обрекая на невзгоды! Нет, чтобы сидеть себе в теплом Ростове и лопать репку, запеченную в печи! Что же тянуло людей? Что? А тянула их, на мой взгляд, матушка Земля. Земля, ведь, живое существо. Она умеет мыслить, да мыслить так, как ни одному человеку неподвластно. Она, матушка Земля, хотела, чтобы по ее поверхности, поросшей травой и деревьями, сновали еще и люди – те люди, которые своей Жизненной Силой добавляют силы ей – матушке Земле, чтобы она, наша матушка, жила вечно и.. никогда больше не сбрасывала людей с самой себя путем поворота своей оси на 6666 км, что называется апокалипсисом. Да и не хочет она, матушка Земля, делать этого, очень не хочет сбрасывать людей с себя.

Русский мужик мог чувствовать зов Земли-матушки

Почему же Земля-матушка отдала россиянам одну шестую часть земной суши? Почему она не отдала ее китайцам, которых очень и очень много на свете? Почему? Да потому, что… когда-то… каждый русский мужик или русская баба имели столько Жизненной Силы, выигранной в бою с дьявольской Ленью, что ее хватало на сто китайцев, уютно выращивающих рис на клочках земли размером в один квадратный метр. Ширь земная тянула русского мужика и заставляла его запрягать лошадь, будоражить свою семью и звать туда… неведомо куда.

От березы к березе…

Русский мужик мог чувствовать зов Земли, зов Земли-матушки, мог чувствовать потому, что смог… когда-то… сбросить с себя одеяло Лени и набросить вместо него розовое покрывало романтики, которое заставляло его по-детски широко раскрыть глаза и искать свое счастье среди русских елей и берез, каждый раз желая увидеть за следующей березой свою мечту, ту мечту, лучше которой не бывает на свете. А за очередной березой мечта не встречалась, но зато впереди появлялась еще одна береза,

И не зря одна шестая часть земной суши была отдана Русской Жизненной Силе

еще одна, еще одна… еще одна.. и так до бесконечности… чтобы утвердить в заскорузлой душе русского мужика то, что мечтой его является стремление вперед… от березы к березе, поскольку только через стремление его, мужика, Жизненная Сила становится действенной, а принцип «от березы к березе» помогает матушке Земле использовать ее для утверждения Жизни.

Мы, русские, не столь боимся смерти, а боимся Большой Лени, от которой попахивает Большой Смертью

И поэтому не зря одна шестая часть земной суши была отдана русской Жизненной Силе.

А сейчас… право на законный отдых и… слегка приоткрывающийся брюзжащий рот. Да и китайцы… на подходе, которым надоело выращивать рис на площади в один квадратный метр.

Нам, к сожалению, сейчас нужна целая революция или война, чтобы люди перестали говорить о законном отдыхе, который, вообще-то, интерпретируется не как понятие «пенсия», а как право на Лень или… как право обитать под дьявольской антиэнергией, которая… к сожалению… столь изощренно завлекательна своей постельной негой.

Мы, русские, даже хотим диктатуры и даже вспоминаем Сталина, поскольку в глубине души понимаем, что нас кто-то затаскивает в болото, нас аж засасывает туда… приятно и уютно засасывает… А название этому болоту – Лень, Большая Лень… Дьявольская Лень… Коварная Лень. Мы прекрасно понимаем, что Сталин – убийца, убийца миллионов. Но мы, русские, не столь боимся смерти, даже смерти миллионов, как боимся чего-то…

чего-то такого… А боимся мы Лени, Большой Лени, Глубокой Лени, Всепоглощающей Лени, от которой попахивает уже Большой Смертью, название которой… душевный коллапс, откуда нет выхода даже в будущих жизнях. Мы не хотим входить в этот коллапс… Мы чувствуем эту бездну… бездну провала в другое более низкое измерение… Мы сопротивляемся… Ведь когда-то… когда-то именно нам, русским, Земля-матушка отдала предпочтение, позволив жить на безбрежных просторах, впитывая в себя энергию Земли. А отдала предпочтение она нам по-

Земля-матушка
считает нас -
и молодых и стариков -
своими детьми и требует
от нас детского восторга
оттого, что мы живем
на ЗЕМЛЕ

тому, что мы, русские, некогда зарядились, отбросив лень и прагматичность, такими простыми понятиями как детская непосредственность, романтичность, дружба, стремление, мечта, порыв, страсть, самопожертвование, душевность, любовь и многое другое тому подобное, что мы чувствуем и не можем выразить словами, потому что слов не хватает. А это так важно, так важно для Земли-матушки, которая, наверное, считает нас – и молодых и глубоких стариков – своими детьми и требует от нас детского восторга оттого, что мы живем на Земле.

Я поднял кружку пива, подул на пену, чтобы она не пузырилась на усах, и отпил его, пивко-то. Австрийским было оно, пивко это. Австрийские мужики постарались, чтобы оно было вкусным, таким вкусным, что… может быть… вкуснее пива не встретить на всем белом свете и что… может быть… только из-за него, австрийского пивка-то, люди станут летать именно через венский международный аэропорт, а не через какой-нибудь там Франкфурт, где… пиво хуже… явно хуже, потому что немцы не могут вложить в него, пивко-то, всю свою любовь к Земле, как это делают австрийцы, у которых так мало земли, так мало, что любая капелька пива кажется вытекающей из земли.

Я посмотрел в сторону стола, где стояла одинокая кружка с австрийским пивом, оставленная неказистым мужичком. Еще раз обратил внимание на маленькую лужицу рядом с кружкой и, как и арабы, стал ждать, когда же появится этот самый неказистый мужичок, который что-то долговато застрял в туалете.

Неказистый мужичок не заставил себя долго ждать. Он появился, сел за свой столик и подвинул к себе свою недопитую кружку пива. Арабы внимательно наблюдали за ним.

Неказистый мужичок, соскучившись по пиву, с пеной и воздухом засосал его. Арабы напряглись. И вдруг он увидел лужицу пива перед собой. Лицо его исказилось, а воздух, прорвавшись из желудка, раздул щеки. Неказистый мужичок испытующе посмотрел на арабов. Молодой араб явно некстати хихикнул.

Неказистый мужичок пальцем потрогал лужицу на столе, а

потом поднес палец к языку. Чувствовалось, что он по вкусу понял, что пролито пиво. Его пиво! Он слегка наклонил голову и посмотрел на уровень пива в кружке. Но понять чтолибо было трудно из-за пены.

Наблюдая за неказистым мужичком, я понял, что он начал негодовать. Он заерзал на стуле, постучал пальцами по столу и громким окриком позвал официантку – немку такую в полосатой юбке. Та по-

Молодой араб скукожился

дошла. Между ними состоялся разговор... видимо на тему пролитого пива. Я увидел, что официантка показала в сторону арабов. Неказистый мужичок стал сверлить их взглядом. Молодой араб скукожился...

Дырявая варежка

А мои мысли опять возвратились к предвыборной кампании В. В. Путина. Во время своих выступлений я всегда рассказывал один эпизод из давней-давней студенческой жизни. Дело было в ту зиму, когда в Башкирии после нового года ударили такие морозы, которых не помнили даже наши деды. Мы, как всегда, в зимние студенческие каникулы собирались в поход по уральским горам, но из-за морозов отказалась идти почти вся туристическая группа. Только мы с моим другом Миннуром Салахетдиновым решили «проявить героизм» и доказать другим студентам, что морозы нам нипочем и что мы здоровыми возвратимся в родную общагу, а не околеем от холода в горах.

В общем, пошли мы с ним... два дурака. Пудовый ватный двухместный спальник с собой перли. Котелок еще и крупы перловки прихватили, да на две банки тушенки со студенческой стипендии разорились. Лыжи у нас, конечно, были плохонькие, поэтому еще одни запасные лыжи за собой на веревочке тянули… которые, когда с горки съезжаешь, все время на тебя наезжают и этим очень, черт побери, нервируют. Но куда без запасных лыж деться! А вдруг сломаются основные лыжи-то?! Снега-то – по пояс!

А морозы и в самом деле доходили до –50^{0}С ночью. Во время такого мороза даже у костра, разведенного из бревен в снежной яме, посидеть невозможно, – спина, черт побери, мерзнет. Вот и приходилось

Зимний поход

дергаться, обогревая по очереди то спину, то бок, то еще что-

Зимний костер

нибудь, приговаривая – «Какой собачий холод, а!».

Мы, конечно же, залезали в этот самый пудовый ватный двухместный спальник, и вдвоем, совершая змееподобные движения, зарывались в снег, но это не помогало, и мы, два дурака, подрожав и поиздавав звуки «Угу-гу-гу-гу», снова шли к костру, чтобы отогревать наиболее замерзший бок.

Но больше всего мерз у меня большой палец левой руки, потому что на варежке в этом месте была дырка. Как я проклинал эту дырку! Я даже пытался путем прикусывания уменьшить размер дырки, но ничего не достиг, кроме того, что обслюнявил варежку. Вот и приходи-

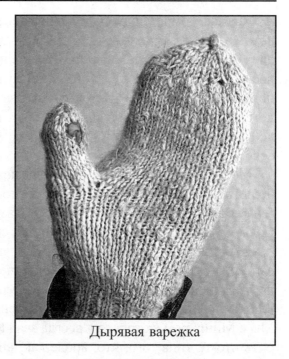

Дырявая варежка

лось идти, загнув большой палец внутрь основной части варежки. Неудобно это, кстати! Особенно когда топором рубишь.

Сделав несколько холодных ночевок, мы, честно говоря, совсем охренели. И вот однажды, проторив в день более 20км снега и пройдя через хребет, мы с моим другом Миннуром Салахетдиновым вышли к маленькой башкирской деревушке, затерянной среди гор, которая называлась Кошеля. Мы, совсем очумевшие и находящиеся в состоянии нервного срыва оттого, что эти проклятые запасные лыжи постоянно наезжали на нас, подошли к первой попавшейся избе. Ночь уже была. Собака залаяла. Мы поорали призывно. Хозяева вышли. Спросили: кто такие? Ответили, что мы студенты-медики. Поохали хозяева. Пригласили домой. Мы, конечно же, зашли. Даже запасные лыжи с собой затащили в избу. Заговорили с хозяевами по-башкирски. Даже на философию потянуло. Керосиновая лампа горела. Электричества здесь не было.

Хозяева помогли нам скинуть заледеневшие телогрейки. Положили их на печь сохнуть. С ужасом оглядели наш пудовый двухместный ватный спальник. Вынесли обратно на улицу запасные лыжи. Посадили за стол. Чай горячий налили. Сахарок пододвинули. Остатки картошки выставили на стол. Соль рядом поставили. Извинились, что хлеба у них нет, а башкирские лепешки, которые пекут в золе, они уже съели... вот только кусочек остался.

Мы, конечно же, какое-то время еще покорчили из себя сытых, но потом так накинулись на остатки картошки, так накинулись... и нам казалось, что вкуснее еды не бывает на всем белом свете. Солью густо солили картошку-то... чтоб сытнее была.

И тут хозяин-башкир, такой крепенький, полез в сундук и вытащил оттуда такое... такое, лучше чего я никогда не видел на всем белом свете. А вытащил он бутылку поганенькой советской водки и заскорузлой рукой вкусно поставил ее на стол. Мы с Миннуром, которого я всегда звал Мур-мур, начали говорить что-то типа того, что, вроде как, «не надо уж», понимая, что у него, хозяина-то, эта бутылка, скорее всего, единственная на всю зиму в этой деревушке, куда нет дорог. Но глаза наши, видимо, говорили другое. Согреться хотелось. Очень хотелось... хотя тепло было в избе. Очень тепло. Даже большой палец на левой руке, который вечно мерз из-за дырявой варежки, отогрелся. Понял я, что я с пальцем (большим!) останусь. А от этой мысли, приперченной мечтой о том, что я — деревенщина какая-то — могу стать после окончания мединститута аж хирургом, стало

Остатки картошки

так тепло на душе, так тепло, что... аж выпить захотелось. И я красиво сказал по-башкирски:

– Ладно уж.

Хозяин – башкир такой крепенький – налил нам с Мур-муром сразу по полстакана. Мы ахнули, конечно. Тепло разлилось по телу. И мне казалось, что лучше тепла не бывает на всем белом свете.

А потом хозяин, который тоже

Мой друг Миннур Салахетдинов (Мур-мур)

ахнул полстакана, хитро посмотрел на нас и сказал по-русски:

– Закус.

Я сразу понял, что он хочет что-то предложить на закуску. Я стал ждать... потому что жрать хотелось так, что ничего ценнее этого «закуса» не могло быть на всем белом свете.

Хозяин еще раз хитро посмотрел на нас с Мур-муром, снова полез в сундук и извлек из него... пачку печенья «Крокет». Он с хрустом разорвал бумажную оболочку и аккуратно вынул несколько печенюшек, которые на удивление не раскрошились... видимо, бережно вез на лошади в деревню... для гостей вез, печенье-то.

Я протянул руку, взял печенье и съел его. Мне казалось, что ничего на свете вкуснее не бывает и что... когда-нибудь осуще-

Закус

ствится моя мечта, и у меня будет столько печенья «Крокет», что больше печенья не бывает ни у кого на всем белом свете.

Бутылку мы выпили, в общем, на троих. Дорогую бутылку выпили. Только после этого хозяин – башкир такой крепенький – спросил, как нас зовут. Я не удержался и… бескультурно так… подобрал последнюю крошку от печенья «Крокет», – уж больно вкусным оно было, печенье-то.

Разговорились. По-башкирски*. Говорили о том, о сем. О жизни, конечно, говорили… о жизни в деревне Кошеля, вокруг которой столько волков, столько, что больше волков не бывает на всем белом свете.

А потом жена хозяина стала укладывать нас с Мур-муром спать. И знаете, куда она нас положила? Знаете куда? Положила она нас аж на саму хозяйскую кровать, застланную свежими белыми простынями, да по две огромные подушки каждому дала. Накрыла нас толстым одеялом, вдетым в свежий пододеяльник. А кровать-то красивой такой была… с шарами.

Я, конечно же, постарался сказать что-то типа того, как «не надо уж», но прозвучало это у меня неубедительно под добрым взглядом хозяйки – башкирки такой уютненькой. И я ничего умнее не придумал, как сказать:

* – я хорошо говорю по-башкирски.

– Ладно уж.

Перед тем как уснуть, я бросил взгляд на пудовый ватный двухместный спальник. А спал я в ту ночь так сладко, так сладко, что более сладкого сна, наверное, не бывает на всем белом свете. Храпел, наверное… немного… для солидности.

А в шесть утра хозяюшка – башкирка такая уютненькая –

Деревенский рукомойник

разбудила нас с Мур-муром. Мы встали и стали застилать кровать, а хозяюшка сказала что-то типа того, как «не надо, не надо, что вы, вам еще сегодня сорок километров шагать».

Мы с Мур-муром подошли к рукомойнику и решили сполоснуть лицо. В рукомойник была налита теплая вода. Мы даже почистили зубы, найдя зубные щетки на дне рюкзаков. У Мур-мура даже зубная паста нашлась. Мыло, правда, мы хозяйское использовали. Хозяйственное, конечно.

После этого хозяюшка усадила нас за стол и подала нам по огромной тарелке супа с огромным куском мяса в каждом. Лапша это была… «Тыкмас» по-башкирски называется… Я обратил, конечно, внимание на то, что лапша была не магазинная, а натуральная. Значит, хозяюшка – башкирка такая уютненькая – ночью месила тесто, раскатывала и резала его тонко-тонко, как полагается башкирской женщине.

Помню, я ел этот суп с таким аппетитом, таким аппетитом, что сильнее аппетита, наверное, не было ни у кого на всем белом свете. Да еще и куском башкирского хлеба, называемого «Кол икмеге», заедал.

Когда суп в тарелке закончился, я сделал вид, что уже сыт. А хозяюшка – башкирка такая уютненькая – предложила налить мне еще супа, на что я ответил что-то типа того, как «хватит уж...». Но она стала настаивать, напоминая о дальней дороге. В конце концов, я с достоинством согласился:

– Ладно уж.

Вторая тарелка тоже улетела со свистом. А друг мой Мурмур – башкир такой, выросший в зауральских степях – съел аж три тарелки супа.

Чаю попили после супа. Крепкого и горячего. С сахаром, конечно. Хлеб весь башкирский доели… чтобы сытыми быть наперед. Хорошо, оказывается, быть сытым-то.

Рюкзаки сложили прямо в избе. В тепле, а не на морозе. Пудовый двухместный ватный спальник, который, правда, не

Деревенская лапша (тыкмас)

успел просохнуть, аккуратно в рюкзак запихали, а не горбом, как обычно… на морозе. Веревку, на которой таскали запасные лыжи, заменили на новую, беленькую такую. Надели высохшие на печи телогрейки и валенки.

Наступило время говорить хозяевам «спасибо»… только спасибо. Но хозяина дома не было.

– А где хозяин-то? – спросил я.

– А он запрягает лошадь, – ответила хозяюшка. – Он вас подвезет, сколько можно… Снег глубокий в этом году. Дорогу до деревни Галиакберово занесло. А это сорок километров. Муж хочет, чтобы вы дошли до деревни, а не ночевали в лесу. Мороз ведь – 50^0С! Он два раза ночью коню овса давал, чтобы у него силы было больше… ведь дорогу занесло. Думаю, километров десять сможете проехать, а потом… пешком.

Мы вышли во двор. Хозяин – башкир такой крепенький – запрягал лошадь. А мороз поутру был такой… такой, что хотелось тут же возвратиться в избу и жить там вечно, в тепле и уюте.

– Сейчас будет готово! – крикнул нам хозяин. – Дорога длинная до Галиакберово. Около десяти километров лошадь сможет пройти там, где дорога будет идти по глухому лесу, а потом начнутся глубокие сугробы, где лошадь не пройдет. Эти десять километров мы проедем еще ночью… я дорогу знаю… а когда рассветет, вы пойдете сами. В Галиакберово живет мой родственник… второй дом от конца деревни. Переночуете у него. Привет от меня передайте.

– Рахмат! (Спасибо!) – крикнули мы с Мур-муром хозяюшке.

Мы положили рюкзаки и лыжи на сани. Сели сами туда же. Поехали. Но лошадь тянула плохо, дорога все же была сильно занесена. Тогда мы с Мур-муром соскочили с саней и побежали за лошадью… без рюкзаков и без лыж. О, как легко бежалось! Как легко!

– Джик-джик, джик-джик… – скрипел снег под нашими валенками во время бега.

Хозяин периодически оборачивался и добро смотрел на нас – двух дураков, весело бегущих за лошадью. Чувствовалось, что мы были приятны ему и... понятны.

Во время бега мы с Мур-муром разогрелись. Мы даже кидали друг другу всякие там фразы, остроумнее которых, как нам казалось, не было на всем белом свете. А на душе было хорошо, так хорошо, что лучше, наверное, и не бывает на всем белом свете.

– А нам морозы нипочем, – запел я даже однажды по-русски во время бега.

Но вскоре появились сугробы, в которых лошадь стала застревать. Мы сняли рюкзаки с саней и встали на лыжи. Я привязал к себе запасные лыжи новой веревкой. Они уже не столь нервировали меня.

– Рахма-а-а-ат! – крикнули мы вслед уезжающему на лошади хозяину.

Лошадь, запряженная в сани

Я шел впереди и торил глубокий снег. Предстояло пройти еще 30 км.

– Джик-джик, джик-джик, – хрустел под лыжами снег.

Я шел и думал. А думал я о том, что хозяюшка – башкирка такая уютненькая – не спала ведь всю ночь. Я, как деревенский человек, знал, что ей, чтобы сварить для нас – непрошеных гостей – суп, надо было растопить печь... ведь электричества в этой деревушке не было. Да к тому же она должна была топить печь очень долго, чтобы образовалось много золы, в которой можно испечь вкусный башкирский хлеб «Кол икмеге».

Я шел и думал о том, что хозяин – башкир такой крепенький – тоже не спал всю ночь, и из заначенного в чулане мешка два раза отсыпал лошади овса, чтобы она, лошадка-то, хорошо бежала по занесенной снегом дороге... чтобы эти два студента-дурака не ночевали в снегу, а добрались до деревни Галиакберово и переночевали в тепле у его родственников.

Я шел и шел, торил и торил снег. Сил было навалом! Утренний супчик дал энергию. И тут я вдруг заметил, что моя левая рука не мерзнет.

Я посмотрел на свою варежку, на большом пальце которой была дырка. И... увидел, что на эту дырку была наложена заплатка, да не просто заплатка, а заплатка, вырезанная из

Башкирский хлеб «Кол икмеге»

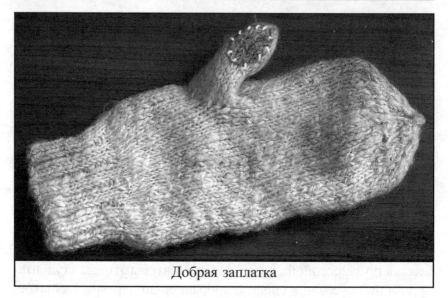

Добрая заплатка

шерстяного носка и аккуратно вшитая в дыру, чтобы мой палец, палец чужого человека, не мерз… чтобы я стал хирургом, как мечтал. Хозяюшка – башкирка такая уютненькая – сделала это ночью, хотя я и не просил об этом… конечно. Сделала, да и все, во имя того, что она… любит людей, любит, да и все… как положено, вообще-то. Слезы выступили у меня на глазах.

Вспоминая все это, я сидел в международном венском аэропорту за кружкой пива и ждал самолета на Триполи (Ливия). Курил, конечно, пользуясь тем, что было написано «Rauchen zone», то есть, «курительная зона». Слегка негодовал от того, что в самолетах, где люди испытывают стресс, называемый «А вдруг шлепнемся?», курить запрещается, хотя известно, что около 50% людей курят, и курят с целью борьбы со стрессом, являющимся основной причиной инфарктов, инсультов и других заболеваний, постоянно при этом приговаривая: «Все болезни от нервов». И любой человек, даже не курящий, знает, что выйдя на улицу, заполненную автомашинами, ты одним вдохом вберешь в себя столько канцерогенов, находящихся в выхлопных газах автобусов, что этот вдох в «канцерогенном отношении» будет значительно мощнее, чем пачка сигарет. Разве сравнить тоненькую сигарету с ароматным дымом с выхлопной трубой автобуса «Икарус»? Да и американцы, которые ввели моду на «здоровый образ жизни» и запретили курение, заставляя свои 50% курящего населения терпеть, хлебая вреднейший кофе, или по-плебейски прятаться в туалете, лихорадочно засасывая дым, почти

опустив голову в унитаз, ходят какие-то подернутые, игриво изображая образ счастливого человека, живущего по правилам. И не верю я статистике, что американцы живут долго, – на диабетических сэндвичах и «Кока-коле» долго не протянешь! А вот с махорочкой, да под душевный разговор, которые... всю твою душевную напрягу, называемую стрессом, снимут, можно каждый день сочным голосом говорить прохожему, изображая из себя хохла – «Здоровеньки булы!» Вот и хочется порой крикнуть: «Свободу курящим!»

Я посмотрел на неказистого мужичка, который бесперывно курил, снимая, видимо, стресс от того, что кто-то, сволочь, разлил его пиво, пока он ходил в туалет или... даже, возможно, отхлебнул его пиво, сволочь такая.

Неказистый мужичок посмотрел и в мою сторону, выискивая того, кто мог бы разлить или даже... отхлебнуть его пиво. Но у меня стояла своя кружка пива, так что подозревать меня в том, что я во время его отлучки в туалет мог подбежать к его одинокой кружке пива и отхлебнуть из нее, было трудно. Поэтому он, неказистый мужичок-то, сделал вывод, что во всем повинны, скорее всего, арабы. А чо? Пить им, арабам-то, запрещено, а хочется ведь! Заказывать пиво, да на публике нельзя, конечно! Вот и приходится, когда кто-то уходит в туалет, втихаря отхлебнуть из чужой кружки, разлив пиво... из-за неумения пить.

Неказистый мужичок повернулся в сторону арабов и стал телепатирующе смотреть на них, так телепатирующе смотреть, что более телепатирующего взгляда не бывает на всем белом свете. Ему, неказистому мужичку-то, чувствуется, хотелось, чтобы арабы сами признались в своем прегрешении и... может... даже признались какого края его кружки они коснулись своими погаными губами.

Арабы молча смотрели на неказистого мужичка

Арабы молча смотрели на неказистого мужичка. Я бы сказал, даже осуждающе смотрели, телепатируя, видимо, что так думать об арабах нельзя.

В итоге получилось так. Неказистый мужичок смотрел на арабов, а арабы на него, неказистый мужичок – на них, а они – на него... Борьба взглядов пошла... по поводу кружки пива.

Куркуль

А мои мысли опять возвратились к предвыборной кампании В. В. Путина. Я вспомнил свои рассказы о том, что моя бабушка-хохлушка* – Мария Леонтьевна Махиня – самым ругательным словом считала слово «куркуль».

Мой дед-хохол – Кирсан Никифорович Махиня – рассказывал, что его отец Никифор решил когда-то до революции 1917 года переехать из Николаевской губернии Украины в Уфимскую губернию России, где бесплатно давали землю. А у Никифора было 11 детей: две дочери и девять сыновей (Фрол, Федот... и мой дед – Кирсан, вернее Хрисанф, по-старорусски). Собрал, короче говоря, мой прадед Никифор всю свою семью, погрузил скарб на телеги и поехал туда, где сейчас находится Челябинская область и... где бесплатно давали землю. Ехали они на лошадях, как рассказывал мой дед, почти два года. Добра-

Мои дед и бабушка – Кирсан Никифорович Махиня и Мария Леонтьевна Махиня

* – я наполовину татарин, наполовину украинец .

лись, все-таки, до заветной Уфимской губернии, где и в самом деле, получив землю, распахали целину, посеяли рожь, завели свиней и коров и начали жить в семейном хуторке. Буряк (свеклу), конечно, выращивали, чтобы борщ украинский готовить. Вскоре стали жить достойно. Избы большие срубили, не то что землянки, в которых первую зиму на новом месте провели. Сала и цыбульки было вдоволь. Середняками они были и даже кулаками могли считаться.

Крапива

Но вскоре пришли коммунисты. Сало и хлеб отобрали. Лошадей угнали. Только буряк остался. Короче говоря, пустили по миру... как и «было положено» в России, где чуть ли не каждая семья испытала такое. Не любили коммунисты тех людей, кто любил землю. Вот и опустел хуторок и крапивой зарос. Змеи завелись там... как положено... как великий Ленин завещал. Разбежалась вся семья: кто обратно на Украину подался, кто куда, а дед мой Кирсан в Уфе остановился и каменщиком начал работать на стройке.

И хотя дед Кирсан и бабушка Мария рассказывали мне об этом с горечью, я, еще сопляк тогда, чувствовал, что горе это общее, соболезнованием ко всему российскому народу пропитанное, на долю которого выпал... вообще-то... дьявольский эксперимент, который великий ясновидец Нострадамус описал такими словами – «... в начале двадцатого века на землю Аквилон* спустится сам Антихрист...». Я, сопляк-пионер, пытался,

---

* – Россия *(франц.)*.

конечно же, что-то осознать тогда, но у меня это не получалось. Не получалось потому, что дети (даже пионеры) живут... вообще-то... чувствами и мечтой, той розовой-розовой мечтой, лучше и светлее которой, конечно же, не бывает на всем белом свете. И им, детям, так трудно поверить в то, что в жизни бывает и плохое... со змеями в крапиве... потому что главной ведущей силой детства является мечта. Таким создал Бог человека, чтобы он, человек-то, хотя бы в детстве по-

Мечта - главная ведущая сила детства

ощущал истинное счастье восхождения, компенсируя этим грусть реалий взрослой и пожилой жизни.

Но дед Кирсан и бабушка Мария, рассказывая мне... сопляку, конечно же... о жизни, начинали особо негодовать, когда произносили слово «куркуль». О, сколько негодования было в их глазах! Их глаза в этот момент отражали не грусть общенародного коммунистического горя, а личностный протест тому, что на свете есть люди, которые любят только себя и которым начхать на остальных людей.

Дед и бабушка рассказывали, что когда они ехали семейным обозом из Украины в Челябинскую область России, то далеко не везде на ночь можно было остановиться на постоялых дворах. Очень часто приходилось стучаться в первую попавшуюся избу и проситься на ночлег, да еще и попросить лошадей накормить и скарб весь под навес поставить. И люди пускали, просто так пускали, хотя в избу набивалось столько чужих людей, что

не то чтобы лечь на пол, но встать-то было некуда. И лошадей во дворе размещали, и скарб в чулан заносили. Печь растапливали, для чужих людей кашу варили, а когда печь прогорала, репку запекали на закуштовку (на десерт). А утром, когда после завтрака постояльцы собирались уезжать, помогали им лошадей запрячь и скарб из чулана вынести, да и счастливого пути желали, стыдливо отказываясь от предложенных за ночлег денег. Так было положено в те давние времена… вернее, так было принято, то есть было нормой поведения.

Кстати говоря, странная и чисто российская привычка создавать вдоль дорог монументы, на которых крупно и красиво написано «Счастливого пути», имеет, возможно, этот самый прапрапрадедский корень, когда слово «путник» звучало очень уважительно только на том основании, что страна наша огромная создавалась именно этими путниками. Да и с любовью сделанные беседки вдоль дорог напоминают… до сих пор напомина-

Монумент вдоль дороги

ют... об этом прапрапрадедском уважении к путнику. И если Вы, дорогой современный человек, спросите у какого-нибудь главы администрации какого-нибудь захудалого района России или даже у рядового колхозника, поставивших монумент «Сча-

Беседка вдоль дороги

стливого пути!» и построивших уютную беседку вдоль дороги, то они Вам, скорее всего, ответят невнятно «Да так... построили уж», не понимая того, что на них давит память, великая память предков, сделавших то, что мы, современные люди, уже не смогли бы сделать, потому что понятие «куркуль» для нас, канающих под Запад, уже стало нормой поведения, хотя в прапрапрадедское время оно было самым ругательным словом.

Мои дед Кирсан и бабушка Мария буквально кипели от негодования, когда вспоминали встречи с куркулями. Ехали они, в общем, всей семьей, во главе с моим прадедом Никифором из Украины в Челябинскую область России, ехали, вообще-то, осваивать новые неплодородные земли, которые, конечно же, хуже, чем в Николаевской области Украины. Ехали по зову какому-то. Не сиделось им на месте. Дорога дальняя манила. Скрипели колеса телеги. Лошадь тянула повозку. Сын Никифора Федот, укрытый мокрым тулупом, больной лежал на телеге. Махорка

промокла от дождя. А дождь, этот проклятый холодный октябрь-
ский дождь, порой переходящий в снег, достал своим осенним
холодом. Федот стонал в лихорадке. Кирсан шел рядом с телегой и промокшими ногами месил осеннюю грязь. Семена самой лучшей украинской пшеницы подмокли. Темнело. А вскоре кромешная мокрая тьма окутала весь обоз.

И тут из темноты выступили контуры трех домов.

– Хуторок! – закричал Никифор. – Хуторок!

Стали стучаться в ворота. Стучались долго. Федот стонал в
телеге. Собака во дворе лаяла, как бешеная. А никто не выходил. А Федот стонал. А Никифор стучал. А дождь со снегом
шел…

– Кто такие? – наконец раздался голос.

– Это мы, – глупо ответил Никифор.

– Кто такие – мы?

– Мы, мы… с Украины едем за Урал, где землю бесплатно
дают. Меня Никифором зовут. Откройте ворота, а! Федот, сын
мой, болеет. В телеге мокрый лежит.

– А мне какое дело! – возмутился голос за забором. – Я уже
вот под дождем, разговаривая с вами, промок. Уезжайте! Уезжайте, я вам говорю, а то ружье достану!

– Ну, как же так? Ну, как же так? Федот… вон…

– Уезжайте, твою мать!

– Пустите переночевать, люди добрые! – у Никифора слезы
выступили на глазах. – Федот, вон, сын мой…

– Я сейчас вам покажу!!! – угрожающе сказал голос за забором.

А через некоторое время раздался выстрел в воздух.

Никифор развернул лошадей и поехал… в темноте… туда,
не знаю куда. Федот стонал в телеге. Молодая Мария загоражи-
вала Федота, чтобы снегом не запорошило. Кирсан шагал в лаптях рядом с телегой. А ночь, эта мокрая холодная ночь только
набирала свои обороты, чтобы тянуться так долго, так долго,
что более длинных ночей, может быть, и не бывает на всем белом свете. Лишь только одна надежда теплилась, что ночь все

равно кончится, а потом наступит утро, такое прекрасное утро, когда ты думаешь, что не день, а вся жизнь начинается заново, та жизнь, когда впереди будут встречаться только добрые люди, только добрые люди, добрее которых, конечно же, не бывает на всем белом свете.

И эти добрые люди, конечно же, встречались, обязательно встречались,

потому что добрых людей на свете больше... конечно же, больше. В противном случае не была бы покорена Сибирь... если бы все были куркулями... как сейчас. Обителью добрых людей можно назвать Сибирь.

Я поднял голову и окинул взглядом международный венский аэропорт.

— Какие просторы! Какая площадь пола... чистого теплого пола... на котором столько людей могло бы прекрасно поспать, завернувшись в зипуны! Мечтой путника можно бы назвать такой аэропорт... в сравнении с маленькой избой, куда, стесняя себя, пускали путников добрые люди! — подумал я.

Мысли мои закружились, закружились в каком-то сумбуре прошлого и настоящего и... ни к чему конкретному не привели. Мой взгляд опять упал на неказистого мужичка.

А он, неказистый мужичок-то, встал, взял в руки свою кружку пива, решительно подошел к арабам и, тыкая указательным пальцем другой руки в кружку, стал у них что-то выяснять. Я сразу понял, что он выясняет – «уж не отпили ли они, арабы-то, его пивка, да и по неумению пить разлили его малость... пока он ходил в туалет».

Арабы отрицательно качали головами. А неказистый мужичок тыкал пальцем в кружку. Арабы отрицательно качали головами, а неказистый мужичок все сильнее тыкал пальцем в кружку. В конце концов, он так сильно ткнул пальцем в кружку, что порция пива выплеснулась на стол арабов.

У непьющих арабов глаза остекленели. Эта лужица пива на их столе, столе арабов, чувствовалось, оскорбила их, тем более, что их, арабов-то, обвиняли в том, что они – то ли один из них, то ли все они по очереди – отхлебнули пива из одинокой кружки неказистого мужичка.

Старший араб встал, гневно посмотрел на неказистого мужичка и громко сказал: «ла-ла-ла-ла», на что неказистый мужичок, продолжая тыкать пальцем в кружку с пивом, ответил: «та-та-та-та». Перебранка понеслась. Только и слышалось: «ла-ла-ла», «та-та-та...». Они говорили столь громко, что я даже улавливал обрывки фраз на английском языке, суть которых была, как всегда, такова: «Кто ты такой?», «А ты кто такой?».

– Кто он, интересно, по нации, этот неказистый мужичок? – подумал я. – Говорит-то он чисто. Чувствуется, что английский его родной язык. А арабы –

У непьющих арабов глаза остекленели

они все говорят по-английски, но с жутким акцентом. Арабы – это не французы, для которых западло сказать слово на английском языке.

Перебранка продолжалась. В конце концов, старший араб сказал так громко «Ла-ла-ла-ла», что подбежала официантка – немка такая уютненькая в полосатой юбке. Она, чувствуется, спросила – «Что такое здесь происходит?», на что арабы, чувствуется, ответили – «А вот то-то!», а неказистый мужичок возразил – «Не то, а вот что!»

Старший араб встал и громко сказал: «Ла-ла-ла-ла!»

Перебранка понеслась с новой силой. Только и слышалось – «Ла-ла-ла-ла», «та-та-та-та-та», «ба-ба-ба-ба-ба».

В конце концов, официантка – немка такая уютненькая в полосатой юбке – потянула неказистого мужичка за руку, дотянула его до его столика и пальцем показала на стул, где он должен был сидеть. Неказистый мужичок сел, не выпуская кружку пива из рук.

Потом он, неказистый мужичок-то, поставил кружку на стол, гневно взглянул на арабов и, как обиженная баба, напоминая рассорившуюся с подругой доярку, отвернул голову в сторону… так сильно отвернул, что сильнее отворота, наверное, не встретить на всем белом свете.

Так и сидел он, отвернувшись, как доярка, этот неказистый мужичок-то.

Молодой араб хихикнул

Арабы тоже, вроде бы, вначале отвернулись. Но молодой араб вдруг тихо хихикнул, что нарушило гнетущую тишину в стане арабов. Арабы разговорились, стали все вместе нагло хихикать и поглядывать в сторону неказистого мужичка.

А он, неказистый мужичок-то, чувствуется, отвернулся от них так сильно, так... насколько позволяла ему его бычья шея.

Заговорили по-русски

А мои мысли опять возвратились к моему прадеду Никифору, и к моим дедушке и бабушке по украинской линии. И тут я вспомнил один любопытный случай из моей детской жизни.

Дело происходило, конечно же, в деревне, где я родился. Деревня моя – Серменево – мало чем отличалась от других деревень. Деревня как деревня. Башкирской она была, то есть башкиры там жили. Да и наша семья – татаро-украинская – там жила. Жила как все. Корову держали, овец, кур, гусей, да и козу, которая все время норовила в сад залезть и погрызть все, что в саду растет. Очень сволочной была эта коза.

Я в то время был, конечно же, маленьким и любил, как и все дети, прятаться в крапиве на «задах». «Зады» – это то место, где двор переходит в огород и куда выплескивают помои, бросают незаметно мусор... стесняясь при этом... и делают всякие там гадкие вещи, без которых в деревенском хозяйстве отнюдь не обойтись. На «задах» всегда крапива растет, которая скрывает все гадкие человеческие деяния.

И эти самые «зады» всегда почему-то притягивают детей, которые, набравшись ума-разума, аккуратно раздвигают крапиву палочкой, заходят в самую ее гущу и, поиздавав звуки «ай-ай», садятся, чтобы именно отсюда – с «задов» – наблюдать за миром. Такая привычка есть у деревенских детей – на мир смотреть с «задов».

Однажды к нам в деревню из города приехала моя бабушка-хохлушка – Мария Леонтьевна Махиня. А в деревне жила другая моя бабушка – татарка – Умгани Ибрагимовна Мавлютова. Обе бабушки, как помню с детства, посмотрели друг на друга слегка конкурентно и словом даже не обмолвились. А дело было в том, что моя бабушка-татарка говорила только по-татарски и считала, что весь мир должен говорить только по-татарски. Даже с башкирами она говорила по-татарски, учитывая, что башкирский и татарский языки понимаемы. В общем, татарской националисткой была моя бабушка.

Другая моя бабушка – хохлушка – говорила только по-украински и считала тоже, что весь мир

Моя бабушка-татарка

Моя бабушка-хохлушка

должен говорить только по-украински. В общем, украинской националисткой была моя бабушка.

Моя мама, знавшая украинский и татарский (плюс еще и башкирский) языки, как заведенная переводила... прямо скажем, натянутые... беседы двух моих бабушек-националисток.

И вот однажды я, как и все деревенские дети, пошел поутру на «зады», залез в крапиву и стал оттуда, с «задов», наблюдать за миром. И вдруг из дома появилась моя бабушка-хохлушка и пошла с ведром через «зады» в огород, чтобы молодой картошки накопать для борща. Моя бабушка-татарка, видимо, заметила это и, с каким-то оттенком ревности, пошла следом.

А я сидел в крапиве на «задах» и, как говорится, «сек».

Бабушка-татарка, прихватив по пути вилы, сунула их в руки бабушке-хохлушке, забрав у нее лопату, всем своим видом показывая, что лопатой можно разрезать картошку, а вилами – всего лишь проколоть. Бабушка-хохлушка согласилась и молча взяла вилы. Бабушка-татарка молча показала пальцами на вилы, телепатируя, что вилами копать картошку лучше. Бабушка-хохлушка в ответ протелепатировала, что она это, вообще-то, знает не хуже ее и что в чужом дворе она просто не могла найти вилы, поэтому взяла лопату. Бабушка-татарка стала складывать выкопанную бабушкой-хохлушкой картошку в ведро, всем своим видом показывая, как это надо делать. А бабушка-хохлушка,

Картошка в ведре

чувствуется, телепатировала, что она это, вообще-то, и так знает.

И тут им встретилась какая-то неказистая зеленоватая картофелина, которую, вообще-то, можно взять, а можно и выбросить. Бабушка-хохлушка засомневалась. Бабушка-татарка тоже. Бабушка-хохлушка помяла ее в руках и все же положила в ведро. А бабушка-татарка решительно вынула ее из ведра. Бабушка-хохлушка молча положила ее обратно в ведро, всем своим видом показывая, что она – зеленоватая картофелина – годится для борща. Но бабушка-татарка опять вынула ее. Бабушка-хохлушка взяла зеленоватую картофелину в руку… Бабушка-татарка из последних сил телепатировала…

А я сидел в крапиве на «задах», наблюдая за двумя моими бабушками и думал – «что же будет… с этой зеленоватой картофелиной?» И вдруг я увидел, что мои бабушки-националистки – бабушка-хохлушка и бабушка-татарка – заговорили!

Я, уже привыкший к их телепатическому способу общения,

Заговорили по-русски

Мои бабушки-националистки

вначале даже опешил. Но потом я понял, что они... заговорили по-русски. Плохо, но заговорили по-русски... по поводу зеленоватой картофелины.

А потом, наблюдая за жизнью с «задов», я периодически видел, как мои две бабушки-националистки, укрываясь от людей, периодически садились на крыльцо и говорили между собой... говорили по-русски.

Вспоминая все это, я опять посмотрел на неказистого мужичка. Он сидел натурально, как обиженная баба. Он старался, отвернувшись от арабов, держать максимальный отворот головы от них, чтобы презрительность свою демонстрировать. Но шея, чувствуется, начала затекать от такого поворота головы, да и злость, вызванная предположительным отхлебом пива из его кружки арабами, начала проходить. Неказистый мужичок начал даже иногда посматривать в сторону арабов, осознав, видимо, что арабы не пьют, и вряд ли кто-то из них отхлебнул его пиво. Однажды он даже посмотрел в сторону арабов, своим видом показывая – «А, может, зря я вас обидел?»

А арабы о чем-то живо беседовали между собой. На их лицах не было ни грамма обиды. Они, к тому же, еще и хихикали, а молодой араб даже показал пальцем в сторону неказистого мужичка и даже, вроде как, хотел ему рожицу состроить, но старший араб остановил его.

Неказистый мужичок заметил это, слегка побагровел, а потом отхлебнул пива с таким количеством воздуха, что... арабы поняли, что скоро...

Арабы о чем-то живо беседовали между собой

Это «скоро» не застави-
ло себя долго ждать. Неka-
зистый мужичок раздул
грудную клетку, сделал кон-
вульсивное движение и,
победно посмотрев на ара-
бов, выдал такое в «рыга-
тельном отношении», что
более громкого «рыга» никто никогда не слышал в
международном венском
аэропорту. К тому же он с
присвистом выдул остатки
«желудочного воздуха» изо
рта.

Арабы поняли, что скоро...

Арабов это возмутило. Молодой араб начал говорить старшему арабу что-то типа того, что ему, неказистому мужичку, надо
бы, наверное, дать в морду, но старший араб, видимо, сказал
что-то типа того, как «да Бог ему судья». Молодой араб нехотя
согласился. Арабы стали возмущенно смотреть в сторону неka-
зистого мужичка.

А он, этот неказистый мужичок, успокоился, сделав «свое
дело». Он даже слегка улыбнулся.

Кровь земли

А мои мысли опять возвратились к предвыборной кампании В. В. Путина.

Я вспомнил, как я стоял на трибуне и говорил, что именно
В. В. Путин сможет стать тем жестким человеком, который, не
боясь «пули олигарха», сожмет в кулак всю оставшуюся часть
безбрежной Российской Империи и заставит людей, живущих
на одной шестой части земной суши, стать... опять стать... во-
левыми и целеустремленными, как наши прапрапрадеды, которые когда-то... смогли...

Тогда я еще не знал, что из-за высоких цен на нефть будет создан так называемый Стабилизационный Фонд в… Америке, в котором будет умирать то, что подарила русскому народу Земля-матушка, подарила за то, что когда-то русский мужик, вооруженный всего лишь романтикой дальних дорог и принципом «от березы к березе», одарил Землю-матушку своей по-детски чистой Любовью. Тогда я еще не знал, что олигархи, присвоившие себе кровь Земли-матушки в виде нефти и желающие безрадостно попировать перед тем как стать… червями, не будут раздавлены как кровопийцы, а будут продолжать свой дьявольский пир. Тогда я еще не знал, что деньги Стабилизационного Фонда даже не собираются в полной мере использовать для решения главных проблем России, выражаемых словами: «в России две беды – дороги и дураки».

В России две беды – дороги и дураки

А ведь можно было бы построить на эти деньги прекрасные дороги на юг, запад и восток, начинающиеся от столицы нашей Родины – Москвы, чтобы прекрасными дорогами утвердить

Какой русский не любит быстрой езды?!

исконный принцип – «Какой русский не любит быстрой езды?!», который так правомерен для жизни на этой огромной террито-рии, которую… когда-то подарила русскому мужику Матушка-Земля за его… по-детски романтическую душу.

А ведь на деньги Стабилизационного Фонда можно поднять Авиапром России, памятуя, что русские самолеты – самые на-дежные самолеты в мире, и что русский мужик с большим удо-вольствием садится в родное русское кресло самолета, а рус-ский летчик, вспоминая достойное противостояние с немецки-ми «Мессершмидтами», будет с уважением смотреть на прибо-ры, на которых все написано по-русски.

А ведь мы, русские, неспроста вечно считаем себя дура-ками. Это признак того, что мы не зажрались. О, как важно всегда себя чувствовать дураком! Это проявление желания умнеть, умнеть и умнеть, а не чувствовать себя самодоволь-ным… умником. Именно потому, что мы называем себя ду-раками, у нас, мне кажется, есть будущее. Да и наше русское

В кабине самолета ТУ-154 – самого быстрого пассажирского самолета в мире

образование, созданное для борьбы с русской дурью, на мой взгляд, не нужно менять, – оно отличается широтой мышления и безбрежным разнообразием изучаемых предметов, которые направлены лишь на то, чтобы утвердить в русской душе безбрежность познания и убедить зубрящего студента в том, что он – студент Иванов – сущий дурак... Чтобы он, Иванов-то, всегда стремился поумнеть и не ощутил грех всезнайства. А ведь это здорово, иметь такую установку на жизнь! И не надо копировать Запад, который из зависти не хочет признавать наши дипломы! Безбрежность знаний видна в каждом нашем дипломе!

Как я уже писал в одной из своих книг, гималайские йоги говорили мне во время третьей гималайской экспедиции, что над Россией висит розовая аура. Они пояснили, что русские склонны к изобретательству, поскольку умеют слушать интуицию, идущую от самого Бога. И в самом деле, ведь очень многие открытия и изобретения, сделанные в мире, исходят из России, да такие открытия, которые… ни умом не понять, ни пером описать. Мощный напор интуиции сопровождает деятельность русских ученых, хотя мы, русские, так и не умеем претворять эти изобретения в жизнь и делать из них деньги. Почему? Да потому, что… Бог, дарящий идеи через интуицию, не любит денег. Ему, Богу, важнее стремление, порыв, горящие глаза, мечтательное желание сде-

Именно потому, что мы называем себя дураками, у нас есть будущее

лать для людей такое… такое, лучше которого не бывает на свете. Бог мыслит категориями Вечной Жизни, а одна за другой чередующиеся жизни кажутся ему всего лишь увлекательными путешествиями на Землю. Ему, Богу, естественно, ясно как божий день, что такие категории как стремление, полет мысли, любовь, сострадание, мечта и многое тому подобное являются частью жизни Духа, вечного Духа, кочующего из одного тела в другое. Именно поэтому эти простые чувства с детским оттенком являются главными в нашей жизни, поскольку они вечные… я еще раз повторяю – вечные. Вечностью веет от нашей мечты… Великой Вечностью.

Период искушений

А деньги? Почему они столь всевластны? Почему не всевластна мечта? Все, на мой взгляд, зависит от сознания, от всеобщего человеческого сознания. Мы, люди, не виновны в том, что Бог нам подарил такой уровень сознания, что шелест денежных купюр нам кажется более зазывным, чем тихий шепот мечты. Мы находимся в периоде искушений, когда решается вопрос – будем ли мы устойчивы к дьявольским символам обеспечения чревоугодни-

Мы, русские, не умеем на своих изобретениях делать деньги

ВЕЛИКОЙ ВЕЧНОСТЬЮ веет от нашей мечты

ческих качеств своего тела в виде денег и не забудем ли мы о розовой мечте – символе вечной жизни? Нас как бы испытывают…

А дураки олигархи?.. Что тут говорить-то? А хочется все же сказать – мечтайте, господа, мечтайте, да мечтайте так, чтобы все в этом мире стало не просто розовым, а очень розовым… ласково-ласково розовым… как мечта, потому что мечта – это есть твоя будущая жизнь, и от мечты зависит, какой она будет. О, как важно мечтать! Как важно! О, как важно стараться увидеть этот привычный мир в розовом свете, потому что если мы будем видеть его в розовом свете, то он и в самом деле станет розовым! Мысль, ведь, материальна! Материальна, господа!

А если мы перестанем мечтать, а будем только обращать внимание на трудности этой жизни под символом уютного животика, и если мы будем, уподобляясь пресловутым олигархам, думать только об обеспечении этого уютного животика не только жратвой, но и атрибутами украшения потребления пищи в виде яхты за 150 миллионов долларов или личного самолета, то рано или поздно наступит душевный коллапс, страшный душевный коллапс, когда ничего в этой жизни уже не радует… даже яхта. Жи-

Мы живем в период искушений

Если мы будем видеть этот мир в розовом свете, то он и в самом деле станет розовым

вотик ведь сыт... от пуза. Просто надо сходить в туалет, чтобы вывалить это в унитаз и смыть это водой, чтобы «оно» уплыло далеко-далеко и чтобы вместо «него» пришло «то», что ты когда-то знал в детстве, когда мечта о том, что ты – пацан – сможешь переделать весь этот мир на розовый лад, осуществится.

Бостоновый костюм

В этой связи я вспомнил еще вот что. Дело было в далеком 1988 году. Я второй раз в жизни поехал за границу, да не просто куда-то в Румынию, а в далекую-далекую латиноамерикан-

скую страну, дальше которой, наверное, не бывает на всем белом свете. Как хирург я, конечно же, туда поехал. Не как турист. Где деньги взять-то в советское время?! Ясное дело, иностранцы оплатили.

Пальмы, конечно же, я мечтал увидеть там, да такие пальмы, выше которых, конечно же, не бывает. Кокосовый орех, естественно, хотел первый раз в жизни попробовать и даже, вроде как, постараться его своими зубами разгрызть. Но больше всего я хотел досыта наесться бананов, которые, честно говоря, раза два пробовал в жизни. Мне казалось, что я съем столько бананов, столько... что больше бананов никто не ел на всем белом свете. А еще я хотел посмотреть на черненьких женщин, да так посмотреть, что, конечно же, никто… так сильно на них не смотрел.

В общем, из привычного самолета «Аэрофлота» я пересел в одном государстве аж на «Боинг» и полетел на нем. Подавали иностранную еду, вкуснее которой, мне казалось, не бывает ни в одном самолете мира. Да еще и «Please»* говорили мне – занюханнее которого, наверное, не было в этом са-

Банан

Черненькая

молете. А самолет мерно гудел, и этот звук мне казался прелюдией к сказке, которую я... конечно же, конечно же... встречу в далекой латиноамериканской стране.

В этой далекой стране я и в самом деле впервые в жизни увидел пальмы – высокие-высокие такие. Я и в самом деле попробовал кокосовый орех, который, правда, не смог разгрызть зубами. Увидев мой страждущий взгляд на бананы, их

* – что, как я потом узнал, «пожалуйста» переводится.

принесли мне десять видов (даже размером с мизинец были), которые я ел и чувствовал, что счастлив. На черненьких насмотрелся так, что до сих пор перед глазами стоят... правда, надо сказать, что они мне сразу хуже наших показались. Даже манго попробовал, которое... в ванной комнате доел по причине отсутствия культуры поедания этого фрукта и для того, чтобы не обрызгать соком мой костюм «Большевичка».

Помню я ходил по саду рядом с гостиницей в этом костюме «Большевичка»... серого цвета, конечно... и трогал руками огромные тропические цветы. Мне казалось, что красивее этих цветов нет ничего на свете. Я был счастлив, очень счастлив оттого, что я – деревенщина какая-то – хожу по далекой-далекой латиноамериканской стране, в которой, конечно же, не был никто из моей... деревни.

Помню как я, привыкший к советским обычаям, в гостинице аккуратно застилал постель, которую горничные тут же разбирали и стелили новые, чистые простыни. Я, не зная никаких

Неприбранная постель

языков, кроме русского, та-
тарского и башкирского,
старался им телепатически
сказать что-то типа того,
что мне и так пойдет, но они
меня не понимали. В конце
концов, я стал по утрам гордо оставлять постель не-
прибранной... как положено
культурному человеку.

Вот только одна глу-
пость приключилась. Свои

Ботинки «Valentino»

ботинки советского производства, стоптанные, конечно же, я
стал... из уважения... оставлять около мусорного ведра, когда
выходил из гостиницы в сандалиях. А эти горничные, подумав, видимо, что я решил их выбросить, и в самом деле выб-
росили мои ботинки. О, какое отчаяние меня охватило! Не мог
же я, как культурный человек, идти читать лекции (по-русски
конечно... с переводом) в сандалиях! Тогда все закопошились,
отложили мои лекции на какое-то время и принесли мне но-
венькие ботинки «Valentino». Я ходил по сцене с микрофоном
в руке и мне казалось, что люди не лекцию мою слушают, а
любуются моими ботинками, красивее которых, может быть,
и не было на всем белом свете. И мне хотелось верить, что
люди думают, что эти туфли изготовлены в Советском Союзе...
Великом Советском Союзе.

Честно говоря, в этой стране я влип в некое хирургическое
соревнование с американцами и аргентинцами. А они были такими важными и громкоголосыми, что я вначале даже опешил
от их психологического давления. Но я важно шагнул им навстречу в своих ботинках «Valentino» и пожал им руки, сказав
«Ы-ы». Костюм «Большевичка» при этом поправил на себе.

А потом, когда началась хирургия, мое волнение стало уходить. Я со злорадством отметил, что руки их – американцев и

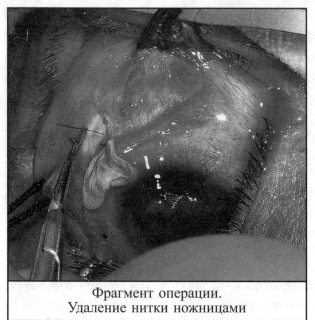

Фрагмент операции.
Удаление нитки ножницами

аргентинцев — подрагивают, а порой даже в самые ответственные моменты операций, трясутся. Очень меня это обрадовало!

И решил я тогда показать наши «русские хирургические фокусы». Один из них состоит в том, чтобы убирать тончайшие ниточки из раны не пинцетом, как положено, а ножницами, зажав тончайшую ниточку на острие лезвий ножниц так, чтобы она удерживалась, но не перерезалась при этом. Да к тому же я, обладая характером «мне дай только повыеживаться», научился еще и вертеть этими ножницами с зажатой на лезвиях ниткой и элегантно так выбрасывать ее, чтобы все на мониторе видели, что у русского хирурга руки не дрожат и... дрожать, конечно же, не могут.

Все эти «русские хирургические фокусы» повлияли. Мой авторитет вырос. Безмолвный контакт с операционной сестрой Лурдес наладился. В конце концов, мне предложили сделать несколько десятков операций «серьезным людям».

А «серьезными людьми» оказались, как я узнал значительно позже, богатые люди. Я оперировал их с таким воодушевлением, таким... что все операции получались хорошо. А операционная сестра Лурдес, как бы подхватив мое воодушевление, ассистировала мне так хорошо, что мне казалось, что лучшей...

черной... операционной сестры не бывает на белом свете.* Настроение чуть-чуть подпортил американский хирург, который, наблюдая за моими операциями, в самый ответственный момент толкнул меня под локоть,

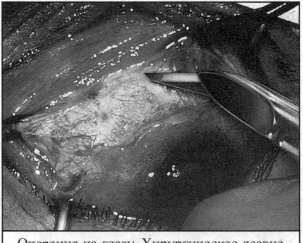

Операция на глазу. Хирургическое лезвие

но, к счастью, лезвие всего лишь чиркнуло по глазу, а не проткнуло его. Но это было мелочью. Главным было то, что я – уральская деревенщина – сейчас делаю операции не просто где-то на Урале, а в прекрасной латиноамериканской стране, где растут пальмы, летают колибри и где столько бананов, что такого количества бананов не видел никто в моей деревне.

«Серьезные люди», прозревая после операций, говорили мне «Viva Russia!» А я слушал их и был горд, что это я – представитель страны «пустых магазинных полок» – смог дать им зрение при болезнях, серьезнее которых не бывает на свете и которые зачислены в разряд безнадежных. Детская радость охватывала меня, когда какой-то Педро восклицал «Mire! Mire!», что означает «Вижу! Вижу!» В эти моменты гордость распирала меня – гордость за нашу Родину, частицей которой являлся и я... одетый в костюм «Большевичка», но уже стоявший в ботинках «Valentino». Вот только один вопрос терзал меня – почему же мы, русские, смогли первыми в мире освоить космос и сделать много великих дел, но не смогли отделаться от клейма, на котором написано «страна пустых магазинных полок»?

---

* – правда, значительно позже я узнал, что причиной ее воодушевления было то, что мы оперировали «серьезных людей».

Костюм

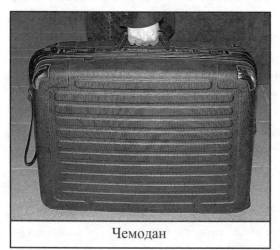

Чемодан

За три дня до отъезда меня повели в магазин и купили мне... темно-синий бостоновый костюм. Я стоял в этом костюме в примерочной магазина и мне казалось, что красивее костюма не было ни у кого на всем белом свете. Мне даже брюки укоротили прямо в магазине. А к тому же купили две рубашки к костюму. Полосатые, конечно. Правда, галстук очень долго подбирали, чтобы одновременно к обеим рубашкам подходил. Подобрали все же.

Я стоял элегантный, как рояль, и мне казалось, что элегантнее людей не бывает. К тому же, мне сказали, что настоящий хирург должен выглядеть именно так.

А потом... потом, окинув меня взглядом, щедро добавили: «Выбирай! Или еще один костюм или чемодан». Я, конечно же, выбрал чемодан, да такой, какого не было ни у кого во всем Советском Союзе. Дорогим он был – аж 50 долларов стоил!

А еще я, обнаглев, попросил купить моей жене брошку – красивую такую, из стекла.

Брошка

Перед самолетом мне вручили 50 долларов. Купюра эта была зеленой-зеленой, что зеленее купюр не бывает.

В общем, приехал я домой элегантным и веселым. Брошку жене подарил. Понравилась она ей. Чемодан новый открыл и достал из него бостоновый костюм, да и две рубашки с галстуком. Жена моя тут же помыла мои ботинки «Valentino» и поставила их сохнуть на видное место.

Бостоновый костюм я раз пять надевал. По самым важным случаям, конечно. А потом его моль съела. Моли у нас тогда дома много было. Травили мы ее, конечно. Нафталином. Но недотравили. Нельзя же жить в ядовитом угаре... ради костюма. Очень грустили по костюму. Очень проклинали моль. Но так уж получилось. Зато две полосатые рубашки я до дыр заносил. Галстук, правда, я умудрился кончиком в суп макнуть. Жена, поругав меня, его постирала, но неудачно. А химчистка полностью завершила «жизненный путь» этого галстука. А вот чемодан прослужил долго-долго, каждый раз напоминая мне о счастли-

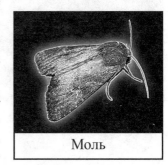

Моль

Галстук в супе

вом пребывании в прекрасной латиноамериканской стране.

Но через некоторое время я узнал следующее... от очень серьезных людей из посольства. Оказывается я, победив в «хирургическом бою» нелюбимых в этой латиноамериканской стране американцев, заимел такой «хирургический авторитет», что за то, чтобы попасть в мои руки, платили большие деньги... платили так называемые «серьезные люди». В общем, я, оказывается, заработал около 150 000 долларов. А на мой проезд, проживание, питание и подарки (бостоновый костюм, две рубашки, галстук, ботинки, чемодан и брошку) потратили 3,5 тысячи долларов. Умеют же люди деньги считать! Даже чужие. Спасибо им. Глаза открыли.

К тому же эти финансово-умные люди сказали, что я, как хирург, должен был бы получить 75% от всей суммы, то есть около 100 000 долларов, на что мог купить в конце восьмидесятых годов чуть ли не 50 квартир или почти столько же автомобилей «Жигули».

Я, конечно же, помню, похохотал. Похохотал от того, что мне тогда, как и сейчас, все это было не нужно. Мне было, как и сейчас, смешно иметь 50 квартир, ко-

Еда

торые, вообще-то, можно сдавать. Но не в деньгах ведь счастье! Моя жена готовит вкусный суп... с фрикадельками, чаще всего... а что еще человеку надо! Да и не голым я хожу, а в трусах, костюме и шубе. А с деньгами такая волокита! Сволочью себя чувствуешь и... рабом... рабом денег, у которых есть своя сила, мощная сила, которая затягивает и затягивает, заставляя забыть, что тебе, вообще-то, достаточно супа с фрикадельками, трусов, костюма и шубы.

И, честно говоря, приятно ведь, когда тебя надуют... приятно от того, что ты удержался от соблазна и не впал в искушение, став рабом денег... еще раз повторяю – рабом денег! Какое удовольствие рассказывать, как тебя надули! Вы ведь никому не будете рассказывать, как Вы кого-то надули сами... противно это, противно от того, что никому не хочется казаться рабом денег. Все ведь под Богом.

Вспоминая все это, я сидел в международном венском аэропорту, попивая австрийское пиво и поглядывая на этого самого неказистого мужика вместе с арабами. Я призадумался и понял, что человека в жизни что-то ведет.

– Что же? – задался я вопросом.

И тут я понял, что человека вперед ведет мечта, которая, на мой взгляд, является путевод-

Мечта - это путеводная звезда свершений

ной звездой свершений. Мы порой даже не замечаем, что эта самая мечта сидит в нас, и что именно она ведет нас вперед. Огромной мощью, мощью путеводной звезды, обладает мечта, исходящая из неразумного детства. Только вот один вопрос возникает – куда поведет эта звезда мечты?

В детстве путеводная звезда одна – быстрее стать взрослым и умным. У всех людей так. Никто ведь не хочет стать тупым или «застрять в детстве». Но вот во взрослом периоде жизни путеводная звезда мечты может повести двумя путями – или по пути духовного восхождения, когда такие понятия как любовь, сострадание, доброта, бескорыстие и тому подобное становятся стержнем жизни, или по пути, который можно назвать «мечтой о деньгах», когда твой сытый желудок превыше всего.

Хотим мы того или не хотим, но мы живем на распутье: с одной стороны так хочется вдохнуть прелесть духовного восхождения, но с другой стороны – жрать-то хочется. Где золотая середина-то? А ее, господа, мне кажется, не так-то просто достичь. Очень непросто.

Советский Союз был экспериментальной базой

Мы живем на распутье

попытки возродить духовное, чтобы слово «бессребренник» звучало гордо, нежели слово «богатей» или «жмот». Многие люди в мире после революции 1917 года с восторгом приветствовали попытку возродить духовное и ударить по бездушной Власти Денег. Об этом говорит, в частности, текст послания гималайских Махатм советскому правительству в 1926 году, которое передал сам Николай Константинович Рерих:

Послание гималайских Махатм советскому правительству (1926 г.)

На Гималаях мы знаем совершаемое Вами. Вы упразднили церковь, ставшую рассадником лжи и суеверий. Вы уничтожили мещанство, ставшее проводником предрассудков. Вы разрушили тюрьму воспитания. Вы уничтожили семью лицемерия. Вы сожгли войско рабов. Вы раздавили пауков наживы. Вы закрыли ворота ночных притонов. Вы избавили землю от предателей денежных. Вы признали, что религия есть учение всеобъемлемости материи. Вы признали ничтожность личной собственности. Вы угадали эволюцию общины. Вы указали на значение познания. Вы преклонились перед красотою. Вы принесли детям всю мощь Космоса. Вы открыли двери дворцов. Вы увидели неотложность построения домов Общего Блага. Мы остановили восстание в Индии, когда оно было преждевременным, также мы признали своевременность Вашего движения и посылаем Вам всю нашу помощь, утверждая Единение Азии! Знаем, многие построения совершатся в годах 28-31-36-м. Привет Вам, ищущим Общего Блага!

Но золотая середина не была найдена: стали уничтожать кулаков (работяг!), а потом и другая дьявольская сила, называемая завистью, вошла в свои права, когда стало возможным «законно» уничтожать тех, кому завидуешь. Вот и получилась страна «пустых магазинных полок», получилась оттого, что под управлением вездесущего Дьявола, руководители Советского Союза забыли, что человек состоит не только из бестелесного Духа, но и из материального тела, которое, извините, жрать хочет. А также руководители Советского Союза забыли, что деньги – это не только дьявольское порождение, но и инструмент стимулирования труда, того труда, который нужен, чтобы следовать божественному принципу, что человек есть самопрогрессирующее начало.

Короче говоря, шарахнулись мы так, оголив магазинные полки, что эти самые полки и стали главной причиной кризиса мирового коммунизма, стали на том основании, что советские люди хотя бы слышали (не то, чтобы уж видели!), что у них, у буржуев-то, на магазинных полках столько жратвы, столько... что больше жратвы не сыскать во всем мире. А ведь Бог вселил наш вечный Дух в двурукое и двуногое материальное тело... с головой, которое, вообще-то, питается с магазинных полок за пожеванные жизнью и прошедшие через сотни сифилитичных рук деньги, противнее которых, возможно, нет на всем белом свете.

А когда пустые магазинные полки «победили» Советский Союз, то мы, россияне, уже привычные к шараханьям, так шарахнулись в другую сторону,

так… что, например, приехавшая к нам на лечение английская графиня*, побывав в обычном уфимском супермаркете, заявила, что набор продуктов в нем больше, чем в Лондоне.

Зато коррупция появилась, да такая, что могла бы по своей вредоносности сравниться с репрессиями при Советском Союзе. Теперь деньги лежат в огромного размера «чулках» у олигархов, а старушка в шикарном супермаркете покупает пакет гречки и считает копейки, чтобы прикупить еще и маслица… подешевле. И многие люди, в общей своей массе уроженцы бывшего Советского Союза, видя в шикарных супермаркетах таких старушек и стариков, которые, вообще-то, и построили все заводы (но которые приватизировали олигархи… ради «чулков»), начинают вспоминать Советский Союз, светло-светло

---

* – кстати, операция прошла успешно.

вспоминать, так светло вспоминать, что более светлых воспоминаний… в стране «полных магазинных полок»… не бывает во всей постсоветской России. А вспоминают люди Советский Союз светло потому, что коммунизм был попыткой, пусть неудачной, но попыткой достижения того счастья, того великого счастья, когда…

когда, может быть, наконец-то осуществится главная мечта человечества – мечта о том, что духовное, включающее в себя такие прекрасные понятия как любовь, добро, сострадание и многое-многое другое хорошее, будет превалировать над материальным началом с клеймом денежного знака, и когда наш бестелесный Дух будет жить в нашем материальном теле, которое будет кушать еду, приготовленную не для продажи, а приготовленную с Любовью. И я верю, что такие времена настанут, обязательно настанут – те времена, лучше которых, конечно же, не бывает на всем белом свете.

И не зря, мне думается, великая Елена Рерих написала в своем письме от 17.12.35 следующие слова:

«... Возрождение России есть возрождение всего мира. Гибель России есть гибель всего мира. Кто-то начинает уже это осознавать».

И, мне кажется, это не пафос. Это, скорее всего, правда, правда, основанная на том, что люди России уже прошли через эксперимент, жутко тяжелый эксперимент попытки жить по законам духовного мира... в материальном теле, неудачный эксперимент. Но... как говорится, за одного битого двух небитых дают. Да и память наших прапрапрадедов, освоивших Сибирь, сидит в глубинах нашего подсознания, и... так точит, так точит, что более сильного «точения» не бывает на всем белом свете, не бывает на том основании, что сила одной шестой части Земли давит на нас, русских.

Я, сидя в международном венском аэропорту, опять взглянул на этого неказистого мужичка. Взглянул и отвел взгляд. Не хотелось мне что-то смотреть на неказистость.

Мои мысли опять возвратились к далекой латиноамериканской стране. Я понял, что там я смог сотворить два счастья: счастье людям, которые получили большие деньги за счет русского дурака и мое личное счастье – счастье «советского продукта», который смог доказать, что «хирургия под Богом» или «хирургия с Любовью» значительно выше, чем «хирургия за деньги». И до сих пор я так считаю... искренне считаю, что медицина не может быть бизнесом, не может быть только на том основании, что наше здоровье зависит в большей степени не от лекарств, а от Бога.

МЕДИЦИНА НЕ МОЖЕТ БЫТЬ БИЗНЕСОМ

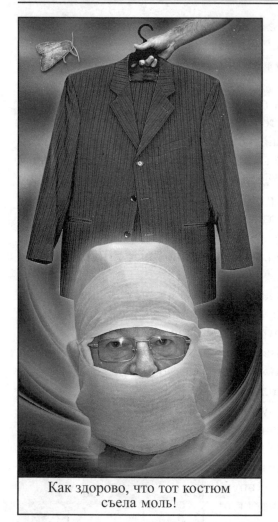

Как здорово, что тот костюм
съела моль!

Да и рад я, что тот мой бостоновый костюм съела моль. Не зря, возможно, она его съела. Спасибо моли! А брошка, которую я подарил жене… красивую такую, из стекла… куда-то затерялась. Чемодан тоже исчез, в Голландии, куда он улетел по ошибке, когда я летел в Россию из Японии. Не нашли его. Рубашки (две!) только запомнились и галстук, который я... макнул кончиком в суп. Без души все это мне подарили, да и не дарили, а так… заплатили… советскому дураку, которому в то время было так хорошо, так хорошо, что более счастливого человека нельзя было встретить на всем белом свете.

Туризм

И тут в моей голове всплыли слова известной туристской песни… советских времен, конечно.

Люди идут по свету...
Им, вроде, немного надо –
Была бы прочна палатка,
Да был бы нескучен путь!

Люди идут по свету...

Но с дымом сливается песня,
Ребята отводят взгляды,
И шепчет во сне бродяга
Кому-то: «Не позабудь!»

Они в городах не блещут
Манерой аристократов,
Но в чутких высоких залах,
Где шум суеты затих,
Страдают в бродячих душах
Бетховенские сонаты
И светлые песни Грига
Переполняют их.

Люди идут по свету,
Слова их порою грубы.
Пожалуйста, извините, –

С усмешкой они говорят.
Но грустную нежность песни
Ласкают сухие губы,
И самые лучшие книги
Они в рюкзаках хранят.

Выверен старый компас,
Получены карты-кроки,
И выштопан на штормовке
Лавины предательский след.
Счастлив, кому знакомо
Щемящее чувство дороги,
Ветер рвет горизонты
И раздувает рассвет.

Спортивный туризм, как известно, сродни альпинизму. Только если в альпинизме нужно взять одну сложную вершину, то в туризме (будь то в пешеходном, будь то в горном) нужно взять несколько вершин, да еще и найти их по карте и дойти до них через заснеженные перевалы.

Спортивный туризм за рубежом называется трекингом. Там обычно люди приезжают на турбазу, купив за огромные деньги самые худшие турботинки в мире, называемые «Альпиндустрия» и идут, надев рюкзаки этой же фирмы, где столько ненужных наворотов, столько... что найти в этом рюкзаке что-либо почти невозможно. Во время трекинга туристов ведет, конечно же, инструктор и, конечно же, по тропинке. Ночуют туристы в горных кемпингах.

А для России, и только для России, характерен тип спортивных путешествий, который называется первопрохождением. И он, этот тип путешествий, очень высоко оценивается в спортивном отношении. Я, как спортсмен, честно говоря, даже специализировался на первопрохождениях, а свой третий чемпионский поход прошел вообще без карты, рисуя ее в пути в абсолютно диких горах… как это, наверное, делали наши прапрапрадеды, осваивавшие Сибирь. И, скажу я Вам, дорогой читатель, тяжелы они – эти первопрохождения, ой как тяжелы! Не позавидуешь нашим прапрапрадедам, которым, вообще-то, было намного сложнее потому, что они шли в эти дикие места, чтобы там жить, а не как мы – современные первопроходцы – пройти первым и, оставшись в живых, возвратиться в теплый дом, где тебя ждет жена с горячим супом и бутылкой водки на столе… ждет с нетерпением, сама не понимая того, что в ней, жене-то, тоже сидит память предков, осваивавших Сибирь – прекрасная память, которая заставляет уважать муженька-первопроходца и даже выставлять для него заначенную бутылку, приговаривая, правда, – «Не пей много, а!»

Спортивный туризм в России – это память предков, память о той удивительной силе русского мужика, которую ему подарила Матушка-Земля только за то, что он смог сбросить с себя дьявольское одеяло лени и вооружиться мечтой о романтике дальних дорог, когда какая-то неведомая сила ведет тебя от

Первопрохождение

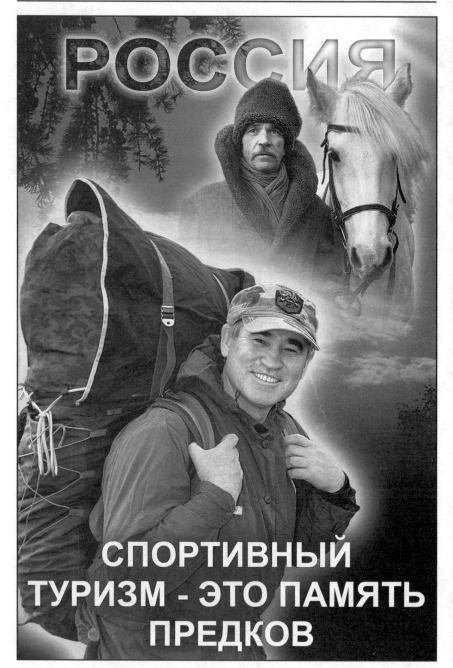

РОССИЯ

СПОРТИВНЫЙ
ТУРИЗМ - ЭТО ПАМЯТЬ
ПРЕДКОВ

березы к березе в поисках того, не знаю чего, лучше чего… конечно же, конечно же… не бывает на всем белом свете.

И мне почему-то кажется, что времена этой мощной жизнеутверждающей романтики возвратятся, возвратятся обязательно, возвратятся потому, что все в природе развивается по спирали. Период спада мы, вроде как уже прошли, и уже вроде как начинается период подъема – того жизнеутверждающего подъема, когда у русского мужика опять заблестят глаза, и он скажет суровым голосом жене: «Собирайся, Машка, собирайся в дорогу. Делай, как я тебе говорю!» Но это будет подъем на другом уровне, том уровне, про который мы… пока еще не знаем.

А во дворе нашего Всероссийского центра глазной и пластической хирургии я поставил скульптуру «Человек с рюкзаком». Каждый день, когда я иду на работу, я смотрю на нее и горжусь тем, что нам удается сохранять в медицинской профессии… дух романтики дальних дорог.

Человек с рюкзаком

И вновь неказистый мужичок

Со стороны неказистого мужичка, который сидел напротив меня в венском аэропорту и пил, как и я, пиво, раздался знакомый специфический звук. Он, мужичок-то, снова, зараза, отрыгнул, снова испугав арабов.

Я повнимательнее посмотрел на него. Он мне интересным показался. Какая непосредственность! Важно сидит в между-

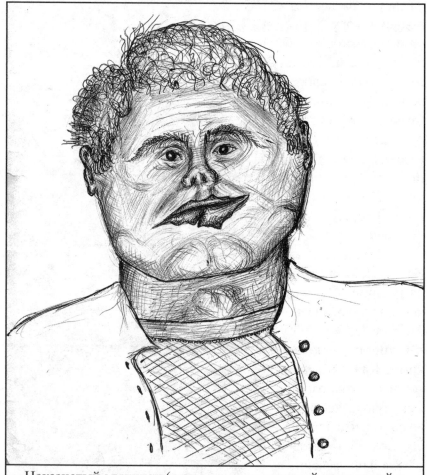

Неказистый мужичок (рис. автора, сделанный авторучкой в международном венском аэропорту)

народном венском аэропорту и издает природные звуки, пугая арабов.

Мысли о России отхлынули, оставив след усталости после себя. Я достал листок бумаги и стал зарисовывать его, мужичка этого неказистого, чиркая дешевой, купленной в России, желтой авторучкой по листу бумаги. Пиво капнуло на лист. Я его вытер рукавом. Мужичок как по заказу смотрел в мою сторону, отмечая, видимо, что пива в моем фужере осталось значительно больше, чем у него.

Зарисовывая лицо этого мужичка, я подметил, что волосы его были какими-то нелепыми – то ли курчавыми, то ли немытыми и нечесаными. Стригся он, чувствуется, не так давно; аж следы ножниц остались.

Лицо его, мужичка этого, было беспредельно широким, таким, про которые говорят – «по такой роже не промажешь». Но якутских черт в его лице не проглядывалось. У него было чисто европейское белое лицо. Но широкое. Мощные мужественные скулы обрамляли его лицо, переходя в массивную нижнюю челюсть с ярко выраженным подбородком, размер которого почти соответствовал размеру лба. К тому же, этот подбородок был раздвоенным, что еще более подчеркивало его мужественность.

Подбородок и скулы покоились на очень толстой короткой (длиной в один позвонок) шее, которая, привлекая к себе внимание движениями мощного и тоже слегка раздвоенного кадыка, переходила в безбрежную по ширине грудь, которой, как говорится, очень удобно закрывать амбразуры. Полупрозрачная маечка в уютную мелкую клеточку не могла полностью скрыть вылезающих из-под нее жестких волос. А плечи, ширина каждого из которых позволяла поместить не одну голову любящих спать на мужском плече женщин, придавали особый шарм его мужскому облику.

Рот его, мужичка этого, был, в соответствии с размерами нижней челюсти, большим. Явно видная перекошенность рта говорила о том, что немало кулачных боев перенес этот рот.

А неправильно заросшая рана нижней губы свидетельствовала о том, что когда-то, после стычки с соперником, ему было некогда… или боязно пойти к полупьяному дежурному хирургу, чтобы тот наложил трясущейся рукой пару швов.

Уши его, мужичка этого, были маленькими-маленькими и как-то странно прижаты к черепу. Даже малейших признаков лопоухости у него не было.

Нос его, на удивление, был элегантно курносым и напоминал те курносые носы женщин, которые считаются особым признаком сексуальной привлекательности (женщин!). Я, конечно, не мог исключить того, что нос его во время драк переломали и он, как говорится, закурносился, но размер его, носа-то, был таким маленьким-маленьким, что навевал мысли курносо-женского порядка.

Но самым любопытным на его лице были глаза. Они, глаза этого мужичка, были абсолютно женскими… беспредельно женскими. Расположенные близко к курносому носу, глаза его смотрели как бы из одной точки, причем смотрели ласково и нежно, как смотрят женщины. Вишенками можно было назвать эти глаза. О, как не вязались эти глаза с массивной челюстью, бычьей

Глаза неказистого мужичка

шеей, волосатой грудью, косой саженью в плечах и рваной нижней губой! Только курносый нос соответствовал этим глазам. Хотелось, как бы оторвать от всего этого облика курносый нос с глазами и пересадить на лицо какой-нибудь вислоносой дуры, чтобы глаза-вишенки с курносым носом стали такими «заманухами», с которыми не сравнятся никакие закрученные на висках пряди волос, называемые в простонародье завлекалками.

Я постарался глубже вглядеться в глаза этого мужичка. Женский элемент в его глазах и в самом деле проглядывался очень четко. Какими-то нелепо-ласковыми были его глаза, нелепо-нелепо ласковыми, такими нелепо-ласковыми, что большей нелепости иметь такие ласковые глаза в сочетании с быкоподобным туловищем я не видел никогда. Его глаза как бы взывали к ласке, как бы просили ласки и как бы негодовали, что… что ему – неотесанному мужлану – никто не хочет дать ласки, а все требуют от него грубой бездушной работы, такой, как завернуть вентиль сантехнического крана, да так завернуть, чтобы никакая сволочь не открутила его никогда. А ведь так хочется ласки, так хочется… аж мочи нет!

Чем больше я присматривался к этому мужичку, тем больше понимал, что где-то в глубине его души теплится мечта, какая-то непонятная для него самого мечта, та мечта, лучше которой не бывает на свете, но которая, увы, никогда не осуществится. Никогда!

В его ласковых женских глазах не было грусти. Нет. В них светилась тупая-тупая бравада, та бравада, глупее которой… не бывает на свете и которая является проявлением… глупым проявлением… утаивания розового и по-детски мечтательного компонента в душе. Ведь разве можно людям открыть сокровенное в душе?! Разве можно?! Они ведь засмеют, сволочи! Они ведь видят в тебе неотесанного мужлана и никогда не смотрят в глаза, в которых можно столько прочитать, столько прочитать… столько понять, столько понять… и даже понять то, что и грубый мужлан может не просто закручивать гайки, а может еще и... любить! Да так любить, что сильнее его любви не бывает на свете! Ведь ласковые глаза говорят об этом, глаза, которые аж требуют любви... к нему, неотесанному быкоподобному мужлану... с... почему-то... женскими глазами! Но кто способен увидеть его детскую душу... в таком... м-м-м... обрамлении?! Кто?! Эти сволочи, которые сидят и пьют пиво, изображая из себя культурных джентльменов?! От них, этих сволочей, даже душевного хлеба не услышишь! Не говоря уж о... А арабы? Укутались в свои платки, чтобы сущность свою человеческую скрыть! При них даже по-человечески рыгнуть нельзя, чтобы выпустить с этим звуком все то, что накипело на душе... у мужика с ласковыми женскими глазами.

Я понимал, что бравада для этого мужичка является защитой от бездуховности нашего человеческого общества, и что он бросает вызов этому обществу, нелепо бросает, тупо бросает, вызов, чтобы хотя бы громким рыганием или выбиванием ритма на пивном фужере нарушать звенящую бездушную пустоту нашего мира.

Я обратил внимание на то, что неказистый мужичок курит одну сигарету за другой. Тушит бычок и снова прикуривает. Тушит и снова прикуривает, мужичок-то. Нервничает, значит. Отчего? Может рыгнуть нельзя здесь так вдохновенно и с при-

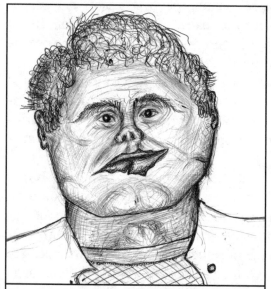

Я понимал, что тупая бравада для этого мужичка является защитной реакцией на бездуховность человеческого общества

свистом, чтобы вся дрянь из души вылетела?! А ведь так хочется, чтобы люди не просто сидели и дули пиво, а еще и ходили между столиками и заглядывали друг другу в глаза, выискивая

Рот неказистого мужичка

среди них самые ласковые и самые нежные… даже у мужиков!

Когда неказистый мужичок затушил очередную сигарету… о край фужера с пивом, игнорируя пепельницу, я еще раз обратил внимание на его перекошенный рот и разбитую нижнюю губу.

– Много же тебя по морде били! – подумал я. – А за что?! За твои ласковые глаза?! Вряд ли. За браваду твою били… а также, чтобы не выбивался из общего человеческого стада. Ласки захотел, сволочь! Тварь бескультурная!

И чем больше я думал, наблюдая за неказистым мужичком, тем более утверждался в мысли о том, что все зависит от сознания, которым управляет кто-то оттуда, издалека-издалека, из какой-то небесной выси, меняя его у людей по какому-то очень сложному принципу, тому принципу, который нам не понять, потому что мы… не Боги. Но одна маленькая сторона этого принципа все же проглядывалась: нам, людям, нельзя отходить от мечты, ни за что нельзя, потому что мечта, окрашенная в розовый цвет, несет вместе с собой чистоту, Великую Чистоту, важнее которой нет ничего на свете. Если человек смог «отрыгнуть» всю душевную грязь и «одеться в чистую душевную одежду», то Бог даст ему столько Жизненной Силы, называемой Любовью, что с этой силой нетрудно на лошадях доехать не только от Питера до Владивостока, но и добраться до Чукотки, чтобы там из плавника сделать плот и переплыть Берингов пролив, за которым откроется новая земля – Америка, которую ты когда-то видел во снах, как страну своей розовой мечты и… которая сейчас стала, обдуваемая ураганными ветрами, страной изогнутого пространства, напоминающего доллар.

Я отхлебнул пива… аккуратно так отхлебнул, пивко-то, без всяких там душевных придыханий. И снова взглянул на неказистого мужичка… в его женские глаза.

Как я был нищим

Мысли мои закрутились, закрутились и заставили меня вспомнить тот вывод, который я сделал, когда сидел в подземном переходе в качестве нищего. А вывод был такой – в мире идет феминизация общества, то есть процесс «оженствления» человечества.

Почему я решился испытать на себе судьбу нищего – я даже не знаю. Интуиция, возможно, подсказала: «Делай так, я тебе говорю!» А, возможно, меня к этому подвели какие-то мысли. Но эти мысли я не помню. Забыл. Помню лишь многочисленные рассказы про хиппи, которые, так сказать, бичуя, находили в скотском существовании большее счастье, чем в нормальной жизни. Но это меня никогда не привлекало.

Я прекрасно понимал, что нищие, бомжи или бичи прежде всего лентяи, коих я никогда не уважал и не уважаю. Более того, могу сказать, что индийские, непальские и другие нищие, тут же облепляющие белого человека и тянущие к нему костлявые руки, всегда раздражали меня только на том основании, что как только ты, белый человек, засовывал руку в свой карман за рупией, чтобы подать, тут же, как из-под земли, вырастали еще двое-трое нищих, которые в конкурентной борьбе с другими «коллегами» аж лезли в твой карман, да и смотрели потом тебе вслед с ненавистью, завидуя тебе – подающему.

Я всегда хорошо осознавал, что нищий спекулирует на низкопробном человеческом чувстве, называемом жалостью, которое весьма порицаемо в восточных странах и которое, кстати, ну никак не укладывается в психологию хирурга, вынужденного через боль давать здоровье пациенту во время операции. Хирурги знают, что если ты, хирург, будешь хоть чуть-чуть жалеть пациента, то во время операции (под местным наркозом!) он будет так орать, что мало не покажется… и операция обязательно получится плохо. А если ты, хирург, гаркнешь на орущего пациента, да сделаешь это пострашнее и погромче, то пациент сразу успокоится и даже будет благодарить тебя после операции за то, что ты сделал ее без боли. Особенно страшны жалеющие своего ребенка матери, – они не только усугубляют течение болезни своими «тю-тю-тю-тю», но и мешают врачам лечить, как бы призывая их вместо лечения делать тоже «тю-тю-тю-тю».

Люди склонны взывать к жалости, потому что жалость сладка и приятна. Но, взывая к жалости, люди не понимают, что они наступают на грабли, которые обязательно ударят по лбу, поскольку жалость является противоположностью воли, без которой (без воли-то) ничего в этой жизни не достигнуть – ни болезнь победить, ни поле распахать, ни Сибири освоить. Ведь сколько воли должен был проявить русский мужик, чтобы сорваться с насиженных мест, где

Жалость сладка

он – безземельный – вполне мог бы оказаться нищим и… начать вбирать в себя вместо энергии воли другую энергию – энергию жалости, которая помогала бы не просто выпрашивать средства пропитания у волевых мужиков-работяг, но и втихаря вампирить их, то есть подсасывать их энергию, спекулируя на прекрасном чувстве, называемом состраданием.

В Индии очень много школ сострадания. В этих школах преподают только один предмет, который можно назвать так – как отличить жалость от сострадания? Я был в одной из таких школ в Индии, которую возглавляет господин Мин, и узнал, что это целая наука. Индийцы считают, что важнее этой науки не бывает на всем свете, потому что Великое Сострадание, являющееся основой Доброты людей и Добра во всем мире, очень легко

Индия
Школа сострадания

SCHOOL OF COMPASSION

Как отличить жалость
от сострадания?

может быть опоганено за счет «клоуна сострадания», называемого Жалостью – хитроумного дьявольского изобретения, предназначенного для того, чтобы Царство Добра никогда не наступило на Земном шаре и чтобы добрый человек превратился в жалеющего человека, такого человека, у кого тот, кого жалеют, отбирал бы божественную энергию Добра за счет «вампиризма под флагом Жалости» и тут же переводил ее в ненасытное чрево Дьявола.

В основе сострадания лежит Энергия Любви, а в основе Жалости – дьявольский вампиризм. Но как трудно найти грань этого различия! Ой как трудно! Надо бы, вообще-то, и в наших школах начать преподавать предмет под названием «Основы сострадания», взяв за основу индийские учебники, преподавать... вообще-то... во имя духовного здоровья нации, преподавать... хотя бы... ради того, чтобы кто-нибудь не перепутал эти два понятия.

Я, конечно, не учился в индийской школе Сострадания, но тем не менее я думаю, что любому, взывающему к помощи,

Жалость есть клоун сострадания

В основе сострадания лежит Энергия Любви

надо хотя бы взглянуть в глаза. Глаза сами скажут.

А моя мысль – посидеть в качестве нищего в подземном переходе – была во многом инспирирована одним глупым случаем из моей личной жизни. Дело было так. Поехали мы, короче говоря, на охоту. На лосей. Зима была. Был я одет, конечно же, как полагается для охоты, как бомж... чтобы замаскированным (то есть, невидимым среди деревьев) быть. На мне такая шапка была, хуже которой, конечно же, не найти! Морда под шапкой такой поганой казалась, аж жуть. Тужурка на мне была молью, конечно же, поеденная, тоже погано-защитного цвета. А штаны – просто атас... с жирными пятнами от многократно вытираемых о них рук. А обувь – дрянь, которая даже бомжу не годится!

В общем, в этом одеянии я приперся в солидный магазин. За водкой, конечно. Магазин состоял из двух частей: в одной части продавали продукты и водку, в другой – какие-то рубашки, штаны, галстуки и чулки. А между этими двумя частями был сверкающий рекламным светом промежуток.

Пока ребята покупали водку и закусь, я стоял и ждал их в этом промежутке магазина. Стоял и ждал... ребят с водкой.

Прохожие на меня, конечно, презрительно оглядывались, понимая, что в престижном магазине не должна всякая шантрапа стоять и романтично оглядываться вокруг.

И тут я увидел что-то желтое, которое шло из продуктовой части магазина в чулочно-вещевую. Это была женщина. Она была вся желтая. Волосы были желтыми, пиджачок желтым, блузка светло-желтой, юбка – желтой, чулки – желтоватыми, туфли – желтыми. Только руки и лицо были белыми. Глаза мне, правда, тоже желтыми показались. Чувствовалось, что она была то ли администратором, то ли менеджером магазина. Без пальто она ходила. А зимой по магазину покупатели без пальто не шляются.

Меня, естественно, как магнитом потянуло к этой желтой женщине, и я машинально пошел за ней. Желтая женщина шла в сторону чулочного отдела. А я, как сволочь последняя, поковылял за ней.

Магазин

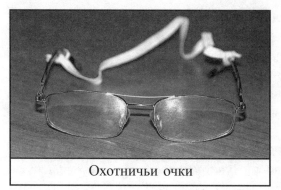

Охотничьи очки

Желтая женщина дошла до прилавка, остановилась и стала о чем-то говорить с продавщицей, которая, естественно, продавала чулки. Я, как последняя тварь, тоже остановился и стал изображать, будто бы меня интересуют чулки. При этом, я, делая вид, что неудовлетворен выбором чулок, излишне громко (с хрустом) почесал затылок. Желтая женщина обернулась на звук.

Я, забыв о своей бичеватой внешности, нашел светлый промежуток в давно непротираемых охотничьих очках и гордо взглянул ей в глаза… с достоинством взглянул, как полагается мужчине, который идет за женщиной. В глазах желтой женщины я увидел недоумение, мимолетное недоумение оттого, что всякие там твари в виде бичей или бомжей так не смотрят… ведь они, бомжи-то, смотрят всегда, взывая к жалости… слащаво так смотрят. Мне было приятно недоумение в ее глазах… хотя оно могло бы быть и сильнее, если бы я протер свои охотничьи очки и мои глаза было бы видно лучше.

Глаза желтой женщины оказались не желтыми, а карими, смачными и теплыми такими, которые за душу берут. Таким глазам очень идет удивляться, потому что способность удивляться исходит из детства, а люди, способные удивленно говорить «О!», всегда очень приятны.

Под взглядом прекрасных глаз желтой женщины я слегка подопустил голову, в связи с чем мои глаза закрыла грязь на охотничьих очках. Я почувствовал, что желтая женщина более внимательно оглядывает мою внешность.

– Вас что, чулки интересуют?! – строго спросила она, брезгливо вздернув подбородок.

– Нет, – с достоинством ответил я и даже вскинул голову так, что моя поганая охотничья шапка чуть не слетела, – резинка, привязанная к очкам, удержала.

– А что же? – в глазах желтой женщины появился стальной блеск.

Тогда я скривил рот, чуть подвыпустив слюну, сделал пару конвульсивных движений телом и гордо сказал:

– Местный бомж и алкоголик восхищен Вашей красотой. Вы – прекрасны!

Желтая женщина слегка опешила и пристально взглянула на меня своими теплокарими глазами.

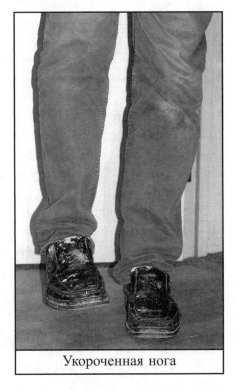

Укороченная нога

А я развернулся, укоротил свою правую ногу* и, по-идиотски хромая, пошел к выходу. Перед самым выходом я обернулся. Желтая женщина смотрела мне вслед.

На охоте лосей мы не убили. Лицензия пропала. Ну и слава Богу! Водки зато много выпили. Не хватило. В деревню за водкой еще ездили.

Через неделю, когда я собрался на работу, я вспомнил этот случай из жизни. Я надел красивую зимнюю куртку, которую мне подарили в Техасе, надел джинсы, новые ботинки, шапку-фуражку из меха нерпы и взял с собой экзотический желто-

---

* – методика укорачивания ноги состоит в следующем. Выпрямляешь ногу в коленном суставе и поднимаешь тазобедренный сустав, перекашивая таз. В таком положении можно очень красиво хромать.

го цвета портфель, который я купил в Мексике. Замаскированным (то есть невидимым среди деревьев!) я явно не казался.

В этом самом цивильном одеянии я, короче говоря, приехал в этот самый магазин с надеждой увидеть желтую женщину.

Когда я зашел в магазин, опешил. Она, желтая женщина, опять, как и тогда, шла из продуктового отдела в чулочный. Видимо, маршрут у нее был такой. Я, как и тогда, подскочил, и, следуя за ней, дошел до чулочного отдела. Как и тогда она обернулась и спросила, но спросила ласково:

— Вас что, чулки интересуют?

— Нет, — как и тогда ответил я.

— А что так? – услужливо усмехнулась она. – Может купите жене или… м-м… любовнице?

Я пристально посмотрел ей в глаза. Они были такими же тепло-карими и прекрасными… как и тогда.

Я, как и тогда, смотрел на нее через очки, но с позолоченными дужками и с чистыми стеклами.

От моего пристального взгляда у нее возникло легкое недоумение… как и тогда.

— Вы меня помните? – спросил я желтую женщину.

Она оглядела меня с головы до пят и сказала:

— Нет.

— Посмотрите внимательнее! Вы должны меня помнить! – стал настаивать я.

Желтая женщина опять с головы до пят оглядела меня и тихо сказала:

— Я Вас не помню.

— А помните, неделю назад к Вам подходил какой-то бомж и сказал Вам такие слова – «Местный бомж и алкоголик восхищен Вашей красотой. Вы прекрасны!»

Прекрасные глаза желтой женщины округлились.

— Помните? – повторил я.

Глаза желтой женщины заметались. Она сказала:

– Помню.

– Это был я, – тихо проговорил я и, поцеловав ей руку, пошел… не хромая… к выходу.

Больше я в этот магазин не заходил. Хотя хотелось, вообще-то. Не пришлось как-то. Только вот продавщиц мне хочется всегда видеть в желтом одеянии.

Этот глупый случай из личной жизни, честно говоря, и подвел меня к тому, что я, будучи весьма узнаваемой в Уфе личностью, пошел на эксперимент, чтобы поизображать из себя нищего и… на этом основании… понять кое-что в «нищей жизни».

Позвонил я, короче говоря, главному режиссеру Русского драматического театра Уфы Михаилу Исаковичу Рабиновичу и договорился с ним о том, что он меня оденет нищим. Я пришел в театр, выпил с Михаилом Исаковичем водочки, поговорил с ним о судьбах современных нищих, послушал его рекомендации, после чего он меня отвел в комнату, где актрисам на лицо «штукатурку» накладывают. Гримуборной, по-моему, эта комната называлась.

Солидная добрая женщина посадила меня в кресло и, похлопав по моему розовому личику, сказала:

– Так не пойдет. Лицо должно быть серым. Я серый грим наложу. У всех нищих лица серые. Я это точно знаю. Ой, скольких актеров я под бомжей наряжала! Мода сейчас пошла спектакли про бомжей ставить, когда главный герой-бомж доказывает, что он тоже человек. Я сама, честно говоря, такие спектакли не люблю. Их, бомжей-то, и так на

В гримуборной

Я с Михаилом Исаковичем
Рабиновичем

улицах полно встречается. Жалеть заставляют людей такие спектакли. А кто работать будет? Я бы лучше бомжей на принудительную работу выгнала, улицы, например, от мусора очищать. А то гадят только. И Вы, что ли, профессор, под эту моду попали, раз решили нищим нарядиться?

— Да нет... вроде... м-м-м, — смутился я.

Гримерша наложила на мое лицо серый грим, похлопала по щекам, проверяя – не отвалится ли, после чего прикрепила к моему подбородку омерзительного вида бороду. Потом Михаил Исакович одел меня в такую одежду, в сравнении с которой даже моя охотничья одежда показалась бы новьем. Оказывается все это есть в театре... чтобы бомжей играть.

Мы напоследок сфотографировались с Михаилом Исаковичем. Подошли актеры театра, которые, оказывается, тоже играли бомжей и тоже пожелали со мной сфотографироваться... как с «коллегой».

Когда я уже уходил, Михаил Исакович порекомендовал пойти на задворки театра, найти там костровище, где они, артисты, иногда делают шашлыки, и хорошенько поваляться в пепле, чтобы я и в самом деле стал грязным и выглядел как настоящий «помой-

Я посыпаю себя пеплом

ный мужик». Я сделал это. Причем сделал с удовольствием. Я уже начал входить в роль.

Я сел на заднее сиденье машины, и мы поехали к тому месту, где я должен был сидеть в качестве нищего. А этим местом я выбрал самый оживленный подземный переход в Уфе, который располагается на остановке «Спортивная».

Я вышел из машины, взял свою поклажу и, изображая из себя согну-

Я в машине

того в три погибели старика, спустился в подземный переход. Я шел прямо, как бы не замечая людей. А люди шарахались от меня, даже толкали друг друга, лишь бы… не дай бог… коснуться меня – поганого.

В одном месте я встряхнулся… как собака. Пепел посыпался с меня. Молодой мужик, шедший навстречу, даже приостановился, брезгливо скривил губы и, обходя меня, с удовольствием плюнул мне в лицо. И попал, ведь, сволочь, попал точно в лицо – на левую щеку. Я вытер слюну рукой… это была не слюна, это был харчок, то есть мокрота.

Мне стало так противно, что я остановился, присел и вытер свою руку (с мокротой!) об асфальт. Долго тер эту руку об асфальт в подземном переходе, а потом уличной грязью протер то место на лице, куда попал харкающий в меня. Уличная грязь была приятнее, чем харчок, ведь в ней, уличной грязи-то, не было ненависти.

– Начинается, – подумал я.

Я опять поковылял по подземному переходу. Как и полагается, я еле волочил ноги, изображая из себя согнутого жизнью никчемного человека. И вдруг я ощутил резкий удар по ахиллову сухожилию левой ноги. Удар был нанесен так умело, что нога подкосилась, и я упал, ткнувшись лицом в асфальт. Из мешка вывалились буханочка хлеба и пакет кефира, которые порекомендовал мне взять с собой Михаил Исакович, убеждая в том, что нищие очень любят кефир с хлебом (в кефире, ведь, белок есть!).

Я, лежа на асфальте, повернул искаженное болью лицо вверх и увидел смеющиеся глаза здорового молодого человека.

– Что, еще, что ли надо?! – послышался голос.

Я поднялся с асфальта, положил в мешок кефир и хлеб и снова побрел вперед. Я понял, что если бы рядом не было людей, то меня бы испинали… просто так.

– Как, оказывается, жестоки люди! Как, оказывается, нельзя быть слабым! – подумал я.

Как, оказывается, жестоки люди!

Эта мысль особенно сильно задела меня.

– Нельзя быть слабым! Нельзя быть слабым! – пульсировало в моей голове.

Мне в тот момент подумалось, что если Россия, Великая Россия, вдруг станет слабой, то ее никто жалеть не будет. Вернее, жалеть-то будут (как это дела-

НЕЛЬЗЯ БЫТЬ СЛАБЫМ!

лось в жуткие 90-е годы, когда нам подавали... в долг... чтобы мы, советские дураки с тупой романтикой покорения бизнес-вершин, не сдохли с голода), но сострадать нам не будут. Мы должны не забывать того, что нас уже жалели... в долг жалели... жалели, отвампиривая ту энергию романтичности, которая сокрушила советский строй, надоевший не столько из-за навязанного образа Ленина, сколько из-за пустых магазинных полок. Мы, романтичные советские дураки, конечно же, перепутали прекрасное сострадание с унизительной жалостью и так въехали в демократию... по специально разработанному плану... въехали от всей души, что даже не заметили, что в этой демократии, оказывается, вор на воре сидит и вором погоняет. И, честно говоря, я даже удивляюсь, что мы смогли выбраться из «клоаки жалости». Ведь вначале жалеют, потом харкают тебе в лицо, а потом и бьют... по сухожилиям, чтобы ты упал и не поднялся.

Путин молодец! Смог заглушить взывание к жалости! Гордость России восстановил! Показал, что русские – это не попрошайки, которые все, что подали – тут же пропьют!

Я дошел до противоположного конца подземного перехода, поднялся по лесенке на поверхность земли и стал искать место, где я бы мог присесть, чтобы просить милостыню. Мне показалось, что лучше всего будет сесть между газетным киоском и входом в зал игральных автоматов; здесь ведь люди лезут в кошельки и, того и гляди, мне что-то отвалят.

Я достал поганую такую коробку с заранее вложенными туда копейками и двумя бумажками по 10 рублей (для демонстрации того, что мне уже дали!), поставил ее на асфальт и стал ждать.

В зал игровых автоматов входили в основном мужчины с экзальтированными глазами, в которых игровое бешенство проявлялось. Как правило, эти «игрючие мужики» перед входом нервно курили и, естественно, выбрасывали окурки. И знаете, куда они кидали окурки? Они почти все целились в мою коробку для сбора денег. Денег никто не положил... только окурки. Обидно так было убирать их из коробки с деньгами. А некото-

Я прошу милостыню у входа в зал игральных автоматов

рые «игровые мужики» кидали окурки прямо в меня – нищего. Один окурок ударился об мою искусственную бороду и залетел-таки за пазуху. Я закричал «А-а-а» и полез его доставать. На крик обернулась киоскерша, продававшая газеты, и с негодованием сказала:

– Орут еще, твари!

– Окурок… за пазухой, – прохрипел я.

– Заплевать что ли тебе, тварь?! – ответила киоскерша. – Ну-ка брысь отсюда! Брысь, а то милицию позову!

Я опустил голову, подождал несколько секунд и довольно громко, с опущенной головой, сказал:

Моя коробка для сбора денег... вместе с хлебом и кефиром

– Тогда ведь, если я уйду, окурки в вас кидать будут.

– Эх! – только и произнесла киоскерша. – Сиди уж! Ты-то хоть мирная тварь, а они, игроки-то, буйные твари. Это люди разве?! Им ведь ни матери, ни жены, ни детей не нужно, у них одна страсть – дай поиграть! А выходят какие они из игрового зала – злые как собаки! Потому что все они там проигрывают. Они убить готовы любого! Тебя точно убьют! Зло на тебе от проигрыша сорвут. А кого бить-то, как не слабого?! А ты ведь слабак, раз нищим стал. Как докатился-то?

– Да так уж, – промямлил я.

– Алкоголик, значит.

Игральные автоматы

– Да нет.

– Тогда дурак, – обрезала киоскерша. – Но лучше бы больше нищих было, чем игроков. Я бы всех игроков перерезала, как собак поганых. Ненавижу я их! А ведь их все больше становится! Больные... Куда правительство смотрит, а?!

В это время из игрового зала вышел молодой парень, закурил и стал ходить кругами. Глаза его были бешеными. Чувствовалось, что он проиграл. Его взгляд упал на меня – нищего. Он увидел мою коробку, где лежали копейки и две бумажки по 10 рублей.

– Отдай! – сказал он. – А то убью!

– Не отдам! Это мое! – гордо ответил я, не поднимая головы.

– Не отдашь? – парень нагнулся и схватился за коробку.

Памятуя, что я мастер спорта, я из положения сидя тут же нанес ему короткий удар в челюсть.

Парень от такой выходки какого-то нищего опешил и схватился за челюсть. Больно ему было, чувствовалось. Хорошо я ему вмазал. Да и не ожидал он такой выходки от нищего... гордой выходки. Его глаза... проигравшего... налились кровью, но, чувствовалось, что ножа у него не было. Он, скривив губы, сделал шаг в мою сторону, но я встал и, поманив его пальцами в грязных перчатках, сказал:

– Иди сюда, гад! Убью, сволочь!

Парень совсем опешил от такой прыти нищего. А я, перешагнув через коробку, схватил его за грудки и, чувствуя, что рвутся пуговицы, ткнул свой кулак вместе с его рубашкой ему в челюсть.

– Убью гада! – прорычал я.

Парень сделал движение ногой, чтобы ударить меня коленом туда, куда не полагается. Но толстая одежда нищего спасла меня. Зато я так ткнул его кулаком (вместе с его рубашкой) в челюсть, что мало не покажется. Да и левой рукой (в грязной перчатке) щелкнул его по носу.

– Да что ты, дядя! Охренел что ли? – завопил парень-игрок.

Я продолжал сверлить его взглядом. А потом я его отпустил, но... тут же правой рукой влепил ему такую пощечину, которую он, игрок, наверное, будет помнить всю жизнь... пощечину нищего.

– Каждый должен бить игрока... даже нищий, – кинул я ему вслед.

Каждый должен бить игрока

Я опять сел на свое место. Но успокоиться не мог. Мне хотелось, чтобы из зала игровых автоматов вышел еще один парень, которому бы я так вмазал, что все это игральное отродье передохло бы.

Сидя в качестве нищего и поглядывая на свою коробку, я вдруг подумал о том, что нас ведь россиян, хотят видеть вечно нищими, к которым бы с понтом подходили игроки в бизнес и с понтом отбирали твои последние крохи – крохи вынужденного нищего (как было в 90-е годы), отбирали бы только на том основании, что ты, россиянин, пока еще выглядишь нищим. Но они, игроки, забывают о том, что и нищий может так вмазать, что мало не покажется, если к нему отнестись без должного уважения. Да и было так уже в истории. Гитлер говорил, что Россия – это колосс на глиняных ногах, но эти «глиняные ноги» так распрямились, и русские дали такую пощечину Гитлеру, что мало не показалось. Да, мы были перед Великой Отечественной войной нищими. Не мы, а Дьявол виноват в этом. Но мы, нищие, победили. Победили только на том основании, что у нищих тоже есть своя гордость.

Я сидел… в качестве нищего… около зала игровых автоматов. А мне никто не подавал. Я даже стал отчаиваться.

Киоскерша, заметив это, сказала мне:

— Ты что здесь сидишь, дурень?! Думаешь, игроки подадут?! Никогда! У них, игроков-то, свой мир — вертебральный или виртуальный — мир, где нас, людей-то, нет, где есть только деньги, в которые

У нищих тоже есть своя гордость

они, игроки-то, играют. Деньги для них — как живые существа. Пересядь в другое место! Тогда, может, соберешь немного! Добрые люди-то есть! А эти игроки-то… правильно, что ты ему по морде въехал. Удовольствие я от этого получила.

Я сдвинулся со своего места и сел прямо перед газетным киоском. Киоскерша не сказала ни слова. Зауважала, значит.

Я сидел перед газетным киоском как изваяние, отпугивающее своим поганым видом покупателей газет. Более того, с другой стороны выхода из подземного перехода располагался такой же газетный киоск, который, видимо, конкурировал с тем, перед которым я сидел. Я заметил, что люди, потоком выходящие из подземного перехода и желающие, возможно, приобрести газету, взглядом наталкивались на меня и, осознав всю погань, исходящую от меня, как-то бочком-бочком уходили к конкурирующему газетному киоску, где и покупали газеты, неприязненно оглядываясь на меня.

А я сидел. Чо не сидеть-то?! Асфальт был без харчков. Окурков валялось вокруг всего штук пять. Чисто было и уютно. Я свою коробку для сбора денег поставил. На асфальт положил свою буханочку хлеба. Кефир достал, отгрыз со скрежетом угол пакета и сделал небольшой глоток. Хлеб, лежащий на асфальте, отщипнул и сунул кусочек в рот. Пожевал. А потом красиво достал из кармана окурок* и, прикурив от поганого, как и я сам, спичечного коробка, с наслаждением вдохнул дым.

Я сидел, конечно же, опустив голову. А передо мной шли ноги, ноги и ноги. Я только начал анализировать красоту человеческих ног, как одна из них, в стоптанной туфле, по ходу так пнула мой пакет кефира, что он отлетел на один-два метра. Но я, упав на асфальт, схватил пакет кефира и почти не дал ему разлиться. А потом, лежа на асфальте, затер рукавом пятно кефира.

– Молодец! Чистоту любишь! – послышался голос киоскерши.

Но когда чья-то нога прошла слишком близко от лежащей на асфальте моей буханочки хлеба, я понял, что буханочку с кефиром все же лучше убрать подальше. Пнут, как футбольный мяч, обязательно пнут еду нищего.

Люди могут пнуть еду нищего

* – я заранее заготовил окурки от сигарет «Кент», выкуривая по полсигареты.

Я подумал о том, что в людей на уровне инстинктов вложена какая-то ненависть к нищим, что они способны даже пнуть по самому дорогому для нищего – еде, обделив его даже в этом. Неужели люди на уровне инстинктов чувствуют, что жалость к никчемному и нищему – это плохо, что жалость исходит от Дьявола? А может быть, у людей в душе нет сострадания, в основе которого лежит любовь к людям, Богом данная Любовь?

Не успел я задуматься об этом, как почувствовал, что в меня еще раз харкнули. Харчок, правда, не попал в буханочку хлеба, а всего лишь смачно завис на моем рукаве. Я повернул рукав вниз и брезгливо вытер харчок об асфальт, отодвинувшись от этого места. Мысли о жестокости людей не покидали меня.

– Жалеть противно, а сострадать не хочется, – промелькнула мысль.

Эта мысль закружилась, закружилась, но так и не нашла ответа. Вспомнился, почему-то, блокадный Ленинград, когда гитлеровцы буквально «морили голодом» ленинградцев, не сострадая, конечно же, а, скорее всего, приговаривая, ухмыляясь в усы – «сдохнете, ведь, скоро с голода!» Во время войны жестокость считается нормой. Война эксплуатирует заложенную в людей жестокость, которая в мирное время проявляется только иногда и только в отношении тех людей, которых можно вполне «законно» унизить, получив от этого удовольствие.

Желание унизить слабого есть путь возвеличивания самого себя. Гордыня, которой напичканы современные люди, не дает

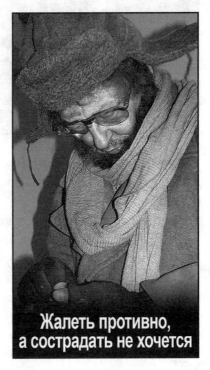

Жалеть противно, а сострадать не хочется

Желание унизить слабого есть путь возвеличивания самого себя

им покоя. И чем мельче и низкопробнее человек, тем он чаще в угоду своей прущей изнутри гордыне, харкает на нищего или пинает его кефир. У гордыни свои законы – чем больше нагадил, тем ты величественнее! Именно из-за этого тянет на подвиги… перед слабым. Но и слабый, вообще-то, может ответить, да так… Ведь, вполне возможно, в этом слабом нищем сидит память предков, великих предков.

Все люди имеют память предков. Предки все равно как бы живут в нас, не только взывая к воспоминаниям с нудными причитаниями типа «А вот в свое время-то…», а предки давят на нас изнутри, давят по принципу – «Мы, ведь, были великими, и вы, дураки, должны быть такими же. Ясно! Для вас, ведь, старались!»

Все уважают те нации, у которых были великие предки. Англичан, например. И нас, русских, уважают. За предков, прежде всего. Великих предков, которые до Аляски дошли. Но нам, русским, еще и завидуют, завидуют из-за предков, которые у нас были великими и… которые не умерли, а продолжают жить в наших душах. Завистью к нашим предкам можно назвать ревнивое отношение к нам Запада.

– Эй, бичара! Слышь, бичуга! – послышался голос киоскерши. – Ни хрена тебе денег не дают. Иди, к противоположному киоску пересядь! А то все от тебя шарахаются и ко мне не подходят. Прибыли нет. Помоги мне, а! Если ты у того газетного (конкурирующего!) киоска сидеть будешь, то люди от тебя шарахнутся в мою сторону и у меня покупать будут. Иди, я тебе говорю!

Я поднялся, доковылял до газетного киоска на противоположной стороне и сел напротив него! Гордо так сел. Кефир и хлеб не стал доставать.

Завистью к предкам можно назвать ревнивое отношение к нам Запада

Просто коробку для сбора денег поставил.

Но опять никто не подавал. Зато я увидел, что люди, обходя меня – поганого, идут к тому газетному киоску на противоположной стороне, рядом с которым я сидел раньше, и уже там покупают газеты. Моя знакомая киоскерша приветливо помахала мне рукой.

Но так продлилось недолго. Конкурирующая киоскерша, поняв в чем дело, громко завопила:

– Милиция! Милиция! Уберите эту шантрапу! Чо она здесь расселась, и весь бизнес сбивает! Милиция! Милиция!

Но милиции рядом не оказалось. Зато прибежал дворник-таджик с метлой и спросил:

– В чем дело?

Киоскерша показала на меня и так завопила, что проходящие люди посмотрели на нее, как на ненормальную.

Дворник-таджик подошел ко мне и, не говоря ни слова, наотмашь ударил меня метлой, попав в голову черенком. Я согнулся от боли.

– А-а-а, – вырвалось у меня.

– Брыс, брыс отсуда! – грозно сказал он.

Я взялся за свой полиэтиленовый мешок, но из него, как назло, выпал открытый пакет кефира. Кефир стал разливаться по асфальту. Я схватил пакет кефира, но нечаянно сдавил его, в связи с чем кефир еще больше выплеснулся на асфальт.

– Обосрал! Опят* обосрал! – громко закричал дворник-таджик и так вмазал мне по спине черенком метлы, что мало не покажется.

Я сделал движение рукой, чтобы вытереть кефир с асфальта, но у меня не получилось, – дворник-таджик ударил черенком меня по рукам. Я застонал от боли и распластался на асфальте, попав щекой в эту злополучную лужу кефира. Из этого положения я взглянул вверх и увидел довольные лица проходящих людей, – им было приятно, что бьют нищего.

– Смотрит ишшо! – услышал я голос дворника-таджика. – Брыс отсуда! Брыс!

После этого на меня посыпался град ударов. Но я их уже терпел. Привык, наверное. Я извернулся, поймал рукой черенок метлы и так рванул в свою сторону, что вырвал его из рук дворника-таджика. Я кинул метлу под ноги дворника. А потом вытер рукавом кефир с правой щеки.

– Брыс отсуда! – услышал я уже менее уверенный голос.

Я поднялся на колени и посмотрел в глаза таджика. Убийственно посмотрел.

– Сам брысь отсюда! – сказал я ему твердо.

---

* – почему «опять», мне непонятно.

Нищего и слабого любой избить горазд!

Таджик, схватив метлу, тут же ушел. Испарился.

— Силы боится! Нищего и слабого любой избить горазд! — подумал я.

Я, продолжая стоять на коленях, вытер рукавом весь разлитый кефир с асфальта. Киоскерша молча смотрела на меня. А киоскерша конкурирующего газетного киоска, бойко торгуя, помахала мне рукой.

Я доковылял до лестницы, спустился на несколько ступенек вниз и сел прямо на ступеньки... сел на стороне того газетного киоска, где меня бил метлой дворник-таджик.

Я опять достал кефир, поставил его рядом с собой, положил на ступеньку буханочку хлеба, но есть не стал. Не хотелось. Зато рядом с собой я поставил заранее заготовленную табличку, на которой было написано: «Подайте на месть нищего!»

Подайте на месть нищего!

Сидел я, сидел, но никто не подавал на «месть нищего». А мысли мои закрутились, закрутились и, волей-неволей, опять вывели к воспоминаниям о черных 90-х годах. Я прекрасно понимал, что дураки-коммунисты, желая заменить еду образом Ленина и отвергая путь частного предпринимательства, подконтрольного партии (как это сделал Дэн-Сяо-Пин), проиграли, всухую проиграли, загнав великую страну в нищету. Мы уже расплатились за нищету, когда тебя – слабого хотят побить, будь то таджик, будь то узбек или кто-либо другой, – мы развалили Великий Советский Союз, который, вообще-то, многие десятилетия был символом мощи. Таджики захотели нас бить… захотели только на том основании, что мы стали нищими. Да и образ президента-алкоголика мы слишком долго смаковали, простив ему даже расстрел «Белого Дома», сами не понимая того, что этим смакованием мы все сильнее скатываемся в нищую пьянь. Хорошо, что нам повезло* с образом настоящего русского мужика, и мы смогли,

* – с Путиным, конечно.

накушавшись западной жалости, поднять голову, а не елозить мордой в луже иностранного кефира, разваливая Россию. Но нам помогли… очень помогли…

А помогли нам предки, наши прапрапрадеды, авторитет которых, и страх перед мощью которых остался в памяти всего мира. Подсознательная память о них, сделавших такое, что даже таджик чувствует себя русским, не позволила нашим подающим милостыню «друзьям» начать торжествовать над склонившим голову нищим народом, который уже только о жратве и думает.

Предки спасли нас!

Предки спасли нас от бардачно-пьяного угара девяностых годов. Только они. Не мы. Прошлое бережет нас. И никто не может уберечься от пресса Прошлого. Чем мощнее прошлое, тем больше шансов на будущее. Это только мы, примитивные, не видим прошлого и будущего одновременно. Мы, дураки, считаем, что прошлое уже позади и можно его позабыть, но… не надо забывать, что прошлое есть путеводная звезда будущего. Поэтому не надо смотреть на фотографии наших дедов как на отжившее, – деды живут в нас самих, в душах наших, и они, деды-то, не дадут нам покоя… для нас, ведь, они творили Великое.

Передо мной, сидящем на ступенях, возникла тень. Я подумал, что, наконец-то, мне подадут, и поднял голову. Но перед собой я увидел осклабленное лицо дворника-таджика… и тут же получил удар по лицу метлой. Бил таджик в мое лицо по-доброму… не черенком, а той частью метлы, которой метут. К счастью, я был в очках, а то бы и глаза мог выколоть.

– Брыс отсуда! – услышал я привычный голос таджика.

– Брыс говоришь? – захрипел я, схватившись за веточки метлы.

Перебирая метлу от веточки к веточке, я стал подтягивать ее к себе. Таджик дернул, но я удержал. А потом, взявшись за метлу второй рукой, я так ткнул таджика черенком в грудь, что он опешил.

– Проткну черенком! – прорычал я.

Я встал. Таджик увидел перед собой нищего, значительно выше его ростом. Нищий (то есть я!) был, видимо, страшен в гневе. Адреналин кипел во мне.

– Видишь, на табличке написано – «Подай на месть нищего!», – бросил я.

Таджик промолчал.

– Подай, говорю!

– Не подам! – крикнул таджик и, выдернув у меня свою метлу, стал уходить.

В этот момент раздался голос киоскерши:

– Милиция! Милиция! Тут у нас нищий дерется! Забирай его! Забирай! Что за жизнь пошла, а?! Нищие стали на поверхность выходить!

Я, не дожидаясь, когда появится милиция, положил свой кефир и хлеб в мешок и спустился в подземный переход. Спустился на самый низ.

Там, внизу, я нашел мусорное ведро. Около него валялось множество окурков… кури, не хочу. Наплевано было везде. Я понял, что это мое место – место нищего.

Я сел, достал кефир, поставил между окурками хлеб и, подобрав более длинный бычок, с удовольствием закурил. А потом я достал из сумки еще одну табличку, но непростую: на ней было написано «Подайте на Любовь нищего!»

Я, конечно же, понимал, что какой-то несчастный нищий, который нашел свое «законное место» около мусорного ведра в самом низу подземного перехода, не имеет права просить на Любовь, потому что Любовь – это не низменное чувство. Но кто скажет – где низ, а где верх?! Все зарождается благодаря Любви. Даже, может быть, существует муравьиная Любовь. А почему бы и нищему не помечтать о Любви, хотя бы о нищенской Любви, когда

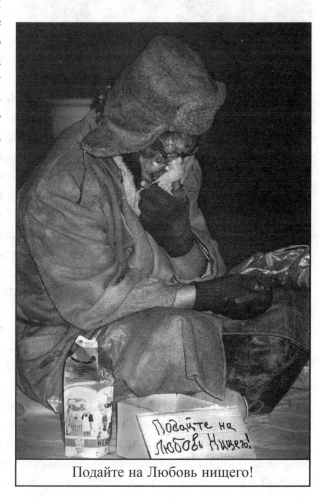

Подайте на Любовь нищего!

Богатый только играет в Любовь, а любит он деньги

тебя будут любить не за деньги, а за твою душу, которая… может быть… если копнуть поглубже, такая хорошая, такая хорошая, что любой богатей позавидует, позавидует потому, что богач искренне любит только деньги, а в жизни лишь играет в Любовь, чего, конечно же, не скажешь о нищем. И кто знает, а может быть нищие, именно нищие бросают вызов Всевластию Денег? Наша жизнь в Мире испытаний имеет дьявольский компонент, с которым призван бороться весь мир во имя победы над Дьяволом. И нищие тоже борятся… неказисто борятся… но борятся смачно, всем своим поганым видом показывая, что весь этот бездуховный мир так же поганен, как и он – нищий. Демонстрацией бездуховного мира можно назвать поганый вид нищего. По какому-то странному призыву вполне состоятельный человек вдруг меняет свою жизнь: он уходит из семьи, и находит свое счастье в этом самом бомжатнике, когда заботы о материальном бытии уходят на второй план, а на первый план выступает нечто такое, что нам, обычным людям, считающим эталоном счастья вечер, проведенный в ресторане с нужными людьми, это непонятно. Но это

Демонстрацией бездуховного мира можно назвать поганый вид нищего

счастье есть... счастье нищего! Не зря знаменитый Борис Баркас, сочинивший песню «Арлекино» и ставший нищим, сказал – «А меня не надо жалеть!»

Да и йоги, гималайские йоги, имеющие тоже весьма непрезентабельный вид, питающиеся какими-то крохами и игнорирующие деньги, появляются на свете тоже по какому-то странному призыву, тоже бросая семьи и уходя в высокогорные пещеры, чтобы посвятить себя тому, чтобы, как они говорят, очищать ауру Земли... своими мыслями очищать. Великий йог

Премананда рассказывал мне об этом во время нашей третьей гималайской экспедиции.

Все уважают гималайских йогов, но все презирают нищих. А, может быть, между ними есть общее?

А это общее есть, точно есть. Это можно считать за дурь, бзик, чокнутость, но...

Борис Баркас

факт остается фактом, что и йог, и нищий вдруг (неожиданно!) чувствуют какой-то глубинный призыв, сильнее которого они не чувствовали никогда и противостоять которому не в силах. И человек идет по этому пути, меняя все в своей жизни и… и… находит счастье, высшее счастье, внешне неказистое, но счастье. Он, этот человек, даже посмеивается над теми людьми, которые, как петухи красуются перед ним – неказистым. Он, этот человек, становится счастливым, ничуть не жалея и даже посмеиваясь над своей предыдущей жизнью.

Странно это. Но, кто знает, а возможно прав великий йог Премананда, которого я все-таки достал своим вопросом – «А кто

Все уважают йогов, но презирают нищих

же призывает обычного человека стать йогом?» и который ответил на этот вопрос коротко – «Мертвый». Я уже знал тогда, что для мудрого Востока слово «Мертвый» звучит отнюдь не как «труп», а звучит беспредельно гордо, означая Генофонд Человечества, сокрытый в подземном мире, где в состоянии Сомати или самоконсервации человеческого тела находятся Лучшие из Лучших представителей всех земных человеческих цивилизаций, и Дух которых столь мощен, что способен не просто читать мысли людей, но и воздействовать на них, вдруг, однажды, посылая призыв кому-либо и заставляя его уйти из семьи и посвятить себя другому образу жизни, который внешне очень неказист, но, видимо, глубоко духовен, столь глубоко духовен, что позволяет даже очищать ауру Земли, где пока столько грязи, столько грязи, что харчки и окурки около мусорного ведра могут показаться просто цветочками.

И не зря, наверное, в мире начинается поголовное увлечение йогой. Наш Всероссийский центр глазной и пластической хирургии тоже не избежал этого увлечения. Мы тоже создали отдел йоги. Красивейшая женщина – Татьяна Радиковна Галямо-

Татьяна Радиковна Галямова проводит занятия по йоге

ва – возглавляет этот отдел. Она там, Татьяна Радиковна-то, «превращает людей в йогов» и, возможно, хочет найти среди них – сидящих в позе лотоса – такого йога, лучше которого, конечно же, не бывает на всем белом свете. Татьяна Радиковна знает, что любой, даже начинающий йог, умеет любить жизнь сильнее, намного сильнее, чем какая-то шваль по прозвищу «бизнес-мальчик». О, скольких людей вывела из тяжелого душевного состояния Татьяна Радиковна! О, как прозревают прооперированные больные после йогических упражнений Татьяны Радиковны! О… как, оказывается, важно подумать о своей Душе!

Думая обо всем этом, я сидел в качестве нищего около мусорного ведра и просил милостыню, просил на «Любовь нищего». Пока еще не давали. Но я чувствовал, что скоро дадут. И дали, ведь! Аж 30 рублей* дали. Девочка лет этак 15–16-и подала. Причем сказала – «Люби, дедушка!» А вскоре вторая девочка, такого же возраста, тоже положила мне горсть монет, проговорив – «Любовь – это хорошо!» Третья девушка – куколка такая – долго рылась в сумочке и, обнаружив копейки, сказала, положив их в коробку – «Извини, дедушка, что мало... На любовь-то!»

Но вскоре по моей коробке с деньгами пнули. Это был молодой парень с бутылкой пива в руке. Он даже не оглянулся, сволочь. Я подобрал рассыпавшиеся деньги, положил их опять в коробку и стал ждать.

Послышался мужской голос – «Изобретательные у нас бомжи пошли, на любовь просят».

Через несколько минут передо мной «остановились ноги» в новых некрасивых башмаках. Я сидел около мусорного ведра, не поднимая головы.

– Ты что, на проститутку что ли хочешь накопить? – спросил брезгливый голос сверху.

---

* – чуть больше одного доллара.

Я поднял голову. На меня, ухмыляясь, смотрел жирный мужик с полиэтиленовым мешком в руке. Я опять, не сказав ни слова, опустил голову.

— Чо, бомжиху что ли хочешь снять? Нормальная проститутка тебе ведь не даст. Вонючая бомжиха тебе пара! Размечтался, сука, любви захотел… А у тебя, шваль, что – маячит что ли?

Я угрюмо поднял на него взгляд и пристально посмотрел ему в глаза. Я почувствовал, что этот жирный человек хочет сорвать на мне зло, которое накопилось у него внутри. Каким-то подспудным чувством я понял, что причиной его злости является то, что у него плохо «маячит»… даже на проститутку, перед которой нет никаких обязательств и которой его мужское достоинство отнюдь не важно. Я даже подумал о том, что проститутки есть своеобразный лечебный фактор, направленный на коррекцию мужского достоинства по принципу «а мне любой, кто платит, хорош», снимающий естественное мужское волнение перед тем, чтобы показать такое… такое, лучше которого, конечно же, не бывает на всем белом свете.

— Мужик, что ходит с полиэтиленовым мешком в руке, точно не могет, – дерзко сказал я, не спуская глаз с жирного мужчины.

Тот опешил на некоторое время. Я понял, что я попал в точку, и у него закипело. Я стал ждать удара ногой. Но удара не последовало.

— Все дело в полиэтиленовом мешке что ли? – саркастически произнес жирный мужчина.

Полиэтиленовый мешок

Я, сидя у мусорного ведра, посмотрел на его ботинки. Они были тупоносыми и мягкими.

– Именно в нем, – ответил я, снова опустив голову и, собравшись, стал ждать удара ногой.

Но жирный мужчина не бил. Он думал, видимо, о… роли полиэтиленового мешка.

Но вскоре он не удержался и так махнул коленкой перед моим лицом, что мне стало страшно. А потом он так пнул мой полиэтиленовый мешок, что он вмазался в мусорное ведро. Да еще и своим полиэтиленовым мешком ударил меня по голове. Нежно так ударил.

– Чтоб бомжиха тебя заразила! – услышал я слова человека, который только перед нищими-то и может быть сильным.

Я продолжал сидеть с табличкой «Подайте на Любовь нищего!» И подавали, ведь, а! Помаленьку, но подавали. И тут ко мне подошла девушка с яблоком. Я понял, что у нее нет денег. А она, эта красивая-красивая девушка, вдруг положила мне руку на плечо, протянула яблоко и сказала:

– Покушай, дедушка!

– Спасибо, доченька!

– Яблоки-то тебе, дедушка, наверное, никто не дает. Я очень люблю зеленые яблоки. В них витаминов много. А это яблоко зеленое!

Я протянул руку и взял яблоко.

Я протянул руку и взял яблоко

– Спасибо! – сказал я. – Это дорогой подарок. Спасибо, доченька, за твою доброту. Ведь для себя, небось, покупала?

– Тебе, дедушка, яблоко полезнее! Кушай на здоровье! – ответил звонкий голосок.

Когда девочка ушла, я достал из кармана заранее заготовленный окурок и закурил.

– Добрые какие девушки, а?! – подумал я.

Я смотрел на проходящие мимо меня ноги. Ноги шли, шли и шли куда-то. Эти ноги, конечно же, несли головы, которые управляли ими. Но голов, сидя у мусорного ведра, я не видел. Я видел только ноги.

Часа через полтора этот мир ног стал для меня привычным. Я даже стал ловить счастье в этом «подножном состоянии». А что – интересно, вообще-то! По ногам, оказывается, даже характер человека можно определить. Вот, положим, бредут женские ноги в стоптанных кроссовках с погаными джинсами в придачу, – понятно, что эта женщина разочаровалась в жизни в поисках принца и в своем разочаровании опустилась, наплевав на свою («ножную!») внешность, шастая по миру широким мужским шагом. Вот идут тоже стоптанные кроссовки на женских ногах, но в голубеньких бриджах и колготках, идут мелким ша-

Ноги

гом вприпрыжку, – понятно, что это идет бедная, из простой семьи девушка, у которой нет денег на новые кроссовки или туфли, но на колготки и бриджи хватило… для красоты.

Кстати говоря, именно такие бедно-элегантные ноги в колготках и бриджах чаще всего замедляли шаг передо мной, рылись в сумочках и, положив монеты, вприпрыжку уходили вдаль. А вот широко шагающие небрежные женские ноги всегда проходили мимо, будто бы меня – нищего, сидящего у мусорного ведра – и не существует.

Но самыми красивыми были женские ноги в туфлях на высоком каблуке. Как, оказывается, это красиво! Живя «верховой жизнью», этого не замечаешь. А вот в «низовой жизни» это очень важно. Так и хочется воскликнуть – женщины, цокайте на каблуках почаще, а! Призывом к мужскому возбуждению можно назвать ношение туфель на высоком каблуке. Дыры на асфальте починить хочется, чтобы каблуки-шпильки не проваливались, да и всякие пакеты с асфальта убрать, чтобы они, будучи проткнутыми каблуком-шпилькой и надевшись на него, не тащились вместе с каблуком, опоганивая всю его красоту.

Я, пользуясь властью генерального директора, даже целую планерку в нашем центре посвятил пропаганде ношения туфель на каблуках, обещав выдавать

Женские ноги в туфлях на каблуке

премии тем женщинам, которые без нытья на тему, что на каблуках ноги устают, постоянно цокают на них, возбуждая этим самым главную хирургическую силу – мужчин, которые, вообще-то, на хирургические подвиги сподвигнуть надо... хотя бы каблуками. А высказываемые женщинами мысли о том, что при большом «заднем месте» ноги на каблуках свинячьими копытцами кажутся, я категорически отверг.

Мужские ноги, которые я тоже рассматривал, сидя в «низовом мире», были менее интересны. Я, конечно, не женщина и даже не голубой, чтобы оценивать красоту мужских ног, тем не менее, у меня сложилось твердое убежде-

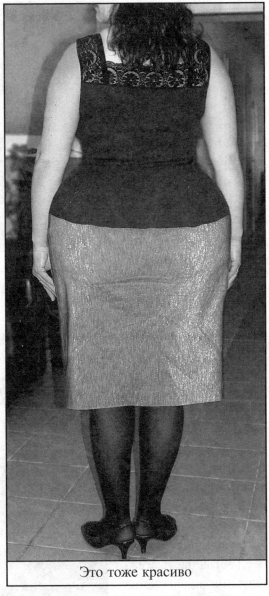

Это тоже красиво

ние, что мужские ноги, чаще всего, пораженные зудящим грибком, явно уступают женским. Скучные они какие-то, мужские ноги-то! Бредут себе по миру уныло. Даже очень уныло.

Я более внимательно вгляделся в проходящие мимо меня мужские ноги. Часть мужских ног шла, несмотря на осень, в плетенках, обращая, видимо, особое внимание на фактор проветривания. Ни одна «нога» в плетенках не остановилась передо мной, чтобы порыться в кармане или в сумочке

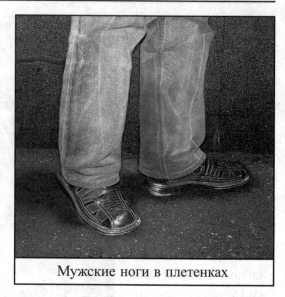

Мужские ноги в плетенках

«голубого типа», называемой барсеткой, чтобы достать мелочь и положить на «Любовь нищего».

Другая часть мужских ног ковыляла в ботинках на безобразной толстой подошве, от которой уже само по себе веяло комплексом маленького роста (будто бы от роста, кстати, что-либо зависит!) «Толстые подошвы» остановились передо мной только один раз, да и то, чтобы пнуть табличку «Подайте на Любовь нищего!»

Третья часть мужских ног шла в кроссовках, причем шла торопливо, как бы стараясь убежать от

Толстая подошва

жизни. Но убежать, как я заметил, не удавалось, – ноги в кроссовках часто спотыкались, даже о бумажные пакеты, брошенные на асфальт, например, «толстыми подошвами». Плевались часто в меня «ноги в кроссовках», причем делали это так

Мужские ноги в кроссовках

ловко, что пока плевок долетал до меня, то «ноги в кроссовках» успевали уйти уже на два шага вперед.

«Остроносики»

И, наконец, последнюю группу мужских ног я назвал «остроносиками». То есть, это были ноги в остроносых модных туфлях. «Цок, цок, цок, цок», – шли они по асфальту. Красиво шли. Как «каблуки». Достоинством от «остроносиков» веяло. Зауважал я их. Но «остроносики», как я чувствовал, обращали на меня – нищего – внимание не больше, чем на мусорное ведро. Шли мимо, и все. Внутреннее достоинство не позволяло «остроносикам» даже взглянуть на меня, не то чтобы подать. Только один раз «остроносик» остановился около меня, порылся в барсетке и положил в мою коробку деньги. Я хотел, конечно, погладить в знак благодарности остроносые туфли, но постеснялся испачкать их своей поганой рукой.

Вскоре я понял, что от мужской обуви мало что зависит. Мужик, он, что купил, то и надел. Человечество еще не придумало такую же достойную обувь для мужчин, как для женщин туфли с каблуками.

Мои наблюдения за «ногами» прервал лай собаки. Я поднял голову и увидел скалящую на меня зубы «собаку-мутанта» типа бультерьера или питбуля, удерживаемую на поводке пожилой женщиной. Я все свое детство и юность, общаясь в деревне с прекрасными охотничьим собаками лайками, ненавидел искусственно выведенных бойцовых собак, считая их мутантным порождением человеческой злости. И именно такая тварь щелкала передо мной зубами, заливаясь хриплым лаем. Я поднял голову выше и увидел глаза пожилой женщины, удерживающей собаку, – они были стеклянными. Я, пытаясь преодолеть этот стеклянный взгляд, протянул руку за милостыней, на что пожилая женщина подспустила поводок и… зубы «собаки-мутанта» щелкнули перед моим лицом. Я еле успел убрать руку.

Я почувствовал, что пожилая женщина специально остановилась около меня и специально травит меня собакой-мутантом, тренируя ее бойцовые качества, – на ком же, как не на нищем тренировать бойцовых собак.

Я инстинктивно выставил локоть в толстой (всепогодной!) одежде нищего. Собака вцепилась в него и стала мотать головой. К счастью, она зубами захватила только одежду.

– Уберите собаку!!! – прохрипел я, вновь подняв голову и посмотрев в глаза пожилой женщине. Но в ее стеклянном взгляде я прочитал удовольствие… удовольствие такого рода, когда лев, удерживая в лапах поверженную антилопу, не убивает ее, а ласково сдирает с нее, живой, лоскуты шкуры, слизывая кровь.

Во мне все закипело.

– Пусть я нищий… но, чтобы садисты на мне упражнялись! – промелькнула мысль.

Я, опрокинув коробку с деньгами, схватил собаку за переднюю лапу и так рванул ее вверх и вбок, что услышал хруст разрываемых связок. Оглушительный вой заполнил подземный переход.

– Не успела схватить за руку, тварь! На локоть отвлеклась! – подумал я.

Собака забилась под ноги хозяйки, продолжая выть.

– Собак избивают! Собак избивают! – завопила в ответ хозяйка – пожилая женщина со стеклянными глазами.

А я, подгребая под себя рассыпанные монеты, продолжал угрюмо сверлить взглядом пожилую женщину.

Я понимал, что некоторая часть людей склон-

На ком же, как ни на нищем, тренировать бойцовых собак

на к садизму. Садисты, на мой взгляд, мелкие и никчемные люди с глубочайшим комплексом неполноценности, которые живут только одним – как бы на ком-нибудь сорвать зло, которое кипит внутри. Но сорвать зло, то есть поиздеваться над кем-то, не так-то легко, – люди, ведь, могут дать отпор. Вот и приходится искать слабого. Например, нищего.

Но не надо забывать, что и у нищего есть своя гордость. Нищий, в отличие от садистов, не озлобился от жизненных неудач, а просто загрустил и стал таким слабым, что ему, слабому, осталось только рассчитывать на человеческую доброту.

Есть принцип – не обижай слабого! Попробуй, тронь его, слабого-то! Он, ведь, не просто лапу бойцовой собаке выломает, а он покажет такое… такое, что низкопробному садисту и не снилось, покажет потому, что в нем, слабом и нищем, накопилось столько Энергии Добра от добрых подаяний добрых людей, что эта Энергия Добра вырвется наружу, сокрушая в каком-то экстазе зло. Не надо обижать слабого! Он сильнее того, кто посмел замахнуться на слабого! Не обижают же детей!

К сожалению, политики не всегда понимают этот принцип. Думали ли американцы, что слабый и обе-

Есть принцип - НЕ ОБИЖАЙ СЛАБОГО!

сточенный искусственными международными санкциями Ирак сможет оказать сопротивление? А он оказал, Ирак-то, оказал тотальной партизанской войной, оказал только на том основании, что арабский народ посчитали слабым. Гордость «слабого» многого стоит, господа!

Пожилая женщина с собакой ушла. Я решил поменять табличку «Подайте на

Гордость слабого многого стоит, господа!

Любовь Нищего!» на табличку «Я не хочу жить среди вас! Подайте на смерть!».

Честно скажу, пессимизмом веяло от этой таблички. Просидел я, короче говоря, около мусорного ведра с этой табличкой

полчаса. И никто не подал. Ни копейки. Люди, видя эту ужасную табличку, даже шарахались. Всем было тяжело видеть укор в свой адрес, выражаемый словами – «Не хочу жить среди вас!», а уж выражение «Подайте на Смерть!» совсем обескураживало людей, которым, оказывается, было небезразлично, что смерть даже лучше, чем жизнь среди злых и бездушных людей. Люди даже вздрагивали, видя такую табличку в руках какого-то обездоленного человека в подземном переходе у мусорного ведра. Если у кого-то и просыпалось сочувствие, то оно пресекалось тем, что подать на смерть означает сказать – «На, сдохни!». Люди, среди которых, видимо, встречались и садисты, отворачивались от такой жуткой картины и старались, наверное, тут же все забыть, хотя… не так-то легко было это сделать. За живое брало. Я понял, что все боялись смерти! Страх перед смертью объединял людей… как объединял во время войны.

Я почувствовал, что этот страх смерти был даже чем-то полезен, потому что он как бы «оттаскивал за уши» от мелкого, поганого, низкопробного и садистского, оттаскивал только на том основании, что после Смерти человека неминуемо ждет сиреневый Суд Совести, во время которого тебя не только прочистят в сиреневой колбе Акаши, но и накажут… превращением в червяка, например, за все твое поганое и садистское, что ты позволил себе, дурак, «на свободе» при жизни.

Никто не подал, ведь, на смерть! Даже не среагировали на мою судорожно тянущуюся руку и вздохи. И это здорово, потому что в людей вложена программа быть добрым, которая явно проявляется перед лицом смерти, но… про которую мы так часто забываем «на свободе».

Отчаявшись что-либо собрать «на смерть», я поставил другую табличку, на которой было написано – «Я чужой! Подайте чужому!» Ждал я, ждал подачки, но так и не дождался. «Чужому» никто не хотел подавать. Чужой – он и есть чужой.

И тут передо мной выросла фигура. Фигура человека, конечно. Мелкая довольно. В спортивном костюме китайского производства.

– Делись, сука! – прохрипел голос.

Я промолчал.

– Делись, сука! – повторил голос, исходящий от фигуры в спортивном костюме.

Я прикрыл коробку с деньгами.

– Ты что, обурел, что ли? – удивился голос.

Я поднял глаза. Передо мной стоял мужичок дешевого вида (в спортивном костюме, конечно). Лицо его было блатным. Я понял, что это и есть тот самый собиратель «налогов» с нищих, про которых мне рассказывали.

– Я с милицией делюсь, – соврал я.

– Не надо врать! – возмутился мужичок в спортивном костюме. – Менты не требуют делиться, менты подходят и высыпают все из коробки в карман. По-хорошему тебе говорю – делись, сука!

Я опять опустил голову, закрыл лицо шарфом и тихо выдохнул:

– Это мое.

– Твое?! – послышалось в ответ.

– Мое, – повторил я.

– А ну-ка встань! Встань, сука! Встань, тебе говорю!

– А ты кто такой?! – заносчиво произнес я, прикрывая рот шарфом.

– Я..?! Не знаешь что ли?

Я промолчал.

– А-а! Новенький, значит! Без разрешения сел здесь! Законов не знаешь, значит! То-то твоя рожа мне незнакома! – шепотом сказал мужичок в спортивном костюме, нависнув надо мной.

— Я вольный нищий! — гордо ответил я

— Я вольный нищий! — гордо ответил я из-под шарфа, которым прикрывал рот.

— Вольных нищих не бывает! — сказал мужичок в спортивном костюме.

— А я такой — гордый!

— Гордый?!!!

И тут перед своим лицом я увидел какой-то продолговатый предмет, из которого выскочило лезвие ножа.

— Убью, сука! — прошипел голос.

Лезвие ножа приблизилось к моему лицу и чиркнуло меня по носу. Я угрюмо посмотрел сквозь очки на мужичка в спортивном костюме.

А мужичок в спортивном костюме ткнул меня ножом между скрещенных рук, несильно, пугающе ткнул. Да и одежда у меня была толстая.

— Уйди, б…дь! — выдавил я.

— Делись, сука!

Я сильнее закрыл рот шарфом и глухо промычал:

— Уйди, б…дь! У меня открытая форма туберкулеза. Заражу, сука!

— Чего?! — не понял мужичок в спортивном костюме и помахал ножом перед моим лицом.

— Убери нож, гад!

— Чего?!!! — совсем распалился мужичок в спортивном костюме.

В этот момент я поднял голову, откинул шарф, прикрывавший мой рот и дыхнул в сторону мужичка в спортивном костюме:

– Заражайся туберкулезом, гад!

Мужичок в спортивном костюме быстренько убрал нож и попытался ретироваться. Я в порыве злости схватил его за штанину левой ноги, чтобы дернуть так же, как я это сделал

– У меня открытая форма туберкулеза! Заражу, сука! – прохрипел я

с бойцовой собакой. Но мужичок в спортивном костюме оказался не домашней собакой, которую тренируют на нищих. Он вырвался и напоследок так вмазал мне правой ногой в лицо, что я застонал и ткнулся лицом в коробку с деньгами.

Когда боль прошла, и я понял, что все мои зубы на месте, я стал опять изучать этот «низовой мир». И тут передо мной кто-то остановился. Это была девушка лет пятнадцати.

Она вдруг нагнулась и попыталась заглянуть мне в глаза – глаза нищего, прикрывающего свое поганое лицо шарфом.

– Узнала, что ли? – испугался я, памятуя, что в Уфе я довольно узнаваемая личность.

Но, спустя мгновение, я понял, что меня не узнали. Девушка нагнулась, не брезгуя, обняла меня, грязного*, и, стараясь заглянуть в мои глаза, спросила:

– Дедушка! Ну почему ты чужой среди нас?

---

* – я, ведь, валялся в пепле костра.

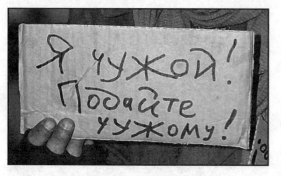

— Да так получилось, доченька! — ответил я из-под шарфа.

— Дедушка! Не будь чужим! Люди, ведь, добрые! Среди людей не должно быть чужих! — ласково произнесла девушка.

Я опешил и взглянул ей в глаза. Глаза этой еще девочки были такими чистыми-чистыми, ласковыми-ласковыми, светлыми-светлыми, что я, уже начинающий привыкать к «низовому миру», совсем растерялся. Я почувствовал, что краснею.

Мое лицо как-то мгновенно налилось краской… как было в детстве. Оно, мое лицо, стало полыхать огнем… полыхать как тогда, когда я, сопливый деревенский пацан с глубочайшим комплексом неполноценности от издаваемых мною звуков «Ы-ы-ы» вместо слов*, мог только мечтать… только мечтать о том добром человеке, который… несмотря на эти звуки «Ы-ы-ы», подойдет ко мне и увидит, что душа у меня не просто есть, а она полыхает, полыхает таким огнем… но, вот только сказать я об этом не могу. Не могу-у-у-у!!! Зато мечтать о таком человеке с добрыми-добрыми глазами мне никто не запретит. Нельзя запретить мечтать!

Я понял, что я, взрослый человек, профессор уже, сознательно пошел на эксперимент… на этот эксперимент, от которого веяло моим неполноценным детством. Я сознательно погрузился в неполноценность, ту неполноценность, когда ты можешь рассчитывать только на доброту людей… и больше ни на что.

Эти несколько часов, когда я сидел в подземном переходе в качестве нищего, показались мне вечностью. Это был другой мир… мир, похожий на мое неполноценное детство, где есть

---

* — у меня от укуса змеи в детстве «вырубилась» речь.

злые люди, желающие сорвать зло на тебе – неполноценном, есть добрые люди, подающие тебе не только копейки, а даже яблоко, и где есть... мечта о таком добром-добром человеке, который бы стал путеводной звездой для тебя – неполноценного, чтобы ты, неполноценный, расправил грудь, поднял голову и, смело взглянув на мир, сделал такое-такое, лучше и добрее которого, конечно же, не бывает на всем белом свете.

Я даже протер грязными пальцами свои грязные очки, чтобы лучше разглядеть прекрасные глаза девушки. А она стала рыться в своей сумочке, вынула 10 рублей, положила их мне в коробку, потом порылась еще и положила еще горсть копеек. Чувствовалось, что больше денег у нее не было.

– Покушай, дедушка! – сказала она. – Извини, что у меня мало денег. Но не будь чужим! Обещаешь?

– Обещаю, – совсем растерявшись, проговорил я.

– Наш мир хороший и добрый! В нашем мире нельзя быть чужим! – глаза девушки сверкнули.

Я добро-добро посмотрел на нее. И я подумал, что когда-нибудь на свете появится «человек-мечта», и что этот человек будет похож на эту простую девушку, бедненько одетую, но лучше которой, конечно же, нет... пока нет... на этом свете. А в будущем, в будущем... может быть... все люди будут такими же добрыми, как эта бедненько одетая девушка, которая не побрезговала обнять нищего.

А девушка ласково погладила меня по щеке и еще раз спросила:

– Обещаешь?

– Обещаю, – улыбнулся я.

Девушка ушла. Внутри меня все клокотало. Я понял, что у России есть будущее, где уже появились такие девушки... появились наяву. Мои мечты ушли далеко-далеко, и мне представилась будущая Россия – страна, где будет так много добрых людей, что эти добрые люди, рождая поколения еще более добрых людей «заразят» своей добротой весь остальной мир, погрязший в индивидуализме, аутизме и денежной шизофрении.

Я стал, подняв голову, метаться глазами по лицам проходящих людей, стараясь найти такого же доброго-доброго человека, но такого не было... пока. Люди, видя мою табличку «Я чужой! Подайте чужому!», чувствуется, недоумевали, да и не хотели вникать в то, кто есть чужой, а кто есть свой.

Вскоре по моей табличке кто-то пнул. Она отлетела метра на два. Я, распластавшись на асфальте, ловко схватил ее, чтобы не затоптали, и вернул на место. А еще через некоторое время в меня плюнули, – привычно так плюнули. Без харчка, правда, было. Но никто так и не подал «чужому», кроме той девушки.

А я ждал эту девушку. Безнадежно ждал. Она была для меня не чужой... как другие. И она появилась.

Я даже опешил, когда увидел знакомые ноги.

– Ну что? – услышал я веселый голосок. – Ты, дедушка, уже не чувствуешь себя чужим?

Я не нашел слов, чтобы ответить. Только промычал.

А она, эта девушка, опять стала рыться в сумочке, достала, чувствуется, последние копейки и положила их мне в коробку.

Я от растерянности опять промычал.

– Дорогого стоят эти копейки! – подумалось мне.

А потом эта девушка – чужой для меня человек – опять нагнулась, опять, не брезгуя, обняла меня и, прикоснувшись к моей щеке своей нежной девичьей щекой, сказала:

– Не будь чужим, ладно?!

– Ладно, – еле выговорил я.

Я погрузился в раздумья. Мне захотелось, чтобы олигархи – больные деньгами люди – тоже посидели, как и я, в подземном переходе, у мусорного ведра и ощутили, чего стоит жизнь, если на нее посмотреть снизу. Но я понимал, что они этого не сделают, не сделают только потому, что они больны, больны самой распространенной современной болезнью, которая называется денежной шизофренией. Но об этом мы, дорогой читатель, поговорим чуть позже.

Потом я захотел поменять табличку «Я чужой! Подайте чужому!» на табличку, где было написано «Подайте на бутылку!», но почувствовал, что это низкопробно. Нищета – это, ведь, безысходность, а не низкопробность.

Я хотел поставить табличку «Подайте на мою мечту – проститутку!», но осекся, подумав, что, а вдруг, кто-то и в самом деле подгонит мне бомжиху.

Я опять поставил табличку «Подайте на Любовь нищего!» Люди снова стали класть мне в коробку деньги. Я понял, что люди уважают Любовь… больше всего на свете… как Бог велел, вообще-то. Даже злые люди уважают и… побаиваются Любви, потому что Любовь есть антагонист всему плохому – гордыне, зависти, жадности, садизму, высокомерию, равнодушию и многому-многому другому поганому, такому поганому… сродни моему внешнему виду в качестве нищего. Я понял, что Любовь всесильна, всесильна потому, что она есть единственная сила, которая может противодействовать сразу всему Злу. Зауважал я после этого Любовь! Я понял, что даже не слова «Я тебя люблю!», а любовные ин-

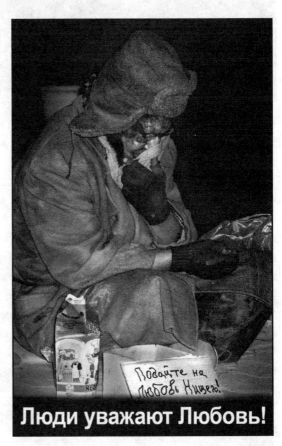

Люди уважают Любовь!

Все мы хотим, чтобы любили нас, но не хотим любить сами

тонации в голосе имеют такую силу, такую силу, что... сильнее силы не бывает на всем белом свете.

Я вспомнил, что один гималайский йог говорил мне, что Любовь имеет три градации: любовь матери к ребенку, любовь мужчины к женщине и любовь к людям вообще. И они, эти неказистые гималайские йоги, считают, что самой высшей формой Любви является любовь к людям вообще.

А вы попробуйте любить всех людей сразу! Попробуйте! Не получится, скорее всего! Все мы хотим, чтобы нас любили, но не хотим любить сами!

А вот эта девушка*, которая обняла меня – поганого нищего – и в самом деле, наверное, человек будущего, тот человек, для которого понятие «любить людей» является нормой.

Стало темнеть. Я понял, что в темноте меня могут и убить. Я встал, отхлебнул кефир, откусил от буханочки черного хлеба кусочек, сложил все свои нищенские пожитки в полиэтилено-

---

* – кстати, совсем недавно мне пришло письмо от некой Дианы Сиразетдиновой, которая видела передачу «Пусть говорят» Андрея Малахова, где я, доказывая кое-что Алле Пугачевой, рассказывал, как я был нищим. Диана написала про эту девушку такие слова – «Пусть это буду я». Могу еще добавить, что Диана – гениальная школьница, которая уже стала режиссером.

вый мешок, не забыв, конечно же, коробку с подаяниями и пошел по подземному переходу.

Я ковылял, конечно. А как же идти нищему?! Согнулся в три погибели, естественно. Жалким я был до безобразия. И тут, когда я чуть-чуть разогнался, мне подставили подножку. Да не просто подставили, а подсекли мою ногу так умело, что я распластался, ткнувшись носом в асфальт.

— А-а-а! — вырвалось у меня. — На нищих тренируешься, сука! Не первого нищего, наверное, завалил!

Меня охватило бешенство. Я захотел встать, догнать «подножного человека» и так вмазать ему в морду, чтобы его рожа, гада, треснула по швам. Но мои глаза разбежались по толпе людей, — подножку, ведь, ставят втихаря.

Я поднялся и даже почти побежал назад, пытаясь найти обидчика, но он растаял в опускающейся темноте.

— Только подлые люди ставят подножку, тем более, слабым… нищим, — прохрипел я.

Меня колотило от негодования. Даже дворник-таджик или мужичок в спортивном костюме, которые напрямую, смотря в глаза, противодействовали мне — нищему, не казались столь противными, как этот неведомый человек, который отработанным движением подставил мне подножку, чтобы увидеть, видимо, как я с размаха вмажусь носом в асфальт.

— Ы-ы-ы-ы! — вырвался из меня «звук неполноценности»

– Ы-ы-ы-ы! – вырвался у меня звук неполноценности, привычный для меня звук, напоминающий о тех временах детства, когда я, неспособный после укуса змеи даже произнести слово «мама», обреченно убегал в лес, чтобы развести костерок и, укрываясь от злых людей, старался хотя бы мычать по-человечески...

Я поднял кулак и затряс им.

– Ы-ы-ы-ы! – снова вырвалось у меня.

Нам, дуракам, надо обязательно
окунуться в дерьмо, чтобы что-то
понять в этой жизни

– Что за нищие у нас пошли?! Мычат еще! – послышался негодующий голос солидной женщины.

Но я не обратил на нее внимания. Она, ведь, хоть напрямую оскорбляла меня, а не втихаря. Она, по крайне мере, не была подколодной змеей, которых, к сожалению, так много развелось... среди людей.

Я потрогал нос. Он был, к счастью, целым. Но болел.

Мне почему-то не хотелось уходить из этого «низового мира». Он чем-то манил к себе... манил, возможно, тем, что мне хотелось еще больше прочувствовать «человеческие низы», чтобы… возможно… в сравнении понять счастье быть обычным нормальным человеком – счастье, которое мы, дураки, не ценим. Нам, дуракам, надо обязательно окунуться в дерьмо, чтобы что-то понять в этой жизни. Я бы даже ввел в школах предмет «дерьмологию», который бы учил тому, как не стать дерьмом, особенно дерьмом подколодным.

Выражение «подколодное дерьмо» особо взяло меня, потому что быть дерьмом – это полбеды, а быть подколодным дерьмом – это настоящая беда, беда особо осуждаемая Судом Совести Того Света, за которую дается особо сильное наказание. Люди думают, что если они «ужалят из-под колоды», то этого никто не заметит. Но Бог видит все!

Я нашел еще одно мусорное ведро и сел рядом с ним. Кефир вынул. Буханочку черного хлеба поставил на асфальт. Достал из кармана окурок сигареты и закурил. Никакую табличку не стал ставить. Тусклый фонарь освещал меня.

Ко мне подбежал ребенок и стал с любопытством разглядывать меня.

– Отойди сынок! Это плохой дядя! – послышался голос матери.

Вскоре ко мне подошла девушка лет двадцати с куском торта «Наполеон» в руке. Она остановилась. А ее парень, шедший рядом, стал тянуть ее за руку, приговаривая:

– Пойдем, а! Заразишься еще чем-нибудь!

А она, эта красивая пухленькая девушка, сочная такая, шевельнула широким бедром, вырвала руку и приблизилась ко мне.

– Он, ведь, кушать хочет! – послышался ее голос.

Девушка протянула мне кусок торта «Наполеон».

Я, было, стал тянуть свою руку, как послышался голос ее парня:

– Я бы сам сожрал, вообще-то!

Я опустил руку. Голова моя тоже опустилась.

– Чо, голодный что ли?! – голос пухленькой девушки приобрел стальные нотки.

– Ну… не голодный. Но, ведь, я тебе пирожное покупал! – в голосе парня прозвучала обида.

Кусок торта «Наполеон»

— Еще одно купишь, если мужик! — твердо ответила пухленькая девушка.

И девушка взяла меня тихонько за локоть и, пытаясь заглянуть в глаза, протянула мне кусок торта «Наполеон».

— Ты, наверное, голодный! Покушай, дедушка! — сказала она.

Я не протянул руку. Я поднял голову, показал глазами на ее парня и тихо проговорил:

— Я не могу.

— А он дурак! — резко ответила девушка. — Извини, что так получилось! Покушай, пожалуйста!

Я перевел взгляд на парня. Он переступал с ноги на ногу.

Потом я поднял голову и встретился глазами с пухленькой девушкой. В ее глазах не было жалости ко мне, в них светилось то прекрасное сострадание, в основе которого лежит великая Любовь к людям вообще.

— У тебя, дедушка, глаза сильного человека! — вдруг сказала пухленькая девушка. — Покушай, а!

Я протянул руку и взял кусок торта «Наполеон».

— Спасибо, доченька, не за торт, а за твою доброту! — промолвил я, совсем опустив голову.

— Нет, ты откуси при мне, откуси!

Я откусил кусочек торта.

— Вкусно?! — спросила пухленькая девушка.

— Вкусно, — ответил я.

Правда, проглотить я не мог долго… ком счастья стоял у меня в горле.

Девушка красиво вильнула широкими бедрами… вильнула даже перед нищим… как и полагается, наверное, настоящей женщине быть привлекательной всегда и везде, полагается хотя бы на том основании, что современных мужиков надо палками загонять на любовь... потому что любовь к пиву превалирует.

Девушка ушла. Обиженный парень поплелся за ней. А я ел кусок торта. С удовольствием ел. Хотя не торта хотелось.

— Удивительно! — подумал я. — Женщины хотят, чтобы за ними ухаживали мужчины, но... и мужчины хотят, чтобы за ними ухаживали... женщины. Каждый боится того, что его не хотят, и комплексует от этого. Мужчи-

Женщины хотят, чтобы за ними ухаживали, но и мужчины хотят, чтобы за ними ухаживали

ны, естественно, боятся того, что у них будет «сбой», а женщины боятся того, что «сбой» будет из-за того, что ее не хотят. Вот и получается «обоюдный сбой». И не надо, мне кажется, бояться «сбоев»... а то, ведь, современные девушки начинают даже на нищих поглядывать.

Вскоре, сидя у мусорного ведра в подземном переходе, я поймал себя на мысли, что женщины, проходящие мимо, стали, как говорится, «красиветь». А, вообще-то, «мужским зажором» можно назвать состояние современных мужчин в России, когда вокруг так много красавиц, что глаза разбегаются. Я вспомнил свою двухнедельную поездку в Китай. Вначале все китаянки мне показались такими страшными, что мужчины-китайцы стали представляться сущими «половыми гигантами». Зато в конце поездки я стал уже говорить про китаянок – «А что, ведь они ничо!»

Я поднялся, собрал вещи, доплелся до машины и сел в нее.

– Ух! – сказал я.

– Ну и как? – спросил мой водитель Владимир Иванович.

– Мощно! – ответил я.

Мы поехали в сторону нашего Центра. Володя Селиванов, конечно, пытался по дороге расспросить о тех приключениях, которые я пережил в качестве нищего. Но я молчал, – слишком сильный стресс, оказывается, вызвало во мне пребывание в «низовом мире». Я, вообще-то, битый по жизни, и мне не впервой сталкиваться с трудностями и риском, но здесь было что-то другое.

– Что же? – задался я вопросом.

Мои мысли закрутились, закрутились и привели меня к выводу, что когда ты сталкиваешься с трудностями или риском, ты рассчитываешь, прежде всего, на самого себя. А в состоянии нищего ты обезличен

Нищий не может надеяться на самого себя. Нищий надеется только на добрых людей, которых, оказывается, мало

как действующее начало и у тебя остается лишь одна надежда – надежда на доброту людей. Только надежда на добрых людей. Больше ничего. Но… но добрых людей, оказывается, не так-то много. Их, добрых людей-то, оказывается, мало. Но они есть, точно есть… молодые девушки, например.

Тот факт, что нищий может надеяться только на добрых людей, несколько обескуражил меня. А что, если они не встретятся? Тогда что, конец, что ли? Это, ведь, ужасно, если на свете вдруг не станет добрых людей, и нам придется надеяться только на самих себя.

Надеяться в жизни только на самого себя, конечно же, хорошо. Но, а если вдруг… вдруг с Вами что-то приключится?! Сознайтесь, Вы, ведь, боитесь этого «вдруг»! Это «вдруг» висит над нами как дамоклов меч, взывая к тому, что если случится это «вдруг», то должна найтись ниточка спасения. А эта ниточка спасения лишь одна – добрые люди… и больше ничего. Так почему же мы кичимся своей самостоятельностью и не думаем, что это

Мир без добрых людей - умирающий мир

может быть всего лишь «пока»?! Так почему же мы, как идиоты, копим деньги, думая, что деньги спасут в тот момент, когда случится это самое «вдруг»?! Так почему же мы не можем сами стать хоть чуть-чуть добрее и, не брезгуя, протянуть руку взывающему к Доброте?! Так почему же мы не можем понять, что мир без добрых людей – это умирающий мир, а злой человек – это умирающий человек?! Добрый человек, ведь, не просто деньгами помогает слабому и нищему, он ведь душой помогает, той самой душой, из которой исходит Божественная Энергия Доброты, лучше и надежнее которой, конечно же, не встретить на всем белом свете.

Мы уже почти подъехали к нашему Центру.

– Притормози, Володя, метров за двести до ворот! – попросил я водителя. – Я пройдусь пешочком. Интересно будет! Извини, что я всю дорогу молчал.

Я вышел из машины и поковылял к Центру. Я дошел до ворот, прошел через них и, удивившись (как директор!), что у ворот нет охранника, вошел на территорию Центра. И тут, откуда-то сбоку, появился охранник и закричал:

– Ты куда, собака, идешь, а?! А ну-ка вон отсюда!!!

Я остановился. Охранник взял меня за рукав и стал разворачивать.

– Пшел отсюда! – прокричал он.

Я улыбнулся и сказал:

– Я – Мулдашев.

– Да какой ты Мулдашев?! Знаешь, сколько таких Мулдашевых здесь шляется! Пшел отсюда! Пшел, я тебе говорю!

Я продолжал улыбаться.

– Ты чо лыбишься?! Я тебя сейчас дубинкой огрею! – закричал охранник.

– Директоров не бьют, – гордо ответил я.

– Еще как бьют! – воскликнул охранник. – Коля, неси дубинки! Не кулаком же бить!

Подбежал рыжий Коля с двумя дубинками.

Я с охраной

– Этого, что ли, бить? – спросил он.

Я, вспомнив, как меня били дубинками тогда, когда меня арестовали во время расстрела «Белого Дома», твердо сказал:

– Мужики! Вы что, охренели, что ли? Я, ведь, и есть Мулдашев. Я открыл закрытое шарфом лицо.

– Эрнст Рифгатович! Да Вы что?! Как-то… не по форме оде-тым пришли. Мы с Махмудом обознались... извините! – совсем очумев, проговорил рыжий Коля.

А потом мы хохотали все втроем.

Охранники пошли уважительно провожать меня, профессио-нально поглядывая по сторонам, чтобы на меня… нищего… никто не напал… даже с небес.

Но тут навстречу мне вышел мой друг Венер Гафаров (знав-ший, что я буду нищим) и сказал:

– Знаешь, Эрнст?! Сейчас придет Ралиф Сафин*. А что, если ты его встретишь в таком виде?! Интересно будет, а! Никто, ведь,

---

* – отец знаменитой Алсу.

Мы с Венером Гафаровым ждем приезда Ралифа Сафина

его в таком виде не встречал! Может спонсорскую помощь для экспедиций окажет?!

Спонсорская помощь для экспедиций была нужна. Я прошел вместе с Венером Гафаровым к воротам Центра, сел у проходной и стал ждать, но Сафин все не появлялся. Охранники, прячась за будкой, охраняли меня. Вскоре Венер Гафаров дозвонился до Ралифа Сафина. Выяснилось, что на Алтае произошло землетрясение и Ралиф Сафин – сенатор от Республики Алтай – срочно вылетел туда, в связи с чем не смог приехать на встречу со мной... нищим.

Только я стал вставать, как ко мне подбежала девочка лет пяти... которую я недавно оперировал... и с интересом дотронулась до меня.

– Маша! – раздался голос матери. – Так к нищим не подходят. Надо деньги или еду давать. Иди сюда!

Девочка (которая, кстати, после операции прозрела!) подбежала к матери, и та дала ей какие-то бумажные деньги.

– Иди, отнеси! – сказала она.

Д е в о ч к а подбежала ко мне и, не понимая, что деньги кладут в коробку нищего, стала совать мне их под очки.

Я понимал, что для этой прозревшей девочки глаза были глав-

Я передаю все мои нищенские пожитки Татьяне Драпеко

ным. Да и мать была хорошая – добрая и пухленькая такая.

Мы с Венером прошли по сверкающему модерном Центру и вошли в мой кабинет.

А потом я передал все нажитое «состояние» нищего моему секретарю Татьяне Драпеко.

– Вы, Эрнст Рифгатович, собрали восемьдесят два рубля и яблоко, – сказал она.

– Добавь еще кусок торта «Наполеон», – достойно вставил я.

Я разделся, принял душ и стал рассказывать друзьям о том, как я был нищим. Но рассказ не очень-то клеился. Что-то тяготило меня. Потом я, обращаясь к моему первому заместителю – Венере Узбековне Галимовой, сказал ей следующее:

Я и профессор Венера Узбековна Галимова

— Знаешь, Венера, какое самое тяжелое поколение в России? Это поколение людей, чьи юность и молодость пришлись на времена «перестройки Горбачева» и на «черные девяностые Ельцина». В те времена мы, россияне, уставшие от «прелестей коммунизма», старались воспринять идеалы Запада и стать такими же, как они, западные люди. Кое-что у нас получилось: мы стали индивидуалистами и ощутили вкус денег, но старая поговорка «человек человеку волк» больно терзала душу. А вслед за этим в души людей вошло еще и понятие «одинокий волк». Никто из этого поколения не подал мне, нищему! Никто! Только плевались, пинали, делали подсечки... Злые они! А знаешь, почему?

— Почему?

— Да потому, что люди этого поколения, ослепленные блеском Запада, отошли от российских идеалов, в основе которых лежит Сила Мечты наших прапрапрадедов, освоивших Сибирь. Другие мы, Венера! Мы больше душой живем. Такими нас Земля-матушка породила. А знаешь, какое поколение самое лучшее?

– Какое?

– Это поколение тех людей, юность и молодость которых пришлись на путинские времена – времена возрождения России. Они еще подростки. И, в основном, почему-то... девочки. Именно, девочки и девушки. Они добрые! Они милые! В душе у них живет Любовь! Они не брезговали мной! Они старались смотреть мне в глаза – мне, нищему! Они отдавали последние копейки! Я думаю, что эти девочки спасут Россию и сделают ее страной, не похожей ни на одну страну в мире. И не зря некоторые наши девочки вешают у себя дома портрет Путина... во имя России это.

И опять женские глаза неказистого мужичка

Вспоминая все это и сидя за кружкой пива в международном венском аэропорту, я опять обратил внимание на неказистого мужичка. Ничего нового я не увидел, – он продолжал бычиться на арабов. Арабы тоже бычились на него.

Я уже заметил в глазах неказистого мужичка женский компонент, и мне захотелось разглядеть его пристальнее. Однако неказистый мужичок не смотрел в мою сторону. Он все продолжал бычиться на арабов.

Тогда я встал, взял свою кружку пива и подошел к арабам. Арабы подняли на меня глаза.

Арабы тоже бычились на неказистого мужичка

– Извините, – сказал я им по-английски, – я лечу в Ливию. Вы не из Ливии?

– Нет. Нет. Нет, – почти хором ответили все трое арабов.

– А Вы не знаете, можно ли пить алкогольные напитки в Ливии?

– Нет. Нет. Нет, – опять почти хором ответили арабы.

– Так я и думал, – задумчиво произнес я. – Хочу напиться пива впрок. А вы не хотите здесь, в Австрии, попить пива? Здесь, ведь, разрешено.

– Нет. Нет, Нет, – послышалось в ответ.

– Неужели не хочется иногда нарушить закон?

– Нет. Нет. Нет.

– А все-таки, наверное, хочется? – засомневался я.

– Нет. Нет. Нет, – твердо сказали арабы.

– Сомневаюсь я в этом, – проговорил я и слегка скосил глаза в сторону кружки неказистого мужичка.

Молодой араб, поигравший кружкой пива неказистого мужичка и слегка расплескавший его, когда тот ходил в туалет, напрягся. Он понял, что я мог видеть его шалость. Старый араб осуждающе посмотрел на молодого.

– Все люди хотят пива! – философски произнес я.

– Нет. Нет. Нет, – опять послышалось в ответ.

И тут раздался долгожданный голос неказистого мужичка. Раздался на чистом английском языке:

– Они хотят! Хотят! Хотят!

Я повернул голову в сторону неказистого мужичка. На меня смотрели его женские глаза, которые как бы просили защиты, защиты от несправедливости этого

Молодой араб напрягся

мира, в котором... всякая сволочь может отпить твое пиво, пока ты ходишь в туалет.

Арабы совсем сконфузились. Старый араб стал испепелять взглядом молодого. А неказистый мужичок выкрикнул:

– Они отпили мое пиво, пока я ходил в ванную!*

– Нет. Нет. Нет! – раздалось со стороны арабов.

Но эта перебранка не интересовала меня. Меня интересовали глаза неказистого мужичка, а именно женский компонент в его близко посаженных глазах, вставленных в мордоворотно-бычье тело.

Я с видом третейского судьи посмотрел ему в глаза.

– Это баба! – проговорил я по-русски. – Мужская баба! Неужели даже в таком самце сидит бабская душа?!

Я еще раз пристально посмотрел в глаза неказистого мужичка. Он поймал мой взгляд. Ему показалось, что я на его стороне и тоже осуждаю арабов, которые, возможно, отхлебнули его пиво, пока он ходил в «ванную». Я увидел, что глаза его увлажнились. Ему была нужна защита... мужская защита.

Я возвратился с кружкой пива за свой столик и снова бросил взгляд на неказистого мужичка. Он сидел грустным. Его, ведь, никто не захотел защитить.

Феминизация общества

А мои мысли закрутились, закрутились и привели меня к выводу о том, что сейчас происходит феминизация общества.

Еще Паниковский в «Золотом теленке» говорил – «Какая фемина!» Простой народ не понимает этого слова, но «канающие под умного» знают, что фемина есть женщина. Поэтому выражение «феминизация общества» можно перевести как «оженствление общества» или, если говорить грубо, «обабливание» его... общества-то. Но феминизация общества есть не превращение мужчин в женщин (с промежуточным «голубым периодом»), а есть превалирование женской психологии в че-

---

* – в английском языке туалет часто называют ванной.

ловеческом обществе или, если говорить грубым языком, это когда баба выше мужика.

Сейчас мы живем во времена патриархата, то есть когда мужчина занимает лидирующее положение в обществе, порой считая женщину всего лишь детородной машиной. Но из школьного курса истории мы знаем, что были и времена матриархата, когда женщина занимала лидирующее положение в обществе, считая мужчину всего лишь несчастным носителем семени, которое надо добыть для деторождения грубым принуждением, а не хитрым вилянием зада, как сейчас. Про коварных амазонок мы, конечно же, слышали. И, ой, эти амазонки появляются, вроде бы, снова.

Почему идет процесс оженствления? Ведь огромное количество женщин, находящихся в поисках «принца», жаждут видеть рядом с собой мощного мужика с явно мужскими глазами, издающего ночью призывный храп и имеющего на ногах характерные именно для мужчин грибки! Почему все больше и больше появляется мужчин

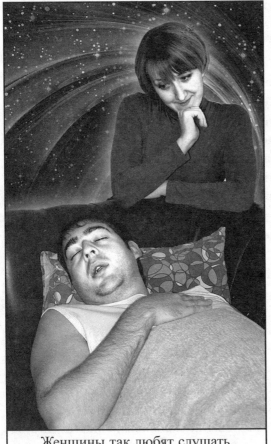

Женщины так любят слушать призывный храп по ночам

с явно женскими глазами, требующими защиты и ласки? Почему прогрессирует «голубизна» – патологическая любовь, идущая поперек стремлениям женщин, и так обделенных мужским вниманием? Почему в нашем обществе «водятся» холостяки, празднующие свой одинокий пир в противовес желающим мужской любви женщинам? Почему стремление к настоящей любви имеет в большинстве своем женский оттенок? Почему некоторые женщины «срываются» на б…ство и проститу- цию, чтобы создать для себя хотя бы обобщен- ный образ настоящего мужика? Почему жен- щины не хотят иметь «мужа-подругу» не только с позиций сла- бослащавого секса, но и с позиций желания смотреть в настоящие мужские глаза, пропи- тываясь идущей из них настоящей мужской энергией, которую в Китае называют энер- гией «Янь» и которая, как положено, должна составлять ровно поло- вину всего энергети- ческого человеческого бытия? Почему мужи- ков с настоящими муж- скими глазами уже на- зывают «сексуальным меньшинством»? По-

Человечество уже перешло на новый виток - виток увеличения в душе духовного компонента

чему увеличивается количество женских глаз на бычьих мужских телах? Почему этот неказистый мужичок, отрыгивающий воздух после глотка пива, делает это с бравадой, а не с мужским достоинством? Почему? Почему?

Я опустил голову, нечаянно ткнулся очками в край фужера с пивом, чуть не разлив его, и тут понял… понял, что человечество уже перешло на новый виток – виток увеличения в душе духовного компонента. А понятие «духовный компонент» означает превалирование душевных качеств, среди которых особо выделяется щемящее чувство, называемой Любовью. Идет процесс накопления Любви в душах людей. Идет неотвратимо, как велел Бог. «Мордобойные мужики» уходят в прошлое, уходят потому, что при наличии Любви в душе морду бить трудно… можно спокойствием и ласковым взглядом все решить. Поэтому на смену им, «мордобойным мужикам», уже приходят другие мужики – странные-странные такие мужики, у которых в глазах светятся ласка и мечта… но которые вынуждены пока иметь браваду, поганую браваду, когда отрыгнуть хочется на все это общество.

При наличии Любви в душе морду бить трудно

Это «новые мужики», мужики нового поколения. Нет, их ласковые глаза не означают переход к тотальной «голубизне», они означают, что мужчина будет вскоре «брать женщину» не защитой ее от придуманного врага, а Силой Мечты, той самой Силой, которая в еще недалеком прошлом устремляла ростовского тепличного мужика в холодную Сибирь и звала за собой женщину-казачку, чтобы там, на просторах земного безбрежия, соединить две энергии – «Инь» и «Янь» – и начать увеличивать сибирское население под флагом Мечты.

А сейчас... сейчас переходный период... с бравадой... под флагом мордобойных голливудских фильмов.

Наверное, женская энергия «Инь» сильнее мужской энергии «Янь», потому что «Инь» – это детородная энергия. Женщины, господа, идут все же впереди, впереди планеты всей. И если они недовольны нами, мужиками, и если они уже ищут несуществующего «принца», то нам надо стать всего-навсего мечтательнее... как дети... которых рожают и любят женщины.

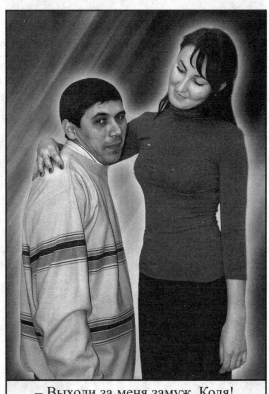

— Выходи за меня замуж, Коля!

Мне очень обидно, что население России уменьшается. Но я думаю, что российские женщины все же одумаются и начнут рожать без сетований на то, что все мужчины – козлы и голубые; ведь всегда можно найти одного сексоспособного мужика, от которого можно наплодить столько российского населения, столько... что можно обогнать даже Китай. Что-то меняется в этой жизни, господа! Времена матриархата наступают, что ли?! Не знаю. Но, похоже, что так. И, похоже, что вскоре какая-нибудь Маша будет говорить Коле – «Выходи за меня замуж, дорогой!», уютно и тепло договорив после этого, что если ты, Коля, будучи мощным мужиком, заделаешь еще десятка два детей, передав свои мощные гены им, то я буду этим только гордиться, превозмогая ревность к твоим шальным сексуальным талантам. И мне, почему-то кажется, что та нация, которая быстрее перейдет к матриархату, и станет первой в мире. Мужик слабеет, господа! Мода на голубых, навеянная Америкой, пошла … мода на тех мужиков, которые хотят стать женщинами… наверное… во имя будущих матриархальных времен, что ли?! Да и мода на уже надоевших худых и длинных красавиц проходит; мужикам хочется обнять пухленькую и курносую женщину, от которой «течет сексуальный ток», поднимая все, что есть на этом свете.

Времена матриархата наступают, что ли?

Мой заместитель, ученый-психолог Амир Рашитович Шарипов, беспредельно умный человек, говорит, что моду на худых и длинных «красавиц» придумали голубые, чтобы красота ассоциировалась с ними, пока еще мужеподобными голубыми. Но, ведь, они рожать не могут, голубые-то!

Китай размножается. Индия размножается. Таиланд размножается. Филиппины, несмотря на их знаменитую бордельную сущность, размножаются. Желтая раса размножается вовсю. А русская женщина ждет любви Вани. А немецкая женщина ждет любви Ганса. А французская женщина ждет любви Пьера. А английская женщина ждет любви Джона. А итальянская женщина ждет любви Доменико. А американская женщина ждет… А что ждать-то?! Любви-то?! Рожать надо! Ведь вслед за родами придет новая любовь – Любовь к ребенку, которая тоже является настоящей Любовью… с легким оттенком грусти по любимому мужику… которого нет.

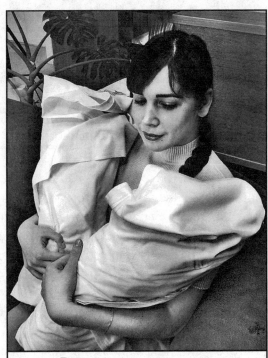

Вот и грустят «белые» страны, грустят напропалую. Желание Любви их тревожит. А население все убывает и убывает, заменяясь на этих территориях на то небелое население, которое не грустит о Любви, а просто делает свое любовное дело. В любви не должно

Вслед за родами придет
новая Любовь – Любовь к ребенку

Как дети они – индийцы!

быть грусти! Любовь очень и очень многообразна и любая форма любви хороша, кроме…

Один мой знакомый сказал мне, что размножение и подъем Китая – это всего лишь всплеск и что будущее за миллиардной Индией, где живут бедные и неказистые, но очень добрые, искренние и духовно богатые люди, для которых понятия «продолжение рода» и «любовь» одинаковы… ведь продуктом любви является ребенок. И кто знает, а может быть именно Индия станет лидирующей страной мира уже в новом человеческом обществе… в условиях Великого Подъема Духовного в Мире?! Ведь они, индийцы, очень и очень добрые, хотя и… очень и очень неказистые… пока. Как дети они, индийцы-то!

Если посмотреть на Европу и Америку, то понятие «человек-машина» становится очевидным. Естественно, машиноподобные женщины мало привлекают мужчин… вот и тянет мужиков на голубизну-то. Надо, вообще-то, таким женщинам губы хотя бы подкрасить и попой вильнуть красиво в короткой юбке, а не бычиться на мужиков, перебирая ногами в стоптанных кроссовках. Баба на каблучках цокать должна, чтобы желание у мужиков вызывать!

Появление «человеко-машин», к чему привела пресловутая демократия западных стран с их пресловутыми тупыми правами человека, является, на мой взгляд, признаком старения благополучно живущей белой

Человек-машина

расы. Качнись налево – нельзя! Качнись направо – нельзя! Законами превращения человека в машину можно назвать права человека... дьявольскими законами. А где страсть, азарт, стремление, порыв?! А где душевное?! А ведь... противно жить как «машина»... как положено.

И нам россиянам, мне кажется, надо «смыть в унитаз» все западные идеи по превращению русского человека в «машину». И, слава Богу, наши российские женщины еще не стали «маши-

250 000 РУБЛЕЙ

БЮРОКРАТ

Матери отказываются от добрых денег

нами» и не рожают по указке.

Вот плохо только, что выделенные путинским указом двести пятьдесят тысяч рублей за второго ребенка так забюрократили, что их получить почти невозможно. Бюрократы определили, на что их можно тратить и когда тратить. А для этого надо собрать десятки справок. Попробуйте это сделать с двумя детьми на руках! Вот и отказываются матери из-за этих справок от этих добрых денег.

Аутизм

Я увидел, что неказистый мужичок ушел в себя и как-то пригорюнился. Задумался он. О жизни, наверное. А о чем еще думать? Люди ведь только о жизни и думают. Да и жизнь так многообразна, что о чем ни подумай, все самым важным кажется. Даже самая мелочь.

Арабы, видя, что неказистый мужичок ушел в себя, тоже как-то пригорюнились и задумались о чем-то своем, арабском.

Мне тоже захоте-
лось пригорюниться,
но я удержался от
группового пригорю-
нивания. А что го-
рюниться-то? Что ухо-
дить-то в себя?
Жизнь ведь так инте-
ресна и прекрасна!
Даже здесь, в скучном
международном вен-
ском аэропорту! Вон
неказистый мужичок,
который громко рыга-
ет, сидит. Вон арабы
за ним наблюдают. Вон машиноподобная немка-официантка ходит. Интересно ведь за
ними наблюдать! Подумать, о
чем же они думают. А что ухо-
дить-то в себя и копаться в
своем внутреннем мире, который другим людям, честно говоря, до фени! Лучше уж в «человеческом общаке» жить!

И тут я вспомнил слово
«аутизм». Это слово, как я
думаю, происходит от анг-
лийского слова «out», что означает «вне». А в самом деле
под этим словом понимает-
ся состояние человека, когда
он пребывает как бы вне
мира сего, прячась от него.

Арабы тоже пригорюнились

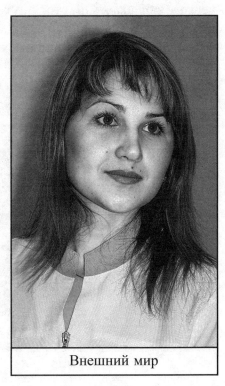
Внешний мир

А где же он прячется? Прячется он, конечно же, в своем внутреннем мире.

Есть только два мира у обычного человека – внешний и внутренний. Внешний мир – это мир, где, кроме тебя, живут всякие там Коли и Маши, и где кипят страсти общечеловеческого характера, такие как: поругались соседи, сошлись муж с женой, надули в магазине, в тебя влюбился какой-то непонятный тип, муж вступил в партию, пропали твои сбережения, президент обещал... и тому подобное. Короче, «общак» это, в котором мы живем и из которого нет выхода... поскольку жизнь, она всегда общаковая. Да и слово «Родина» является атрибутом общественного сознания, того сознания, когда ты идешь на смерть во имя твоего любимого общества.

Внутренний мир совсем другой. Он находится вне «человеческого общака». Он, этот внутренний мир, принадлежит тебе и только тебе. Больше никому. В нем, этом внутреннем мире, копошатся только твои личные мысли, исходящие из общения с этим «общаковым миром», но прошедшие через призму твоих самооправданий, самобичеваний и самоутверждений. А также в этом внутреннем мире копошатся твои личные мысли, пришедшие откуда-то из глубины веков или даже из тех жизней, во время которых ты был... был... был таким... Все эти мысли сплетаются в твой личный клубок, который так интересно распутывать, так интересно, аж дух захватывает... как во время игры в зале игровых

Внутренний мир

автоматов. Этот клубок столь завлекателен, что так не хочется возвращаться во внешний мир, где приходится работать, чтобы добывать средства существования, где живет мать, учащая жить во внешнем мире, где есть знакомые, которые рассказывают случаи из жизни во внешнем мире, где... столько неинтересного, столько, что хочется опять углубиться в этот завлекательный внутренний клубок, в котором ты можешь найти даже то, что ты... ты был когда-то Великим и даже Величайшим... вот только в этой жизни тебя не понимают и загоняют в рамки обыденности этого внешнего мира, где ты отнюдь не велик. А великим быть хочется! Разве сравнишь ощущения величия, пусть даже виртуального, с серой обыденностью внешнего мира, где ты (в этой жизни!) работаешь всего лишь медсестрой и делаешь ненавистные уколы в эти надоевшие попы и где к тебе подходит до боли знакомый врач и тянет тебя на кушетку в перевязочной, чтобы в этом внешнем мире найти свое мимолетное счастье. А так хочется быть королевой, той королевой, о величии которой шепчут прошлые жизни! Это тебе не кушетка в перевязочной!

Если мы, обычные люди, живем в приятном или неприятном внешнем мире, лишь изредка углубляясь в свои мысли, то аутисты живут преимущественно во внутреннем мире, лишь вынужденно выходя во внешний мир, в котором приходится двигать руками и ногами, чтобы передвигать свое тело, в которое... черт побери... Бог послал твой вечный Дух.

Аутисты живут преимущественно во внутреннем мире

Аутисты страдают от жизни во внешнем мире. Там им всегда неуютно. Их тянет во внутренний мир, где столько прекрасных грез, таких прекрасных и величественных, что прекраснее грез не бывает на всем белом свете. Живя во внутреннем мире, всегда можно представить прекрасного принца, который придет к тебе и будет добиваться тебя долгое время во имя ощущения всей твоей прелести... не то что какой-то врач, тянущий тебя на кушетку. Живя во внутреннем мире, можно представить себя королевой. Живя во внутреннем мире, можно представить себя властелином мира... и даже Богом. Кем хочешь, тем и будешь... О, как прекрасен внутренний мир!

Но внутренний мир – это мир грез, это виртуальный мир, это нереальный мир. Это мир мечты.

Мечтать, как говорится, не вредно. Однако мечта бывает двух видов: реальная мечта и мечта нереальная.

Счастлив тот человек, кто мечтает, но мечтает реально, следуя по пути своей мечты и работая, не жалея себя, во имя ее достижения. Так и наши прапрапрадеды, мечтая об освоении Сибири, счастливо вздохнули только тогда, когда построили свои дома аж на Чукотке.

Но несчастен тот человек, который побоялся вынести свои мечты во внешний мир, побоялся противодействий и бесконечной работы во имя свершения мечты, а оставил Мечту всего-навсего прозябать во внутреннем мире... в котором она, вообще-то, и зарождается. Вот и вертится Энергия Мечты внутри че-

Внутренний мир - это мир Мечты

ловека, вертится, упрашивая дать ей выход. А он, человек этот, смакует свою мечту, боясь отпустить ее наружу, и негодует, подсознательно понимая, что Мечта не может принадлежать только ему одному.

Мечта коварна, господа! Мечту надо обязательно реализовывать. В противном случае она сделает Вас аутистом, тем несчастным аутистом, который живет в мире грез под флагом Мечты. Рабо-

Мечта коварна, господа!

тать надо во имя Мечты! Только Лень загоняет Мечту внутрь, та поганая Лень, которой могут пропитаться целые государства на пути к своей гибели. Внутренний мир поглотит их...

Самой тяжелой мечтой, оставленной в самом себе, то есть во внутреннем мире, является мечта о том, что ты, дурак, король. Королем хочется быть всем. Но это глупо. Гордыней это называется. А гордыня есть самый страшный грех. Цивилизации гибли из-за этого греха. Разве медсестра – королева в мечтах – пойдет на кушетку с врачом в жеваном халате?! Да еще и в перевязочной.

Но как приятно смаковать внутри себя, что ты король! Аж дух от такого «счастья» захватывает! И... как противно возвращаться в реалии жизни, где ты, оказывается, отнюдь не королева и... что какой-то замызганный врач по-сволочному тянет тебя на кушетку в перевязочной.

Кушетка

Этот «король» сидит в аутистах. Их жизнь – это поклонение «королю». Но этот «король» есть чудовище, дьявольское чудовище, не отпускающее от себя этого бедного человека… с нереализованной мечтой. Когда мечта не реализуется, Дьявол вступает в свои права! В прекрасном фильме «Клетка» с Дженифер Лопес в главной роли показано все это.

Аутизм имеет несколько градаций. Самая легкая степень аутизма – это индивидуализм, когда человек думает, прежде всего, о самом себе и когда принцип «человек человеку волк» ласкает душу.

Более тяжелая степень аутизма – это шизоидное состояние, когда грезы становятся составной частью жизни и когда хочется как можно чаще пребывать в них.

Еще более тяжелой степенью аутизма является шизофрения, когда чокнутый почти полностью уходит во внутренний мир грез, считая себя то ли Лениным, то ли Сталиным, то ли… вообще Богом, не отличая реальный мир от мира грез.

И наиболее тяжелой формой аутизма является кататония, когда желание быть «королем» настолько сильно, что приводит к тому, что тело этого самозабвенного дурака принимает воскообразное состояние (гни куда хочешь!), чтобы быть бездеятельным и не мешать созерцанию грез о том, что ты... дурак... «король».

Если три последние формы аутизма считаются болезнями, то индивидуализм считается чуть ли не достоинством человека. Но об этом мы поговорим чуть-чуть позже.

А сейчас я расскажу Вам, дорогой читатель, о том эксперименте, который я провел с тремя аутистками. Короче говоря, выявил я среди своих знакомых трех аутисток и решил прихлестнуть за ними... с экспериментальной целью, конечно. Одновременно я это делал. Тяжеловато это, конечно, одновременно эксперимент проводить, но чего не сделаешь ради науки. Они, аутистки-то, вначале, конечно, почувствовали, что я прихлестываю не от всей души, но постепенно «вошли в эксперимент».

И вот что выявилось в эксперименте. Прежде всего, с ними, аутистками, как говорится, помрешь со скуки. Они способны тебя слушать, кивать и даже удивленно поднимать брови, но сами о себе ничего не рассказывают, отвечая на вопрос: «Как дела?» одним словом – «Хорошо». Ну, а поскольку в состоянии прихлестывания ты (прихлестывающий) не можешь молчать, то получается, что ты как будто бы лекцию читаешь. А это быстро надоедает. Вот и хочется уйти к какой-нибудь болтушке, которая с упоением будет рассказывать тебе о том, что накипело у нее на душе. Ценить болтушек начинаешь и даже хочешь везде и всюду говорить: «Болтайте, пожалуйста!» Одностороннего разговора ведь не бывает.

Аутистки способны поговорить только о чем-то несущественном, тут же закрываясь, когда ты настырно начинаешь лезть им в душу. Клещами не вытянешь из них душевного откровения. А если ты, прихлестывающий, все-таки своими вопросами нагло лезешь и лезешь в душу аутистки, то в самый ответственный момент, когда уже пора сказать что-то искреннее, аутистка обязательно поднимет палец и выдавит из себя с загадочным видом звук «М-м-м!», что, видимо, означает глубинную тайну, в которую нельзя посвящать никого, тем более какого-то там прихлестывающего.

Слушая этот самый звук «М-м-м!», я тем не менее не останавливался, а продолжал домогаться, пытаясь выявить сущность этого «М-м-м!». Даже от души орал иногда на аутисток. Поил их еще то водкой, то вином. В эти моменты я видел, что глаза аутисток стекленели, рот сам по себе ухмылялся, а порой даже слезы выступали в «стеклянных» глазах. Я видел, что им хотелось раскрыть мне главную тайну своей души. Но они боялись остаться непонятыми. А я все давил, давил психологически, поил, поил их, аутисток-то...

Из трех «экспериментальных аутисток» мне удалось «додавить» двух. Третья осталась со своей тайной внутри. Плохо пила она, курила только одну сигарету за другой.

И знаете, что сказали две «додавленные» аутистки? Обе сказали одно и то же:

— Никто не может быть моим королем! Мой король там!

Обе аутистки при этом показали рукой в район солнечного сплетения.

Я, честно говоря, очумел от удивления. Глаза мои, видимо, округлились. Я вспомнил фильм «Клетка», где показывали этого самого «короля» – чудовище, которое является хозяином человека-аутиста.

Я не знаю, видели ли эти две аутистки фильм «Клетка», скорее всего нет, но удивительно было то, что они обе одинаково назвали того, кто сидит внутри них и кому они подчиняются, королем.

— Ничего себе! – только, помню, и проговорил я.

Вот, кстати, как шел конец диалога с одной из «додавленных» аутисток.

— Ну что ты говоришь «М-м-м» да «М-м-м»?! И что за тайна у тебя в душе, которую ты выражаешь звуком «М-м-м»? Скорее всего, эта тайна и выеденного яйца не стоит! Да и никому твоя тайна не нужна... – в запале почти орала я.

– Вам она нужна, – аутистка гордо посмотрела на меня.

Я на некоторое время смутился, но вскоре пришел в себя и сказал:

– Ты хоть понимаешь, почему от тебя ушел муж и почему твой ребенок не любит тебя? Из-за твоей тайны, выражаемой звуком «М-м-м»! Из-за нее, дорогая! Никому не хочется жить рядом с человеком, который любит свою сокровенную тайну больше, чем

Мой король там!

своего ребенка и мужа! Открытыми должны быть люди, открытыми! С открытыми людьми легко и просто! Скучно жить с человеком, который может говорить только ни о чем, а когда речь заходит о чем-то душевном, то сразу мычит «М-м-м». Жить с таким закрытым человеком, как ты – это то же самое, что жить с чужим человеком! Да и ревность возникает к твоей тайне, которая тебе значительно роднее и ближе, чем муж или ребенок. Открывайся, я тебе говорю, открывайся! Чем быстрее ты откроешься душой и не будешь бояться людей, тем быстрее станешь счастливой! Уйди от своей тайны! Уйди! Наплюй на нее! Мир ведь так хорош!

От этих слов лицо аутистки покраснело, вена на виске запульсировала.

— Тебя твой ребенок, когда подрастет, будет ненавидеть! — почти вскричал я. — Я это знаю!

— Моя тайна, — губы аутистки скривились, — это... м-м-м... Это то, что Вам понять не дано.

— Дано, — обрезал я и включил всю свою психическую энергию, чтобы сломить аутистку.

Я почувствовал, что от выброса психической энергии у меня даже закружилась голова.

— Вы, люди, такие мелкие, — на лбу у аутистки выступила испарина, — вы ничто в сравнении с ним...

— С кем «с ним»?!!! — опять вскричал я, тратя последние порции психической энергии.

— С ним! — аутистка благоговейно подняла глаза вверх.

Мне почему-то стало страшно. Я интуитивно почувствовал, что этот самый «Он», овладевший душой аутистки, является чем-то черным и дьяволоподобным.

— Кто это «Он»?! — я сильно сжал запястье руки аутистки.

— Мне больно! — вскрикнула аутистка.

— Кто это «Он»?!!! — я еще сильнее сжал запястье аутистки.

Аутистка вырвала свою руку и с ненавистью посмотрела на меня.

— Кто «Он»?! — я продолжал сверлить ее взглядом.

И тут на глазах аутистки выступили слезы. Я понял, что я додавил ее, и она сейчас скажет главное.

— «Он» там, — аутистка приложила руку в район своего солнечного сплетения.

— В душе, что ли?! — спросил я.

— Да, — тихо ответила она.

— Кто «Он»?!!! — прорычал я. — *Скажи и тебе будет легче!*

— Он… Он… мой король. Он там, — аутистка опять показала рукой в район солнечного сплетения.

— А в реальной жизни у тебя есть «король»?! — опять с нажимом спросил я.

Аутистка навзрыд заплакала.

— Никто не может быть моим королем. Никто! Никто! Никто! Ни Вы! Ни кто-либо другой! Только Он! Только Он! Только Он!

После этих слов аутистка вскочила и, с ненавистью взглянув на меня, убежала.

Во время эксперимента с аутистками я сделал еще два наблюдения.

Первое из них — это то, что внутри аутисток сидит такое… такое, что называется «запретным плодом» и что иногда прорывается… через запрет «короля»… и выражается в каком-то сексостремительном бешенстве, ужаснее которого трудно встретить на всем белом свете. Мужик-то, ведь он ласки и томности хочет. Бешеные глаза пугают его, пугают на том основании, что бешенство от Дьявола исходит, а сексуальная Любовь от Бога исходит, зарождая не только тело, но и Душу.

Второе наблюдение — это то, что аутистки все-таки вампирят. Им, аутисткам-то, хочется, видимо, сразу хапнуть чужой человеческой энергии и… отправить ее, естественно, в чрево своего «короля», но они чаще всего терпят, соблюдая «энергетическое человеческое приличие». По себе знаю это, поскольку, будучи достаточно энергичным человеком, я считаюсь «вкусным» для вампирящих людей. Молодые аутистки вампирят слабо, но по мере погружения в свой внутренний мир и по мере усиления поклонения своему «королю», они начинают вампирить все сильнее и сильнее, что в конце концов становится непереносимым для других людей. Не зря дети матерей-аутисток начинают отходить от родной матери и в конце концов начинают ненавидеть мать... подспудно ненавидеть, отбрыкиваясь от нее такими сухими словами, как: «Да, мама» или «Нет, мама». Аутистки-матери стараются уладить это путем семейных забот о ребенке, но ребенок, как божье порождение, каждую ласку такой матери встречает в штыки, поскольку... не хочет быть «энергетической едой для матери». Мужья уходят от таких жен-аутисток, не понимая того, почему им, мужьям-то, так приятно отдавать алименты, а не жить в семье. Они еще, мужья эти, жалеют своего ребенка... сами не понимая того, почему они это делают.

"Король" - это гордыня прошлой жизни

А все дело в этом «короле»... в этом проклятом «короле», который сидит в душе у аутистки! Кто же он, этот «король»? Я, конечно, не могу ничего доказать, но мне кажется, что «король» — это гордыня прошлой жизни, перенесенная в новую жизнь. В специальной системе Космоса, называемой Хрониками Акаши, где происходит Суд Совести, решается, что делать с Душой умершего человека, который при жизни имел гордыню. И… иногда Великий Бог решает не уничтожать гордыню, а отправить ее в новую Душу нового человека, чтобы он, дурак, с малолетства чувствовал поганый привкус гордыни в Душе. Не зря аутистов счастливчиками не назовешь. Их все время что-то гложет изнутри. Им, аутистам, хочется, конечно, развернуть эту гордыню, как было в прошлой жизни, но сделать им это страшно… из-за уже состоявшегося Суда Совести. Вот и приходится жить с этим поганым «королем» в Душе, получая божье наказание за прошлую жизнь.

Но в аутизме есть еще один смысл – с помощью него регулируется население Земли. Аутисты не любят детей, не любят мужей или жен, не любят друзей и подруг. Аутисты любят себя… вернее своего «короля»… или себя – Великого в прошлой жизни. Им, аутистам, до фени будущее страны, где они живут. Их, аутистов, только свой внутренний мирок завлекает. Страна, где много аутистов, начинает постепенно вымирать. Тихонько так вымирать.

Именно поэтому, мне кажется, Бог концентрирует аутистов

С помощью аутизма регулируется население Земли

в тех странах, которые, образно говоря, зажрались. Возьмите Соединенные Штаты Америки, – там скучно жить, первая стадия аутизма, называемая индивидуализмом, процветает на полную катушку, а слово «friend» (друг) произносится также пусто, как слово, например, «ложка»… которой чего-то хапнуть хочется! Возьмите Европу – она все больше канает под Америку, забыв про своих великих прапрадедов, создавших великую европейскую культуру! Аутисты делают свое дело, уменьшая белое население Земли. Делают медленно, но верно. Бог тоже хитер – он использует гордыню в борьбе с гордыней.

А Россия на перепутье…

Раковая опухоль общества

Думая над всем этим, я сидел в международном венском аэропорту за кружкой пива, сидел в самом центре капиталистического мира – Европе.

Неказистый мужичок и арабы сидели так же, пригорюнившись. А я стал наблюдать за немкой-официанткой, которая ходила между столиками.

– Ни разу ведь не улыбнулась, а! Машиноподобная какая-то, – заметил я про себя и даже занегодовал по поводу этого.

Я очень уважаю немцев. Какие они работяги! Какой чистоплотный народ! Какое у немцев воспитание детей, воспитание в труде! Какие немцы организованные, способные подчиниться общенациональному призыву и пойти даже на смерть во имя национальной идеи! И пусть немцы проиграли две мировые войны, которые они же развязали, но у всех наций немцы вызывают уважение, потому что немцы не только великие работяги, но и великие романтики-мечтатели, способные (работая, работая и работая) стремиться к своей мечте! И пусть мечта о мировом господстве оказалась не просто неосуществимой, но и трагичной для всего мира, но… это было стремление (трагичное стремление!), которое шло вразрез с прозябанием в уютной Европе в ожидании смерти от набирающего силу индивидуализма.

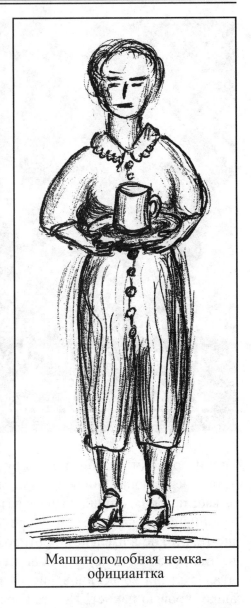

Машиноподобная немка-официантка

Противодействием индивидуализму можно назвать разжигание войн! Правители чувствуют, что страна начинает угасать, и что их призывы тонут в душах людей, углубившихся в свое

Противодействием индивидуализму можно назвать разжигание войн

личное. Правители, конечно же, не понимают всей философской сути этого процесса, но подсознание шепчет им, что это опасно, так как страну, углубившуюся в личное, обязательно поглотит страна, где превалирует общественное сознание со стремлением к великой Мечте. Ведь излишнее углубление в личное размазывает страну на множество маленьких индивидуумов, каждый из которых способен заботиться только о себе, но не способен думать о всей стране. Вот и приходится объединять людей целой страны… через кровь, через войну. Индивидуализм столь силен, что, как показывает история, его приходится разрушать таким путем.

Личное всегда выступает против Общего. Странно, вообще-то, это, но в извечном противоборстве Общего и Личного всегда виден след крови. Люди не могут понять, что индивидуализм (или возвеличивание Личного) страшен! Индивидуализм кровью пахнет! Но эта кровь не личная, а общая. Твоя личная кровь будет всего лишь каплей… несчастной каплей, которую должен будешь пролить ты – несчастный индивидуалист.

Зачастую люди не могут понять того, что они не имеют права быть индивидуалистами, потому что главная составная часть человека – Дух – всегда является групповым, то есть входит в состав какого-то большего Духа, например, родового Духа… который, в свою очередь, входит в состав Духа нации… который, в свою очередь, входит в состав Духа страны… который, в свою очередь, входит в состав Духа Земли… который, в свою очередь, входит

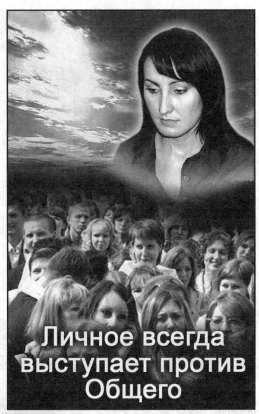

Личное всегда выступает против Общего

Индивидуализм кровью пахнет

в состав Духа Бога нашего Того Света и так далее. Так устроен Космос: все индивидуальное является составной частью чего-то общего. Мы не можем быть оторванными от Общего. Оторваться от Общего означает нарушить Великие Законы Космоса, те законы, которые сохраняют Великую Гармонию жизни, ког-

да Общее страхует индивидуальное.

Люди не понимают того, что они являются всего лишь клеточками Общего. Люди, дураки, думают, что они и есть Общее. Люди почему-то забывают, что в них живут миллиарды клеточек, каждая из которых считает себя человеком… как и мы считаем…

Люди боятся рака, но не хотят верить в то, что рак есть «индивидуализм клетки», когда она, клетка, до такой степени углубилась в личное, что не воспринимает призывы всего организма, а находит «свой путь» жизни, который, к сожалению, не всегда совпадает с жизнью всего организма. Вот и получается раковая опухоль, или индивидуальный путь развития клеток.

Организм, конечно, борется с клетками-индивидуалистами, или раковыми клетками, уничтожая их, но, если количество клеток-индивидуалистов превышает дозволенное число, то они – «индивидуальная братия» – могут погубить весь организм, погубив вместе с ним и самих себя. Рак гибнет вместе с организмом… убивая его.

Так же и в обществе. Если в какой-то стране ко-

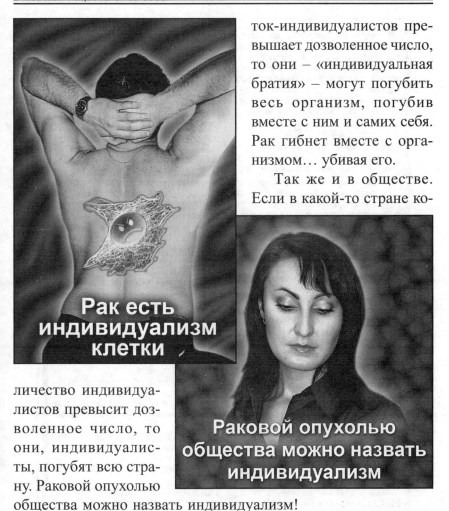

Рак есть индивидуализм клетки

Раковой опухолью общества можно назвать индивидуализм

личество индивидуалистов превысит дозволенное число, то они, индивидуалисты, погубят всю страну. Раковой опухолью общества можно назвать индивидуализм!

Феномен коммунизма

Коммунистические идеи появились не зря. Они появились опять-таки как противодействие индивидуализму. В коммунистических идеях Общее было так возвеличено, что почти не осталось места Личному. Дошли ведь даже до общественных жен. Это, например, было провозглашено в Декрете 1918 года об отмене частной собственности на женщин.

У~~сексизма. к примеру, нижеприведенный~~ документ (архивное дело №15554-П в Орловском УФСБ) показывает, что наши деды совершенно искренне считали женщину частью домашнего хозяйства типа коровы или лошади, которую можно и нужно использовать на благо общества и не спрашивая ее согласия.

ДЕКРЕТ
Саратовского Губернского Совета Народных Комиссаров об отмене частного владения женщинами

Законный бракъ, имевшій место до послѣдняго времени, несомнѣнно являлся продуктомъ того соціальнаго неравенства, которое должно быть съ корнемъ вырвано въ Совѣтской Республикѣ. До сихъ поръ законные браки служили серьезнымъ оружіемъ въ рукахъ буржуазіи въ борьбе ея съ пролетаріатомъ, благодаря только имъ все лучшія экземпляры прекраснаго пола были собственностью буржуевъ имперіалистовъ и такою собственностью не могло не быть нарушено правильное продолженіе человеческаго рода. Поэтому Саратовскій Губернскій Совѣтъ Народныхъ Комиссаровъ съ одобренія Исполнительнаго комитета Губернскаго Совѣта Рабочихъ, Солдатскихъ и Крестьянскихъ Депутатовъ постановиль:

§1. Съ 1 января 1918 года отмѣняется право постояннаго владѣнія женщинами, достигшими 17 л. и до 30 л.

Примечание: Возрастъ женщинъ опредѣляется метрическими выписями, паспортомъ, а въ случае отсутствія этихъ документовъ квартальными комитетами или старостами и по наружному виду и свидетельскими показаніями.

§2. Дѣйствіе настоящаго декрета не распространяется на замужнихъ женщинъ, имѣющихъ пятерыхъ или болѣе дѣтей.

§3. За бывшими владѣльцами (мужьями) сохраняется право въ неочередное пользованіе своей женой.

Примечание: Въ случае противодѣйствія бывшаго мужа въ проведеніи сего декрета въ жизнь, онъ лишается права предоставляемаго ему настоящей статьей.

подъ настоящи декретъ, изъемаются изъ частнаго постояннаго владѣнія и объявляются достояніемъ всего трудоваго народа.

§5. Распредѣленіе завѣдыванія отчужденныхъ женщинъ предоставляется Сов. Раб. Солд. и Крест. Депутатовъ Губернскому, Уѣзднымъ и Сельскимъ по принадлежности.

§7. Граждане мущины имѣютъ право пользоваться женщиной не чаще четырехъ разъ за недѣлю и не более 3-хъ часовъ при соблюденіи условій указанныхъ ниже.

§8. Каждый членъ трудового народа обязанъ отчислять отъ своего заработка 2% въ фондъ народнаго поколѣнія.

§9. Каждый мущина, желающій воспользоваться экземпляромъ народнаго достоянія, долженъ представить отъ рабочезаводского комитета или профессіональнаго союза удостовѣреніе о принадлежности своей къ трудовому классу.

§10. Не принадлежаще къ трудовому классу мущины пріобрѣтаютъ право воспользоваться отчужденными женщинами при условіи ежемѣсячнаго взноса указаннаго въ §8 въ фондъ народнаго поколѣнія 1000 руб.

§11. Все женщины, объявленныя настоящимъ декретомъ народнымъ достояніемъ, получаютъ изъ фонда народнаго поколѣнія вспомоществованіе въ размерѣ 280 руб. въ мѣсяцъ.

§12. Женщины забеременѣвшіе освобождаются отъ своихъ обязанностей прямыхъ и государственныхъ въ теченіе 4-хъ мѣсяцевъ (3 мѣсяца до и одинъ послѣ родовъ).

§13. Рождаемые младенцы по истеченіи мѣсяца отдаются въ пріютъ "Народные Ясли", гдѣ воспитываются и получаютъ образованіе до 17-лѣтняго возраста.

§14. При рожденіи двойни родительницы дается награда въ 200 руб.

§15. Виновные въ распространеніи венерическихъ болѣзней будутъ привлекаться къ законной отвѣтственности по суду революціоннаго времени.

(Документъ публикуется съ разрешенія редакціи правозащитной газеты "Именемъ Закона", г. Тюмень.)

Декрет 1918 года об отмене частного владения женщинами

Но не получилось. Личное сопротивлялось Общему. Более того, Личное пробивалось через всепоглощающее Общее порой в таких уродливых формах, как культ личности Ленина или Сталина. И, несмотря на то, что к восьмидесятым годам двадцатого века идеи коммунизма охватили чуть ли не полмира, тем не менее исторически, в связи с развалом Советского Союза, коммунизм проиграл капитализму. Личное победило Общее.

И вот сейчас, когда весь мир стал только капиталистическим, а превалирующее значение роли Личного было даже узаконено документом под названием «Права человека», мы стали периодически тосковать по коммунистическому (социалистическому) прошлому. Даже современная молодежь с удовольствием слушает радио «Ретро», по которому звучат прекрасные песни прошлого, такие как:

А у нас во дворе
Есть девчонка одна
Среди шумных подруг
Неприметна она
Никому из ребят
Неприметна она
Я гляжу ей вслед
Ничего в ней нет
А я все гляжу
Глаз не отвожу
Ча-ча-ча

Иосиф Кобзон

Люди, осознав роль «прав человека» (что можно перевести как «права индивидуалиста»), стали поговаривать о том, что в те времена, когда в мире существовало противостояние капитализма и коммунизма, было, вообще-то, лучше. Веселее было как-то. Был стимул к прогрессу. Мир развивался, ругаясь и проводя антикоммунистическую или антикапиталистическую пропаганду. Хорошо, что не разодрались, создав ядерное оружие.

Но коммунизм победило не ядерное оружие, а победили пустые магазинные полки и необходимость унижаться перед любым

Периодом оголтелого Общего можно назвать коммунистические годы

завмагом, чтобы «по блату» достать кофточку. Периодом оголтелого Общего можно назвать прошедшие коммунистические годы. Униженное Личное свернуло голову оголтелому Общему.

И все же нам, живущим в период «борьбы за демократию», так не хватает дружбы, туристских костров, романтики трудовых будней и многого того, что являлось стержнем коммунистического строя! Нам скучно жить внутри себя! Нам не хватает общего! Нам не хочется превращаться в «машину», умеющую ходить на двух ногах!

Я, отпив пивка, вновь посмотрел на машиноподобную немку-официантку. Мне стало жалко ее. Она показалась мне одинокой. Я представил, как она, придя домой, примет душ, переоденется в домашний халат, достанет из холодильника две немецкие сардельки, автоматически пожарит их, одновременно сделав гарнир из кислой тушеной капусты, положит это все на тарелку и автоматически съест с двумя кусками черного немецкого хлеба, после чего попьет кофе с булочкой. Включит телевизор, а через несколько минут разочарованно выключит его. Она походит по своему чистому и пустому дому туда-сюда, после чего приляжет на постель и... углубится в свой внутренний мир, в котором, честно говоря, ничего интересного и нет; только лица надоевших клиентов, дующих пиво, мелькают. А некоторые еще и рыгают.

Ей, этой немецкой дуре, невдомек, что, кроме того, чтобы поднести вкусное пиво, надо еще и улыбнуться надоевшему клиенту и заглянуть ему в глаза, и внутренним голосом спросить: «Ну как ты там?», на что ты обязательно получишь ответ (внутренним голосом, конечно), что вроде как ничего, но вот только, когда пьешь пиво, так хочется, чтобы оно, пивко-то, было приправлено энергией Любви... обязательно приправлено... обязательно... Пиво с улыбкой стоит намного дороже раствора перебродившего сусла с пеной!

Я представил, что если бы она, эта немка-официантка, улыбалась почаще, то вечером, когда она привычно углубится в себя, перед ее глазами мелькали бы не лица надоевших клиентов, а их улыбки, которые скрасили бы ее одинокую обитель с чистой постелью. А там, того и гляди, в международном венском аэропорту нашелся бы такой клиент, который бы пошел за улыбкой немки-официантки, снес бы все

Сусло

«шенгенские барьеры» и улегся бы рядом с любимой немкой на чистой постели, согревая ее своей любовью.

Я понял, что Личное не может жить без Общего, и наоборот. В мире существует единство и борьба Общего и Личного.

В мире существует Закон единства и борьбы Общего и Личного

Я задумался, вспомнив коммунистические годы Советского Союза. А потом я понял, что след этого всеобщего «общака» многого стоит… дорогого стоит, поскольку скрашивает «жизнь в мире прав человека» – скучную жизнь в преддверии смерти от индивидуализма. Поэтому в России жить весело. Это отголоски «коммунистического общака» – нашего прошлого, веселого, вообще-то, прошлого. Даже по русским официанткам это видно.

Представьте, дорогой читатель, что это произошло бы в Европе, а не в России. А дело было так.

Не так далеко от города Уфа есть чебуречная под названием «Чебуречная». Туда мы после рыбалки грязными, как сволочи, заваливаемся. В галошах, одетых на шерстяные носки. С красными рожами, конечно. Грязь из-под ногтей прет наружу. Набухшие от холода веки глаза закрывают. Одежда, прожженная у костра, дымом воняет. Рот, открывающийся только на мат, шамкает. По два чебурека мы в этой чебуречной по традиции съедаем. Хлюпаем, засасывая сок чебурека. Чавкаем, конечно. Водку, если кончилась, в чебуречной покупаем, а если осталась с рыбалки – с собой заносим. Из одноразовых стаканчиков пьем. Громко хохочем по любому поводу. Ржем даже. Галоши, согревшись, снимаем и шерстяными носками по полу елозим, культуру вокруг навевая. О грибках на ногах говорим. Приходим к выводу, что настоящий мужчина – это тот, у кого грибки на ногах есть. Заразиться ре-

Чебуреки

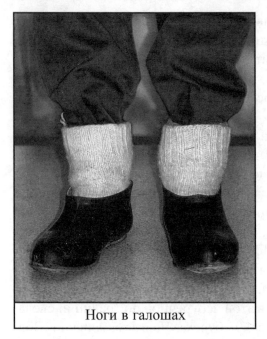

Ноги в галошах

комендуем тем, у кого еще грибков нет. Об удовольствии почесать рассуждаем.

А официантками в этой чебуречной работают по очереди четыре крупные русские тетки. Немолодые, конечно. Но сочные. Когда сильно выпьешь, правда, молодыми кажутся. По две они работают в смену. Одна чебуреки делает, раскатывая тесто, а вторая за кассой сидит и водку продает. Все одеты как елочные игрушки: передник с узором, чепчик с узором, даже юбка вроде как с узором.

Каждый раз, когда мы после рыбалки заходим в эту чебуречную... в галошах, конечно..., то какая-то из этих теток-официанток обязательно спрашивает:

— Как рыбалка-то, мужики?

— Да так, — чаще всего отвечаем мы.

— Водку свою вынете, аль нашу купите? Новая дешевая водка появилась. «Петровский сенат» называется. Не поддельная, говорят.

— Своя еще осталась. Допьем. А уж если не хватит...

А потом эти русские официантки-тетки подходят к нам, грязным, и начинают пилить, как сварливые жены:

— И кому эта ваша рыба нужна?! Да я бы за такие деньги, которые вы прожигаете на дорогу, водку и еду, столько бы рыбы купила на базаре... ой... И кто в ресторан в галошах ходит, а?!

Наша чебуречная ведь рестораном считается… придорожным, правда.

Нам, честно говоря, такие сварливые речи приятны. По-доброму пилят они нас – грязных, эти тетки-официантки. Добрых жен напоминают. Они, эти тетки-то, не отличают нас от своих… личных… мужей, которых… возможно… и нет. Мы для них просто мужики, которых им, бабам, любить положено. А как выразишь свою любовь? Конечно же, через пилку и сварливые причитания о том, что нельзя заходить в чебуречную в поганых галошах и разговаривать о грибках на ногах. Но им, теткам-официанткам, такие мужики нравятся. Мужик ведь грязным должен быть! Помыть его можно, мужика-то, проявив всю свою женскую сноровку.

Однажды, в очередной раз зайдя в эту чебуречную после рыбалки, я спросил тетку-официантку:

Мужики

А кому нравятся пеньки-то?!

— А какие Вам больше мужики нравятся — умные или тупые?

— А кому нравятся пеньки-то? — ответила она.

Выражение «пеньки» мне понравилось, и я спросил ее:

— А мы похожи на пеньков?

— Вы? — подняла на меня глаза тетка-официантка. — Вы канаете под пеньков! Пенек бы такой вопрос не задал.

— А почему Вы нас, пеньков, с любовью обслуживаете?

— Наши вы, — обрезала тетка-официантка.

Я отвернулся и представил, что вот такие вот «пеньки» первыми в мире покорили космос, создали «ядерный кулак», но не смогли всего-то навсего накормить народ, что, вообще-то, сделать не так-то трудно, — дай лишь волю человеку, кто любит землю… которая кормит. И не покоряй ее, землю-то! Ты ведь, пенек, являешься сыном Матушки-Земли!

Вспоминая все это, я опять посмотрел на машиноподобную немку-официантку. Я понял, что мне, вообще-то, хотелось бы быть «пеньком» в той стране, куда послал Бог.

А еще я понял, что те люди, что придумали «Права человека», были отнюдь не пеньками. Возможно, их обуял страх перед «коммунистическим общаком», а возможно Дьявол овладел их душами. Но дело было сделано — «Права человека» привели к кризису капитализма.

Кризис капитализма

Дело в том, что деньги, накопление которых является главной целью при капитализме, обесцениваются. Инфляцией это называется. А это означает, что уменьшается роль денег. Все страны стараются остановить инфляцию, но, честно говоря, ничего путного не получается. Нефть дорожает с каждым днем. Игроки на биржах играют...

В чем же причина обесценивания денег? А причина, мне кажется, в том, что патологическое качество – Жадность – защищено

Жадность считается правом человека

«правами человека». Жадность не осуждаема, Жадность считается правом человека. Копи сколько хочешь! Очумей от денег! Это твое право. Вот и получается, что многие люди, пользуясь рыночными механизмами, зарабатывают миллиарды долларов, которые кладут в «чулок» или в банк «мертвым грузом», а не пускают их в оборот. Они, дураки, копят их «на черный день».

Сейчас в мире скопилось столько «денег черного дня», что они составляют, возможно, половину мирового оборота денег. Жадность, защищенная «правами на жадность», глушит роль денег как механизма стимулирования труда. В народе уже нача-

Миллиардер – раб «черного дня»

ли говорить, что быть миллиардером – это позорно. Да и все знают, что чем богаче человек, тем он жаднее. За счет жадности он скопил эту дьявольскую гарантию для «великого черного дня». Миллиардер ни копейки не отдаст народу. Миллиардер – раб «черного дня»… позорный раб. И не надо, мне кажется, во время знакомства с миллиардером лелеять надежду на то, что он поможет тебе деньгами для развития, например, нового научного направления или, например, для создания нового самолета, – миллиардер думает только о «черном дне». Пожалеть его надо, миллиардера-то, и поставить ему бутылку дешевой водки, чтобы он, дурак, отвлекся от мыслей о «черном дне».

Миллиардер, дурак, думает, что его Личное должно быть вечным… вечным без Общего. Он, дурак, не любит народ (то есть Общее), из каждого кармана которого он за счет финансовых манипуляций набрал свои миллиарды. Он их не заработал, он их нахапал… из карманов. «Права человека» защитили его, права индивидуалиста, который, к сожалению, думает, что может существовать Вечное Личное. Но это не так.

Как хочется миллиардеру возвеличить роль индивидуума! Как хочется доказать народу, что он, миллиардер, избранник Бога, а не несчастный раб «черного дня»! Но это не получается. Народ осуждает богатеев. Не любит их, народ-то!

Но народ, хочет он этого или нет, все равно является при капитализме заложником того общества, которое возвело в ранг закона «права индивидуалиста». Каждый человек при капитализме мечтает стать миллиардером, чтобы... копить на «черный день». Это конечно стимул, но стимул с негодованием в душе. Подсознание давит и в грусть вгоняет. Неинтересно жить при капитализме! Так хочется, чтобы в твою жизнь ворвался «ветер общака» и разогнал «индивидуальную грусть», от ко-

Миллиардер думает, что существует Вечное Личное

торой, как опять-таки подсказывает подсознание, веет медленным увяданием. Но символ «коммунистического общака» пугает, пугает своей оголтелостью. Вот и приходится находить «счастье» внутри себя, где, вообще-то, так скучно, так скучно... что зеленее скуки не встретить во всем капиталистическом мире. Нужно дуновение Общего! Нужна национальная идея, та идея, которая бы вдохнула в души ушедших в себя людей свежесть единения нации под флагом того... не знаю чего! Все страны ищут свою национальную идею, не только мы. Это больной вопрос любой капиталистической страны. И все страны, к сожалению, за на-

Все страны ищут свою национальную идею

циональную идею принимают достижение того, чтобы все стали богатыми... и даже, может быть, миллиардерами. Однако...

«Общака» не хватает в капиталистическом мире. Смертельный аутизм прогрессирует. Но страх перед «коммунистическим общаком» сидит внутри. Нужна золотая середина.

Золотая середина

Целый ряд стран, особенно такие, как Канада, Германия и Норвегия, взяли на вооружение то хорошее, что было в Советском Союзе. А именно, они взяли на вооружение социальную защищенность человека в виде бесплатной (или полубесплатной) медицины, в виде достойной пенсии, в виде бесплатного (или полубесплатного) образования, в виде бесплатного (или льготного) жилья и тому подобного, что дает человеку возможность чувствовать себя человеком даже при самых неблагоприятных обстоятельствах. Тем не менее в этих странах все равно прогрессирует индивидуализм, а скучное понятие «обеспеченное одиночество» проходит красной линией. Здесь не хватает «дуновения общака», даже в великой Германии не хватает. Здесь все равно не найдена искомая золотая середина между Личным и Общим. Здесь все равно превалирует Личное.

В своей жизни я побывал в 51 стране мира. Как хирург я ездил. Причем во многих странах был по многу раз. И скажу я Вам, дорогой читатель, что эта самая золотая середина, мне кажется, найдена в Японии.

Я там был, в Японии-то, всего три раза, но объездил эту страну вдоль и поперек. Много разговаривал с японскими стариками. Изучал я эту интересную страну. Любопытной она мне показалась.

И вот что я узнал. Сразу после проигранной Второй мировой войны при полном народном пассиве, да еще и в период американской оккупации, собрались японские аксакалы и стали думать: как жить? Они сказали:

– У нас очень мало земли. У нас нет сырьевых ресурсов. У нас есть только руки – рабочие руки людей.

И решили они, японские аксакалы, привести в действие японские рабочие руки. Японские аксакалы стали показывать людям один американский фильм, в котором какой-то человек, решив застрелиться, взял пистолет, приставил его к виску и нажал

Япония в сравнении с Россией

на курок. Но пистолет дал осечку, на что этот человек сказал, бросив пистолет: «Понятно! Японского производства!»

Оказывается, капитализм, процветавший в довоенной Японии, не смог привести в действие японские руки. Не хотел японский рабочий, стимулируемый лишь деньгами, работать так, чтобы его продукция была лучшей в мире. Японскому рабочему требовалось что-то другое.

И вот японские аксакалы придумали это «другое». А именно они создали принцип «фирма – дом родной». Суть этого принципа состояла в том, что рабочий должен был относиться к своей работе с таким же усердием, как он это делал бы для себя в своем родном доме.

Как этого достигнуть? Во-первых, японские аксакалы порешили, что частная собственность на жилье должна быть ограничена, а основой для жизни должна стать ведомственная квар-

Фирма - дом родной

тира – та кварти-
ра, которую по-
строила фирма и
которую фирма
сдает рабочему
до тех пор, пока
он, рабочий, ра-
ботает в этой
фирме. Вылетел
с работы – про-
щай квартира!
При этом фирма,
строящая для
себя жилье, не
будет надувать
сама себя с помо-

Япония
Фирма -дом родной

Ведомственная квартира

щью всяких там поганых риэлторов, понимая, что тот рабочий
будет хорошо работать, который хорошо живет. А рабочий, в
свою очередь, будет стараться, чувствуя заботу фирмы о себе.
Он, рабочий-то, будет в глубине души осознавать, что капита-
листический рынок жесток и что в конкуренции можно выиг-
рать только за счет очень и очень хорошей работы. И вот тогда
фирма, добрая фирма, улучшит его жилищные условия, памятуя о том, что и он, токарь Хошимото, внес свой вклад в то, что,
например, японский трактор «Камацу» стал лучшим в мире.

Во-вторых, японские аксакалы возвеличили трудоголизм и
возвели его в ранг человеческого достоинства. Пропаганда тру-
доголизма была столь сильна в послевоенные годы, что люди
порой восклицали:

– Позор лентяям!

Доходило даже до того, что какой-то безработный одевался и
выходил из дома в то время, когда люди уходят на работу, и прихо-
дил домой тогда, когда люди приходят с работы, – и все ради того,
чтобы соседи не сказали, что его, например, Муракоси, выставила

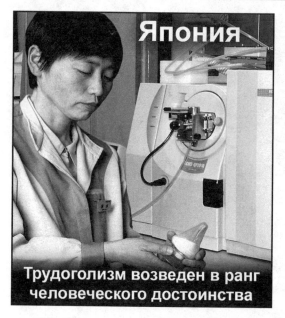

Япония

Трудоголизм возведен в ранг человеческого достоинства

с работы фирма – «второй дом» рабочего человека. А это означало, что его, Муракоси, не приняли в рабочую семью. Коллектив не принял. Рабочий коллектив. Представляете, что творилось в душе бедного Муракоси?! Представляете, как он хотел начать работать по новой, так работать, что даже лучший токарь Хошимото ему бы позавидовал!

У японцев очень короткие отпуска, и даже их использовать полностью считается неприличным. Старшее поколение японцев недовольно современной молодежью, считая их недостаточно трудолюбивыми и вспоминая, что в послевоенные годы они не могли себе позволить отдыхать более двух-трех дней в году.

В-третьих, японские аксакалы заставили людей отмечать рабочий день как праздник. Чтобы как на праздник шли на работу японцы! И, как я видел, вся Япония, будь то начальник, будь то банкир, будь то тракторист, будь то токарь, будь то мусорщик, поутру надевает белые рубашки, галстуки, костюмы и едет в метро на работу… как на праздник едет, чтобы там, на работе, переодеться в спецовки и так поработать, так поработать, чтобы от рабочей усталости на душе приятно было и чтобы после рабочего дня со своим родным рабочим коллективом пойти в ближайший ресторанчик и отметить там рабочий день, поднимая чашечки теплого саке или кружки пива «Асахи».

И так, дорогой читатель, происходит каждый день. Каждый день отмечают в Японии рабочий день. Шум стоит в ресторанах, аж жуть! Хохочут японцы очень громко. Ржут даже. Японский суп из чашек со звуком «хр-р-р-р» хлебают, не используя ложек. Курят одну за другой сигареты «Севен-ап». Смеются в основном над кривыми зубами друг друга и над маленьким ростом. Неужели, говорят, ты, Акира, смог сделать такое, чего не смогли сделать маститые и солидные американцы… ведь у тебя, Аки-

Японцы ходят на работу как на праздник

ра, зубы кривые и ростом ты с вершок. А Акира хохочет, показывая свои кривые зубы, от души хохочет, приговаривая, как ребенок: «Смог ведь, а! Смог, ведь, а!» Детский сад какой-то творится в Японии после рабочего дня.

Но одной из особенностей «празднования рабочего дня» в

Японцы отмечают рабочий день

Япония
народный контроль

Начальник
должен отмечать
рабочий день
вместе с рабочими

Японии является присутствие в рабочей среде начальников разного уровня. Любой начальник должен окунаться в рабочую среду и выслушивать то, что скажут рабочие, подвыпив. Даже если рабочий чушь несет. Зато начальник народ услышит и почувствует, что такое народный контроль. Воровать ему не захочется, поскольку рабочий все засечет. Демократией это называется. И права человека работают так, как надо. Начальник ведь тоже ведомственную квартиру имеет и... если что...

Правда, есть начальники, которые смогли купить свою собственную квартиру, но это не меняет дела. Народ все равно решит все по-честному. Рвачи и жадные в этом «пострабочем общаке» растворяются. Люди из аутизма вырываются. Жены радуются, что муж домой веселенький после работы пришел и даже потрепал маленького японченка по щеке.

Кстати говоря, честность японцев является национальной чертой. Здесь тебя никто не надует.

В-четвертых, японские аксакалы внедрили в жизнь принцип, что расти по служебной лестнице можно только с возрастом. Достиг определенного возраста — можешь стать начальником, не достиг — подожди, даже если твой начальник глупее тебя. Молодостъ сама по себе приятна, что намекать-то, что твой начальник – отживший элемент! Сам ведь такого возраста достигнешь! А если ты молодой гений, то проявляй свою гениальную прыть, говоря, что ты это с начальником вместе изобрел. Это правильно, поскольку гении очень часто заболевают «звездной

болезнью», после чего, «наломав дров», долго плюхаются в грязи и выбираются из нее даже позже, чем положено по возрасту.

Все это отражается на отношении к людям пожилого возраста. На пенсию японцы уходят, собственно говоря, тогда, когда они уже не могут работать. Людям не хочется уходить от веселого «рабочего японского общака». Но если они вынуждены уйти на пенсию, то среди японских пенсионеров так много «пенсионных общаков», что жить и на пенсии весело. По миру, например, путешествовать на достойную

пенсию… чтобы понять, что в Японии жить лучше. Поэтому-то и живут японцы дольше всех в мире, потому что в личном меньше копошатся и сами себя не точат изнутри, находя радость хотя бы в том, чтобы добро посмеяться друг над другом.

И, возможно, именно японские улыбки, озарившие радость труда и сделали эту стесненную морем островную страну самой великой в мире… великой потому, что это страна будущего.

Ю.И. Васильев: – С любовью сделана техника! С любовью!

Я всегда делаю операции под японским микроскопом – самым лучшим и самым дорогим операционным микроскопом в мире. С 1985 года он мне служит. И не ломается. Только наш русский «левша» Юрий Иванович Васильев, который был со мной в Японии и заслужил уважение японцев своим талантом, получив прозвище «Васильев-сан», иногда чуть-чуть копается в нем, приговаривая: «С любовью сделана техника! С любовью!»

А однажды в наш центр приехала делегация японской фирмы «Такаги», с которой мы дружим. Наших гостей мы, конечно же, вывезли на шашлыки. Стерлядка еще была, помню. Баня еще там была, на турбазе. Прямо в лесу костер разожгли, да и дрова собирали, бегая по лесу и… удивляя японцев, у которых этого не сделать. «Уй-уй!» – только говорили японцы, когда мы развели костер до неба. А огонь горел весело, по-русски горел, большим пламенем. Японцев-мужиков мы в бане попарили на славу, после чего в озеро бросили. Орали благим матом… как дети. Но самым интересным было то, что заведующая отделом кадров нашего Центра Анжелика Блинова, отличающаяся весьма выраженными «грудными особенностями» и которая повела японских женщин в баню, рассказала потом, что японки-женщины трогали в бане Анжелину грудь и добро так говорили: «У нас в Японии таких нет». Без за-

Анжелика Блинова, которая водила японских женщин в баню

Вы такие же, как мы!

Японская делегация:
– Хотим обратно в Россию, в Уфу!
В Париже, скучно! Вы такие же, как мы!

висти говорили. А через несколько дней, когда японская делегация переехала в Париж, к нам пришла телеграмма от них со словами: «Хотим обратно в Россию, в Уфу! Здесь, в Париже, скучно! Вы такие же, как мы!»

Помню я задумался над этими словами. Только вот вопрос Курильских островов всплыл в памяти – не просто самый больной вопрос для японцев, а их обида, глубинная обида людей, обделенных землей.

И вот, рассказав про Японию, хотел бы я спросить Вас, дорогой читатель: узнаете ли Вы себя, бывшего советского человека в японцах? В какой-то степени, наверное, да. Тот же энтузиазм, те же рабочие коллективы, тот же народный контроль... Вот только японцы все сделали по-умному. Они не стали игнорировать рынок, а вошли в него со своими законами, которые добавили к рвущемуся наверх Личному любого человека сладость Общего, выражаемого в таких простых понятиях, как дружба, честность, откровение, шутки и многое другое, что является неотъемлемой частью понятия «счастье». Но о счастье мы, дорогой читатель, поговорим чуть-чуть позже, причем в весьма любопытном аспекте.

А сейчас, заканчивая анализ японского образа жизни, мне хочется выразить сожаление о том, что Россия (СССР) попалась на дьявольскую удочку, изощренно закинутую с приманкой под названием «сладость Общего», чтобы когда мечтательный и романтичный российский народ «клюнет» на эту приманку, дать «заглотить» ему вместе с приманкой еще и коммунистические идеи, в основе которых лежит полное игнорирование Личного и на первый план выступает жуткое оголтелое Общее. Но, когда заглотишь приманку с крючком, то сорваться с него сложно. Вот и прожили мы так более семидесяти лет и, сидя на дьявольском крючке, как роботы постоянно повторяли, что… через двадцать лет построим коммунизм.

А его, коммунизма-то, и не существует в природе… той природе, которую создал Бог, а не выдумал Дьявол. Слово «коммунизм» происходит от слова «коммуна», что означает Общее, или, говоря на жаргоне, «общак». Не может быть только Общее, поскольку Общим является только Бог. И не может быть только

Гармония

Во всем мире идет поиск золотой середины между Общим и Личным

Личного, поскольку Личное обязательно является составной частью Общего. Во всем нашем многообразном мире, будь то Космос, будь то Душа, будь то человеческий организм, везде идет тяжелый поиск «золотой середины» между Общим и Личным – извечный поиск Гармонии, той Гармонии, которая, вообще-то, и сотворила нас, носящих в себе как самое сокровенное эту «золотую середину». Если бы ее не было, «золотой середины-то», внутри нас, не было бы и нас, – умерли бы мы, кто от рака (то есть от «Личного»), кто от беспорядка в организме (то есть от «Общего»).

Так и в обществе. Нужна «золотая середина». «Оголтелый общак» в виде коммунизма уже почти канул в Лету. Индивидуализм в виде капиталистических «прав человека» тоже хромает. Я думаю, наступили времена искать «золотую середину». И эту «золотую середину», мне кажется, надо искать, изучая опыт Японии. Они ведь, японцы-то, почти достигли ее! И пусть нынешние японские старики ругаются, что современная японская молодежь «зажралась» от избытка денег в стране и «кана- ет» под Америку, но в этой стране некогда (японскими стариками!!!) была создана новая модель общества – модель единения Общего и Личного, которая и будет, я думаю, моде-

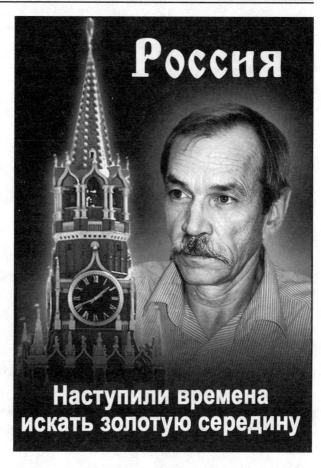

Россия

Наступили времена искать золотую середину

лью построения человеческих отношений в будущем.

Не думаю, что западный индивидуализм победит, – люди всех стран уже протестуют насаждению «демократии по-американски», в глубине души понимая, что от этой «демократии с правами человека» веет медленной аутистической смертью ушедших в себя людей. Зато как красиво звучат лозунги демократии! Но ведь также красиво звучали лозунги коммунизма!

Сейчас на мировую политическую арену вышел лидер Венесуэлы Уго Чавес – мощный и симпатичный мужик в красной рубахе, который так смело громит демократию по-американски,

Уго Чавес

что аж треск стоит. А появился он, Уго Чавес-то, не зря – за ним стоит воля народов латиноамериканских стран, не желающих прозябать в трясине «демократического» индивидуализма, а желающих танцевать ламбаду и проводить карнавалы... как японцы веселятся, отмечая рабочий день. Веселье ведь, оно всегда общественным бывает! Лишь бы Уго Чавес, встречаясь с Фиделем Кастро, не уклонился в сторону «оголтелого Общего», то есть не стал коммунистом. Надоели шатания-то! «Золотой середины» хочется! У японцев жизни учиться надо! Японские аксакалы много не шумели, но делали свое дело.

Кто они – японские аксакалы? Мир их не знает. Знают их только, наверное, японские историки. Но надо сказать, что им, японским аксакалам, помог Бог, помог потому, что они – униженные и прибитые в послевоенные годы – отбросили свою гордыню и мечты о господстве над миром, отмели «реваншизм» и устремили свои души к Богу, который и подсказал... через интуицию, конечно... как создать общество будущего.

Главной особенностью современного японского общества является то, что оно не агрессивно. Никто ведь не слышал об агрессии со стороны послевоенной Японии! Зато идет мощная японская экономическая экспансия во всем мире. Но это экспансия добрая, добрая в том отношении, что вместе с японскими технологиями в мире внедряется и японский образ жизни, когда надо не только деньги зарабатывать, но и радость оттого, что ты работаешь, получать.

Коммунизм агрессивен по своей сути, агрессивен потому, что его идеологией является «оголтелое Общее». Современный капитализм тоже агрессивен, агрессивен потому, что его идеологией является «оголтелое Лич-

Противоборство Общего и Личного

Коммунизм агрессивен потому, что его идеологией является оголтелое Общее

Капитализм агрессивен потому, что его идеологией является оголтелое Личное

Единство Общего и Личного

Японское общество не агрессивно

ное». А люди хотят «золотой середины».

Давайте зададимся вопросом: почему же сверхмощная Япония* не старается расширить свои территории или хотя бы иметь свои зоны влияния (как США в Ираке, например)? На мой взгляд потому, что здесь нет агрессивного начала, в основе которого обязательно лежит противоборство Общего и Личного. Здесь, в Японии, нет необходимости уходить от смертельного индивидуализма путем мобилизации нации на достижение мирового господства, поскольку индивидуализм нивелирован «общаком после рабочего дня». Здесь нет и агрессивных идей «оголтелого Общего», поскольку это нивелировано улыбками, хохотом, подковырками и тому подобным, происходящим после каждого рабочего дня. О, как велика, оказывается, роль дружбы, хохота и подковырок! Агрессию, сидящую внутри нас, они, оказывается, сбивают. Хочется сказать: улыбайтесь, господа, почаще! «Антивоенным оружием» является она, улыбка-то!

---

* – для справки: население Японии – 127 млн человек, России – 142 млн человек. Территория России больше территории Японии в 45 раз. Экономическая мощь Японии больше российской в 3 раза.

Это очень важно понять сейчас, когда курс доллара падает, и вместе с ним падает влияние Америки – страны, пропагандирующей индивидуализм. Американцы-то понимают, что их доллар во многом «дутый» и что его надо постоянно «подкачивать». Если все люди знают и пользуются продукцией японских фирм «Sony», «Toyota», «Komatsu», «Mitsubishi», «Toshiba», «Topcon», «Takagi» и многих других, то в отношении США можно назвать

Антивоенным оружием можно назвать улыбку

«Boeing» и, в той или иной степени, «Ford». Куда подевались знаменитые американские фирмы? Как можно быть лидирующей страной мира без лидирующих в мире фирм? Да и Германия со своими «мерседесами», «фольксвагенами», «цейссами»… куда как знаменитее лидирующей страны мира.

Дэн Сяо Пин, сотворивший «китайское экономическое чудо», вполне возможно, взял за основу своих реформ опыт Японии, сделав лишь ту поправку, что действующей силой для исполнения этих реформ выступила коммунистическая партия Китая. А что делать-то было Дэн Сяо Пину? Общекитайский кавардак, что ли, устраивать по свержению коммунистического строя, вогнавшего трудолюбивый китайский народ в беспробудную нищету? Лучше уж поправку внести в идеологию коммунистической партии и объявить регулируемый рынок новым партийным курсом. Пусть будет так… а не так, как было у нас, когда мы самозабвенно свергали КПСС и, потеряв ее действенную силу, вошли в постреволюционный хаос, во время которого толь-

Китайское экономическое чудо

Дэн Сяо Пин

ко за счет «общакового прошлого» не развалили Великую Россию на русских, татар, башкир, удмуртов и… даже коряков! «Общаковое прошлое» спасло нас!

А главное, за что расстреляли народных депутатов РСФСР*, так это то, что мы, депутаты, в большинстве своем выступали за курс Дэн Сяо Пина – как коммунисты, так и демократы. Мы хотели еще тогда, в 1993 году, найти «золотую середину»… хотели использовать силу коммунистической партии во имя построения общества будущего… без промежуточного периода «дикого капитализма», наплодившего поганых миллиардеров, рекламирующих Жадность.

Но нам, народным депутатам РСФСР, это не удалось. Нас расстреляли из пушек. А мы этого не ждали. Всего 20 охранников стояло на входах в русский «Белый Дом». Как сейчас помню. А многих, таких как я, арестовали до штурма.

Я, сидя в КПЗ, конечно же, не видел, как стреляли пушки в народных депутатов. В это время меня просто колотили дубинками. Умно было сделано – упечь в тюрьму наиболее активных депутатов, тех депутатов, которые ратовали за то, чтобы Россия стартовала в будущее с уже подготовленной «общаковой пло-

---

* – я был в то время народным депутатом РСФСР.

щадки». Не уда-
лось, и в «чер-
ные девяностые
годы» страна
погрузилась в
неприсущий ей
индивидуализм,
наплодивший
черную плеяду
жадных милли-
ардеров, кото-
рые никому и

копейки-то не дадут. «Черные девяностые» определили их психологию «черного дня».

Эх, если бы Ельцин... Эх, если бы он не... «Стартовая общаковая площадка» многого стоит! Россия бы так стартовала,
что «русское экономическое чудо» давно бы свершилось... без
миллиардеров, соревнующихся за место в рейтинге самых богатых людей планеты! Эх! А ведь мы тогда, до расстрела, имели
воистину народную верховную власть, называемую Съездом
народных депутатов, где любой колхозник, входящий в состав
Съезда, мог, добравшись до микрофона, потребовать вызвать
Председателя правительства и ребром поставить перед ним народные проблемы.

В «черные девяностые» Россия ввалилась в пассив и чуть
было не превратилась в страну третьего мира. Ельцин сделал
свое «черное дело». Хорошо, что появился Путин, который тихонько так, остерегаясь набравшей силу «черной силы», вывел
страну из кризиса и опять представил Россию на международной арене как Великую Державу. Я представляю, как трудно
ему было. Не то что стартовать с «общенародной площадки»!

И мне очень приятно, что сейчас в Правительство России
пришли такие люди, как Зубков, Медведев и Иванов, от которых, как говорится, народным духом веет. Это не Зурабов или

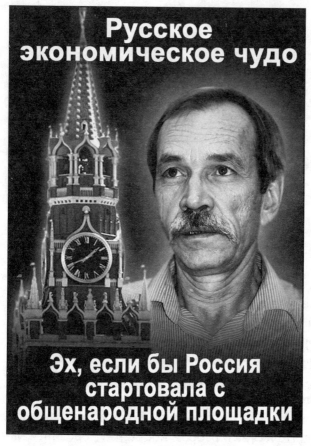

Греф с их примитивным копированием американских схем здравоохранения и экономики, от которых Западом тянет. Да и Фурсенко столько «накопировал» Запада в образовании, что, если так пойдет, то от самого лучшего образования в мире – советского – ничего не останется. Лучше бы свое что-нибудь предлагали, чем следовать словам народной песенки про одну неудавшуюся фото-мисс:

Нарисованной быть хочет
А с картины кто захочет
Может копию отснять
И другую мисс обнять.

Поэтому и не хочет народ отпускать Путина. Он ведь сделал самое трудное – смог повернуть сознание людей, уже погрязших в личном, в сторону Великой России! А это так трудно!!! Как это трудно! Созидать материальное легче, чем повернуть сознание людей, в души которых уже вселился смертоносный вирус индивидуализма.

Россия должна изучать опыт Японии

Россия, на мой взгляд, должна изучать опыт Японии и должна только краем души входить в Европейский Дом. Россия – благодатная среда для достижения «золотой середины». Как и Германия, кстати. У обеих стран есть пусть негативное, но «общаковое» прошлое. А оно, выстланное страданиями, многого стоит. Вот только надо бы понять, что же такое – Счастье?

Денежная шизофрения

Большинство людей считает, что счастьем являются деньги, хотя таят это в душе, стесняясь говорить, потому что подсознание подсказывает, что это не так. Счастье – это когда в душе есть Любовь, Любовь во всех ее проявлениях, будь то роман с женщиной, будь то дружба, будь то просто теплый взгляд, будь то многое-многое другое, чем заполнены хорошие страницы нашей жизни. Все мы это понимаем. Даже самый жадный человек это понимает, говоря красивые слова о Любви и… утаивая

Денежная шизофрения

в душе свою глубинную страсть, которая для него выше истинной Любви.

Так почему же многие люди считают критерием счастья деньги? Я понимаю, что нужно достойно жить, нужно обеспечить детей, стариков, не жаться на бутылку, но я не понимаю болезненно-страстного накопительства денег во имя пресловутого «черного дня». Это ведь, в конце концов, даже логике не поддается. Это болезнь какая-то.

Денежной шизофренией ее можно назвать. Поведение шизофреников тоже ведь не поддается никакой логике. Так и здесь, когда тебе по жизни подфартило и ты стал зарабатывать огромные деньги, ведь так логично излишки их отдавать старикам, на научные исследования, на строительство бесплатных квартир и на многие другие добрые дела, в ответ получая благодарные улыбки и слыша от людей, что бизнесмен Петров – настоящий мужик, а не жмот какой-то. Ан нет, лучше слыть жмотом, чем поделиться с людьми. А все потому, что в души этих людей вошел «кривой критерий счастья», направляющий главную энергию человека – Любовь – в сторону злосчастных денег.

По моим наблюдениям, денежной шизофренией страдают не только индивидуалисты, которые любят только себя и свои деньги, соответственно, но и вполне такие «рубаха-парни», умеющие шутить и улыбаться. Такой «рубаха-парень» все время будет стараться выпить и пожрать на халяву, а вот чтобы самому накормить и напоить – это для него превращается в целую трагедию. Он начинает придумывать, врать и ссылаться на свою бедность, хотя и… торгует нефтью.

Про таких людей в народе говорят: «Его жаба душит». А по большому счету этот человек болен – болен «очень модной» болезнью современности, называемой денежной шизофренией.

Изучая этот контингент людей, я понял, как их выявлять. Надо его попросить «поставить бутылку». Если он «поставил», как будто оторвав от себя родное и стараясь побольше выпить из «родной» бутылки, то в следующий раз ему надо предложить «поставить ящик». Поверьте, такой человек этого не перенесет – он

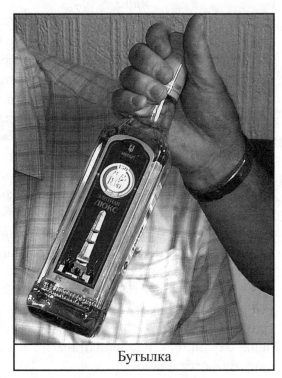

Бутылка

Ящик

исчезнет, отключив свой мобильный телефон и даже отказавшись от тех благ, которые ему этот «ящик» дал бы... например, полечиться бесплатно по блату. Поэтому, дорогой читатель, когда вы заметите халявщика, то предложите ему вначале «поставить бутылку», а потом «поставить ящик». Поверьте, это будет интересно!

Что касается лечения денежных шизофреников, то я применял разные методы, такие как нравоучительные беседы, оскорбления и даже мордобой. И, скажу я вам, дорогой читатель, что денежные шизофреники – крепкие орешки, ничего их не берет. Им бы, пусть даже с позором, но при своих деньгах остаться. Некоторые даже, может быть, на смерть пошли бы ради того, чтобы «бутылку или ящик не поставить». Но один путь лечения я все же нашел – превращать их в «козлов отпущения», чтобы другим весело было, и... чтобы эти больные люди не слишком обрели силу в нашем, в общем-то, прекрасном мире.

Поэтому во дворе нашего Всероссийского центра глазной и пластической хирургии я поставил статую «Козел отпущения». Наши пациенты перед операцией подходят к этой статуе, кладут на нее руку и в шутку просят «козла» забрать их грехи. А за это люди кладут «козлу» еще и деньги, на которые наши охранники и дворники имеют возможность покупать не одну бутылку в день.

А если говорить более серьезно, то можно выделить две массовые общественные проблемы в любой стране – индивидуализм и денежная шизофрения. Обе эти проблемы опасны тем, что они уводят энергию Любви от главного принципа – «люби людей, люби народ» по двум направлениям: аутисты-индивидуалисты любят себя, а денежные шизофреники – деньги. А это к хорошему не приведет! Ведь все мы под Богом!

Статуя козла отпущения

Религии борются с этим. Множество законов изобретено, и множество всяких там налоговых инспекций создано. Но в душу к людям не залезешь. Нужно возрождать Общее (только без коммунистического фанатизма!) в сознании людей! Ведь только мощная общенародная сила способна осудить аутистов-индивидуа-

Изгоями общества должны быть аутисты и денежные шизофреники

листов и денежных шизофреников, сделав их изгоями общества. Вот тогда-то и проявится истинное счастье – счастье единения с народом. А для достижения этого нужны усилия всех ветвей власти – президента, правительства, Госдумы и даже партий, например «Единой России».

Единая Россия

Представьте, дорогой читатель, что если бы президент страны написал указ с такими словами: «Указываю любить друг друга и любить свой народ, а также указываю не быть индивидуалистами и жадными» – все бы только посмеялись.

И уж вообще хохот бы стоял, если бы на эту тему вышло постановление правительства страны с такими, например, словами: «В отношении борьбы с жадностью поручается Министерству финансов принять соответствующие меры и разрешить эту проблему в двухнедельный срок».

Госдума вряд ли бы смогла принять закон на эту тему, – там бы все переругались. Один бы начал громить индивидуализм, а другой бы кричал: «Посмотри на себя!» Один бы начал говорить о борьбе с жадностью, а другой бы вытащил и озвучил сведения о доходах «борца с жадностью». И так далее. Ничего путного не получилось бы.

Как же быть? Надеяться только на религию? Да сейчас молодежь в церковь загнать трудно, все по дискотекам шляются и дешевку всякую в себя впитывают. Где уж тут о любви к народу говорить, когда важнее куртеху* лучше, чем у Витюхи надеть, да и более дорогую банку пива в руке держать.

А ведь пропаганда иного

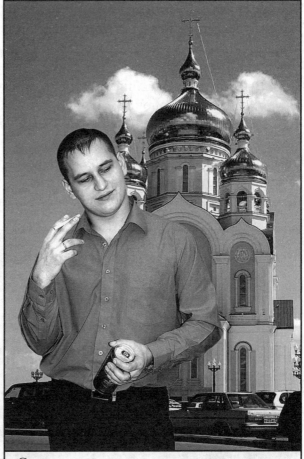

Современную молодежь в церковь загнать трудно. Кто же будет управлять душами людей?

варианта счастья, связанного с понятием «любовь к народу», очень важна. Ведь нам все равно необходимо достичь той «золотой середины», о которой мы говорили выше. Нам просто деваться некуда! Копирование Запада ни к чему хорошему не приведет!

---

* – куртку.

Такую задачу может выполнить только партия, и ничто иное. Давайте вспомним недавнее коммунистическое прошлое, когда секретарь парткома КПСС вызывал к себе сварщика Васю и говорил ему примерно такие слова:

– Вы, товарищ Василий… как Вас по фамилии-то… говорят, отходите от идеалов коммунизма. К нам поступил сигнал, что Вы, подняв тяжелый напильник, замахнулись на прораба Иванова, который Вам сделал замечание, да еще и погнались за ним, выкрикивая слово «Убью!». На первый раз мы Вам делаем замечание. Но Вы должны не только извиниться перед товарищем Ивановым, но и проштудировать Устав Коммунистичес-

Секретарь парткома КПСС: – Вы, товарищ Василий, говорят, на прораба Иванова напильником замахнулись! Вы должны проштудировать устав Коммунистической партии Советского Союза и моральный кодекс строителя коммунизма!

кой партии Советского Союза и моральный кодекс строителя коммунизма, где написано, что человек человеку друг, товарищ и брат. Через три дня придете и сдадите мне экзамен по основам коммунизма. Ясно?!

И ведь эти слова действовали на сварщика Васю, и он, штудируя и ничего не понимая ни в уставе коммунистической партии, ни в моральном кодексе, тем не менее впитывал в себя слова парторга о том, что человек человеку брат. Да и прораб Иванов, пожаловавшийся в партком, чувствовал защиту. Это не то, что сейчас, когда прораб Иванов должен подать в суд на сварщика Васю, да еще и адвокатов нанять. Решалось ведь словом, а не бумажкой.

Не зря человечество придумало партии – прежде всего для того, чтобы работать с душами людей, что называется непонятным словом «идеология». Лишь бы идеология была нормальной, а не такой, как у коммунистов с девизом «мировая революция» или не такой, как у американцев с девизом «демократия» и не такой, как у европейцев с девизом «права человека». Лучше

ИДЕОЛОГИЯ

Партии призваны управлять душами людей

поучиться у японцев и, изучив их идеологию, сделать что-то свое, но доброе-доброе, поскольку только «доброе» подойдет доброму российскому народу.

Давайте посмотрим на существующие в России партии. Подавляющее большинство из них говорит: «Мы повысим пенсии! Мы увеличим зарплату бюджетникам! Мы разгоним бюрократов! Мы победим коррупционеров!» И ни одного лозунга идеологического характера! Такое ощущение, что какая-нибудь партия борется не за теплые места депутатов в Госдуме, а за места в Правительстве России, которое в реалиях будет решать эти вопросы. Ну как, например, маленькая партия Явлинского может повысить пенсии или увеличить зарплату бюджетникам? Ведь существуют еще и экономические законы!

Лидирующую партию «Единая Россия» в народе называют партией административного ресурса. Что такое административный ресурс? Это когда от главы региона (области или республики) поступает команда: «Голосовать за эту партию!» Разве какой-нибудь глава администрации какого-нибудь района ослушается? Да никогда! В противном случае его могут снять с занимаемой должности. Этот глава администрации района разовьет такую активность, что даже какой-нибудь скотник Ахмадулла поймет, что если он не проголосует так, как рекомендовал глава администрации района, то ему могут припомнить мешок украденного овса.

Кроме того, в партии «Единая Россия» слишком много богатых и красующихся людей, которые ну никак не пользуются народным уважением, а только тащат авторитет партии вниз. Не зря про них в народе говорят: «Спрятался под партийное крыло, чтобы свои богатства защитить!» А ведь в партии должны быть рабочие и крестьяне – простой и прямой народ, который может «глаголить истину».

Административный ресурс не вечен. Народная воля всегда была сильнее всяких там административных ресурсов. Народ, он чувствует искренность. И даже скотник Ахмадулла чувствует это в те периоды, когда он забывает про украденный им десять лет назад мешок овса.

Тем не менее появление «Единой России» является, на мой взгляд, не просто положительным, а весьма значимым явлением. Наконец-то у нас появилась сильная партия, столь необходимая народу партия, которая,

возможно, и заполнит ту зияющую дыру, которая называется избитым словом «идеология». А это слово, вообще-то, переводится как управление душами людей. Именно этого не хватает нам в жизни, именно поэтому народ подсознательно стремится поддержать сильную партию, которая, пусть даже взращенная через пресловутый «административный ресурс», может дать надежду на то, что в России появятся сильные люди, которые поймут российскую душу и будут «управлять душами людей» с позиций добра, любви, дружбы и много того хорошего, о чем мы часто говорим за кухонным столом, опрокинув рюмку русской водки. А то ведь скучно смотреть на мелкие партии, которые, как заводные куклы, повторяют: «Мы повысим пенсии! Мы повысим пенсии! Мы повысим пенсии!»

ЕДИНАЯ РОССИЯ

УПРАВЛЕНИЕ ДУШАМИ

Народ хочет иметь сильную партию!

Но, как мы знаем из нашей трагичной истории, однопартийная система страшна. Дело в том, что не только отдельные люди, но и правящая партия без оппозиции склонна впасть в «звездную болезнь» со всеми вытекающими из этого последствиями... культом личности например... с репрессиями, конечно. Ведь ни одна однопартийная коммунистическая страна не смогла избежать культа личности партийного лидера. И пусть оппозиционные партии будут мелкими и крикливыми – это не важно. Важно другое – как только в лидирующей партии появится «идеологическая кривь», народ сразу обратит свой взор на какую-то небольшую оппозиционную партию с симпатичным лидером, после чего эта небольшая оппозиционная партия расправит свои крылья и, называя представителей лидирующей партии «зажравшимися индюками», займет ее позицию. Так что и в маленьких партиях есть свой толк. Они ждут своего «звездного часа», вернее того часа, когда лидирующая партия заболеет «звездной болезнью». Однако и маленьким партиям надо разрабатывать свою идеологию, а не повторять: «Мы повысим пенсии! Мы повысим пенсии! Мы повысим пенсии!»

Я склонен верить, что лидирующая «Единая Россия» призовет серьезных ученых-социологов (причем только российских, а не ино-

Лидирующая партия может заболеть „звездной болезнью"

Оппозиционные партии ждут своего „звездного часа"

странных) и создаст идеологическую платформу партии, в которую обязательно войдут понятия Добро, Любовь, Дружба, Братство... которые сейчас – в периоде выхода из бездушного дикого капитализма – звучат сентиментально и кажутся выдернутыми из сериалов и мелодрам. Но эти слова обладают силой! Японский феномен ведь породили они! А времена экономических моделей построения общества, я

Времена экономических моделей построения общества уже прошли. Пора и о душе подумать!

думаю, уже прошли. Печально известный Тимур Гайдар это доказал. Наступили времена, когда, как говорится, пора и о душе подумать. Заскучавший в «черные девяностые» душевный компонент рвется наверх, рвется потому, что без души-то долго жить нельзя. А душа у русских широкая.

Лидирующая «Единая Россия» будет, конечно, влиять на общество через Госдуму России, утверждая или не утверждая те или иные законы. Но эта власть не столь действенна, потому что... население у нас незаконопослушное! Население у нас душой привыкло жить, а слово «юрист» в России звучит чуть ли не оскорбительно.

Поэтому имело бы смысл придвинуть партийную

Население у нас незаконопослушное

власть к народу. А именно создать парткомы на местах – парткомы лидирующей партии, чтобы, как и в прошлые времена, прораб Петров мог прийти в партком и пожаловаться на сварщика Колю, который замахнулся на него тяжелым напильником и гнал его, крича «Убью!». Пусть члены лидирующей партии поработают на местах со всякими там сварщиками по имени Коля, а не просто произносят пламенные речи по телевидению или на встречах с народом, собранных путем «административного ресурса». Такая работа будет очень полезна, поскольку одним жестким партийным словом можно предупредить длинную судебную тяжбу между сварщиком и прорабом с демон-

Секретарь парткома «Единой России»: – Вы почему, господин Коля, замахнулись на прораба Петрова напильником?! В уставе нашей партии написано, что человек человеку брат!

страцией напильника как оружия предполагаемого убийства. Да и моральный климат в бригаде восстановится, а сварщик Коля поймет, что так делать больше нельзя и, понурив голову, извинится перед прорабом Петровым.

Понятие «партком» очень напоминает советские времена. Но если уж создавать несоветские парткомы лидирующей партии, то нужно внести в основные законы страны то, чтобы ее партийное имущество (кабинеты и прочее) без всяких торгов переходило другой партии, если эта другая партия выиграла на выборах и стала лидирующей. «Гордость партийной кассы» можно игнорировать, – сами виноваты в том, что проиграли. Да и члены бывшей лидирующей партии могут, я думаю, свободно переходить в новую лидирующую партию, – это не предательство, а служение народу. О стране надо думать, а не о партийной кассе! А патриотизм бывает в отношении страны, а не в отношении партии!

Я очень хочу, чтобы снова зазвучало партийное слово. Оно, это слово-то, может многие барьеры снести. Я помню 1989 год. Уже отчаявшись в борьбе с бюрократией придать нашему новому направлению в медицине «Аллоплант» юридический статус, я шел по московской улице. Была зима. На душе было погано. Я достал две копейки, сунул их в телефон-автомат и прямо с улицы позвонил инспектору ЦК КПСС по медицине. А он меня принял... выслушал... потом позвонил министру здравоохранения СССР… Так был создан наш Всероссийский центр глазной и пластической хирургии, куда уже много лет едут на лечение больные со всего мира.

Эх, как хочется, чтобы «Единая Россия» стала не показушной партией власти, а стала воистину народной партией! Приход в эту партию В. В. Путина обнадеживает, поскольку он завоевал истинно народный авторитет. Народ нуждается в партийной власти, но не в надоевшей коммунистической власти и не во власти, приправленной «келейно-олигархическим душком», а в доброй народной власти, которая бы управляла пока еще не окончательно заблудшими душами российских людей! И если бы «Единая Россия» стала такой, воистину народной партией, то она бы оказала неоценимую помощь в борьбе с главной проблемой современной России – бюрократией.

Самозарождающаяся бюрократия

Говорят, что количество чиновников-бюрократов сейчас в России в 10 раз превышает количество таковых в СССР, хотя СССР был почти в два раза больше. В чем же причина столь беспрецедентного роста числа бюрократов? А причина, мне кажется, в том, что... страна борется с бюрократией, вернее, это результат борьбы с бюрократией.

Дело в том, что как только какая-либо бюрократическая инстанция проворовывается или коррумпируется, правительство создает еще одну бюрократическую инстанцию по контролю над первой. Но вскоре и вторая (контролирующая первую) бюрократическая инстанция проворовывается, в связи с чем правительство создает третью бюрократическую инстанцию по контролю над второй... и так далее по накатанной дорожке. Феноменом самозарождающейся бюрократии это можно назвать.

Вот и живем мы сейчас в стране, где обычный человек вообще ничего понять не может – кто кого проверяет, кто кому подчиняется, кого надо бояться... Более того, бюрократические инстанции склонны постоянно менять свои названия. Например, «Рыбинспекцию» назвали «Россельхознадзор» или «Санэпидемстанцию» переименовали в «Роспотребнадзор». В итоге получается полная каша. Куда уж тут открыть малый бизнес или создать фермерское хозяйство, тут крупные организации, имеющие отделы по «обслуживанию бюрократии», ничего понять не могут. Например, строительные тресты разводят руками, когда им задаешь «родной» для них вопрос о получении разрешения на стройку, и приговаривают: «Там столько новых инстанций добавилось, что черт ногу сломит».

Феномен самозарождающейся бюрократии

Как только одна бюрократическая инстанция проворовывается, создается вторая бюрократическая инстанция, контролирующая первую. Как только вторая тоже проворовывается, создается третья... и так далее

Приведу два примера. Первый – как мы оформляли землю, на которой стоит наш Всероссийский центр глазной и пластической хирургии в городе Уфе. Земля эта была уже оформлена на наш центр давным-давно. Но оказалось, что ее надо переоформить в связи с тем, что мы решили построить пристрой к основному зданию на том же участке. Я-то думал, что переоформим за три дня. Не тут-то было. Оказалось, что вместо одной землемерной инстанции появилось пять. И началось... утеря бумаг, звонки бюрократам, бесконечные согласующие подписи, ругань одной инстанции с другой, ссылки на то, что первая инстанция сделала опечатку в тексте, и тому подобное. Полная каша и бардак. Но каждый делал вид, что он стережет землю российскую. И хотя я имею возможность напрямую звонить директорам этих бюрократических инстанций, переоформление уже ранее отведенной земли заняло почти год.

Наконец я с умилением держал в руке несколько бумаг, испещренных печатями. А потом я решил сравнить эти новые бумаги с теми, на основании которых нам давным-давно была отведена земля. Новые бумаги были точно такими же; только на них красовались новые печати, новые подписи и новые даты. Землю, правда, перемерили один раз.

Так спрашивается, что же делали эти пять землеотводящих или землемерных инстанций в течение почти года? Бумаги, получается, перекладывали, изображая из себя важных персон. А если бы я постоянно не «долбал» их начальников по телефону, то наши бумаги просто потеряли бы. А сколько я просил секретарей начальников, чтобы нашу недавно найденную в другой землемерной инстанции папку снова не потеряли и переложили повыше в пачке на подпись! Бред какой-то или бюрократическое сумасшествие! Суть дела ведь состоит всего лишь в том, чтобы перемерить еще раз некогда отведенную нам землю, посмотреть – не переместили ли мы наш забор на чужой участок, да и выписать новую бумагу с печатями.

Все это выглядело бы как игра в «кошки-мышки»... Но прискорбно то, что из-за этой «землемерной бюрократии» чуть ли не на порядок подорожало жилье, – ведь пока руководитель строительного треста бегает по этим инстанциям, его бригады простаивают, а не работают, в связи с чем строители вынуждены включать в стоимость жилья затраты на борьбу с бюрократией. Где уж тут говорить о развитии фермерства – попробуй, получи землю! С ума сойдешь среди «сошедших с ума бюрократов»!

Бюрократическое сумасшествие

На порядок повысилась
стоимость жилья.
Затухло фермерство.
Затух малый бизнес.

Второй пример — это то, как мы получали деньги на строительство этого самого пристроя к основному зданию Всероссийского центра глазной и пластической хирургии. Короче говоря, мы долго и нудно добивались государственного финансирования для строительства этого самого пристроя*. И добились. Вышло постановление Правительства России. Куда выше-то! На первый год строительства нам было выделено 70 млн рублей. А эту сумму надо освоить в течение года, что нелегко. Строительный трест приготовился начать стройку аж зимой, в январе.

Но в январе деньги не пришли. В феврале тоже. В марте тоже. В апреле выяснилось, что постановление правительства не перенесли со Старой площади в Москве на Славянскую площадь, где находится агентство по здравоохранению… не перенесли на расстояние 200 метров. Мы хотели «приложить ноги», но

---

* – в форме огромного глаза, кстати.

Пристрой Всероссийского центра глазной и пластической хирургии

нам не разрешили трогать руками государственный документ. В мае постановление опять не перенесли. В июне тоже. В июле тоже. В августе ка-кой-то «драгоцен-ный курьер» все же прошел эти 200 мет-ров с постановлени-ем в руках. Потом с нас затребовали еще какие-то справки. Мы их привезли. Потом затребовали еще. Мы их опять привезли. Потом еще. На наш вопрос: «Вы что, постанов-

Двести метров

ление Правительства России можете отменить? Зачем вы заставляете собирать справки по новой?» – никто не отвечал.

Плюнув на все, мы начали строить пристрой в долг. Строители работали и днем и ночью под наше честное слово и с верой в то, что постановление Правительства России никто не может отменить. Деньги пришли только в середине декабря. Хорошо еще, что не 25 декабря, то есть в тот день, когда мы должны были отчитаться об использовании 70 млн рублей.

Реально работающие люди (руководителей которых называют сейчас объединенным словом работодатель), будь то строители, будь то медики, будь то кто-нибудь еще имеют постоянную ответственность перед бюрократами, которые изуверски нудят: «Ты мне такую-то справку принеси! Неси еще вот такую справку! А где новый вариант отвода земли?..» Спрашивается – а какую ответственность несут бюрократы перед работодателями, то есть перед людьми, которые реально созидают? Ответ прост – да никакой. Вот именно – никакой. Бюрократ всегда прав, даже тогда, когда не может перенести постановление Правительства России на расстояние 200 метров в течение нескольких месяцев или просто теряет твои документы. Возмущаться бесполезно! Охренели бюрократы! Если только ты подашь свой несчастный голос работодателя (или «работяги-созидателя»), то на тебя тут же посмотрят стеклянным взглядом и скажут: «А Вы должны принести еще одну справку!» Вот и носишь букеты цветов*, улыбаешься… ну полным плебеем себя чувствуешь. А я, как глазной врач, еще и очень радуюсь, если у кого-то из них болят глаза, – тогда шансы резко повышаются.

Эта бюрократическая вакханалия не просто тормозит прогресс, она уже представляет угрозу безопасности страны, а слово «справка» звучит как антинародное слово с душком властолюбивой гордыни и зависти к тем, кто имеет радость созидания – радость строительства дорог, радость создания новых

---

* – относительно взяток я ничего не могу сказать, я их никогда не давал.

самолетов, радость строительства новых больниц и тому подобного.

Почему же президент и Правительство России не могут своими указами и постановлениями разрушить бюрократию? А потому, что эти указы и постановления против бюрократии должны внедрять в жизнь те же самые бюрократы (не поручишь же выполнение указа президента директору одного из заводов!). А бюрократ, чувствуя «классовую опасность», как говорится, костьми ляжет,

Парадокс!

Работодатель несет полную ответственность перед бюрократом

Бюрократ не несет никакой ответственности перед работодателем

чтобы забюрократить указ президента о борьбе с бюрократией. Бюрократы разных мастей будут смотреть друг на друга своими стеклянными глазами с «классовым пониманием» и будут тре-

Президент и правительство никогда не смогут победить бюрократов, так как исполнение решений они поручат бюрократам

бовать друг от друга все те же справки... во исполнение указа президента по борьбе с бюрократией. Вал справок, где «бюрократ проверяет бюрократа», будет нарастать и в конце концов потребует создания новой бюрократической инстанции, которая будет читать эти справки и на основании этого будет выносить решения во имя... исполнения указа президента по борьбе с бюрократией. Более высокие «классовые друзья» поддержат это... и возникнет еще одна бюрократическая инстанция.

Ясно одно, что ни президент, ни правительство, проводящие свои решения через бюрократов, не смогут победить бюрократов. Не может же президент каждую из миллиардов справок проверить сам!

Как же победить бюрократию? Мне кажется, здесь есть два пути.

1. Надо принять антибюрократический закон, который устранил бы страшную пропасть во взаимоотношениях работода-

теля и бюрократа, связанную с тем, что «бюрократ ответственности не несет».

Как это сделать? А нужно уравнять в правах бюрократа и работодателя. То есть законодательным путем создать между ними паритет.

А именно: чиновник, рассматривая письмо работодателя, должен обязательно (обязательно!!!) указать дату исполнения бумаги, которую он подписывает, а не пускать ее по кругу согласований с бессрочной резолюцией «на рассмотрение». Чиновники пусть согласовывают сколько хотят, но они должны уложиться в указанный срок. Дело работодателя «приложить ноги» документу во время этих согласований. Но если решение (положительное или отрицательное) не будет принято в указанный срок, то работодатель может подать на чиновника в суд, который будет решать – кто прав, чинов-

Антибюрократический закон

Нужно уравнять в правах работодателя и бюрократа

ник или работодатель? И если чиновник попадется на том, что он самым натуральным образом забюрократил решение вопроса, он должен понести строгое наказание… вплоть до уголовного, – если он вымогал взятку или даже вел работодателя по пути вымогательства, требуя одну справку за другой. Жесткий антибюрократический закон, на основании которого будут работать судьи, должен обеспечить это.

Ну как можно не наказать тех людей, которые задержали перечисление выделенных постановлением Правительства России 70 млн рублей вплоть до декабря, вынуждая врачей и строителей проявлять «антибюрократический героизм», а не заниматься лечебной и строительной работой? Ну как можно не наказать тех бюрократов, которые в течение золотых для России весны и лета не могли отнести постановление Правительства России, пройдя эти самые пресловутые 200 метров? Ну как можно не

наказать тех бюрократов, которые устраивают самую натуральную «землеотводную вакханалию», перекидывая твою папку из одной инстанции в другую и теряя ее при этом?

Если антибюрократический закон будет принят, то работодатель сможет смело смотреть в глаза бюрократу, а от высокомерия бюрократа ничего не останется, потому что работодатель всегда сможет сказать: «Я на Вас подам в суд по антибюрократическому закону!» Бумаги перестанут терять. Пресловутые «200 метров» пройдут за пять минут.

Работодатели, то есть «работяги», сами растопчут бюрократию. Надо лишь уравнять в правах работодателя и бюрократа. Народный механизм борьбы сработает. А с народом шутить нельзя.

Представляете, дорогой читатель, какой подъем начнется в стране?! Представляете, какой прогресс пойдет?!

Бюрократ должен бояться тех, кому он служит. А именно, он должен бояться народа. Это будет справедливо. Да и бю-

рократ не должен забывать, что он, вообще-то, есть часть народа, а не «белая кость».

Если антибюрократический закон будет принят, то, конечно, судебные органы будут перегружены. Но их можно разгрузить, если подкорректировать законы в отношении «заядлых жалобщиков», которые всю свою жизненную страсть направляют на написание жалоб, а главным удовольствием в жизни считают пребывание в зале судебных заседаний. Ведь принят же в одной из европейских стран закон о том, что если больше трех жалоб написал, то сам попадаешь под статью «жалобщик»!

Наша Госдума может, конечно же, принять антибюрократический закон. Но в Госдуме слишком много чиновников-бюрократов. Они могут «заболтать» этот закон. Одна надежда на «Единую Россию»… лишь бы она оправдалась, надежда-то.

2. Нужен партийный контроль над чиновниками. Помните советские времена, когда ты мог прийти к секретарю парткома, и его звонок (не бумага!) мгновенно решал вопрос, устраняя все бюрократические проволочки?!

Почему Китай развивается семимильными шагами? Да потому, что там бюрократы боятся партии, а работодатель может пойти в партком, секретарь которого скажет: «Вы, товарищ Лан Винь Е, говорят, начали качать права бюрократа и отступили от идеалов коммунистической партии Китая, в уставе которой написано, что все должно быть направлено на служение народу... которому, кстати, служит работодатель Сунь Динь Чай».

Вот и нам бы, живя в многопартийной системе, не наслаждаться словесными баталиями партийных лидеров, а делегировать реальные партийные полномочия лидирующей партии, чтобы работодатель Сидоров мог прийти в партком, например, «Единой России» и прямо указать на бюрократа Петрова, который ведет антинародный курс. О, сколько проблем бы решилось без справок и бумажек! О, какой прогресс пошел бы!

И вновь неказистый мужичок

Погрузившись в эти мысли, я даже не заметил, что неказистый мужичок, оказывается, встал и стал ходить вокруг столика арабов. Чувствовалось, что мысль о возможном «отпитии» его пива, не выходила у него из головы.

Я стал наблюдать за ним. Он держал в руке кружку с остатками пива, как оружие для боя, и, с угрожающим видом поглядывая на арабов, проделывал полукруг за их спинами, возвращаясь обратно тем же маршрутом. Полный круг он делать не мог, поскольку с другой стороны все было заставлено стульями и креслами.

Арабов это хождение за их спинами, чувствовалось, нервировало. Они все трое периодически, как по команде, поворачивали головы и с опаской поглядывали на неказистого мужичка с тяжелой кружкой в руке.

Неказистый мужичок почувствовал, что арабы побаиваются его. Он даже однажды со звуком «ы-ы-ых» пронес кружку над головами арабов, на что арабы ответили возмущенным шумом, среди которого выбивался звук «хм-дрым-дрым, хм-дрым-дрым», что я понял как: «Охренел, что ли?!»

Я понял, что неказистый мужичок хочет драки. Арабы тоже, видимо, поняли это. Неказистый мужичок занимал более выгодное положение, потому что мог всегда треснуть кружкой по голове любого из сидящих арабов. Молодой араб, который пошалил с кружкой пива неказистого мужичка тогда, когда тот ходил в «ванную», как бы невзначай прикрыл рукой свою голову.

И тут неказистый мужичок, издав звук

Арабов нервировало, что неказистый мужичок ходит за их спинами с тяжелой кружкой

«эй-я!», вновь провел кружкой над головами арабов. Несколько капелек пива капнуло на лицо старшего араба... как назло. Тот побагровел. Остальные два араба посмотрели на старшего, всем своим видом требуя от него решительных действий.

Старший араб начал резко вставать, но зацепился своим балахоном за кресло. Неказистый мужичок, воспользовавшись этим, приставил дно кружки к его голове и резко надавил. Старший араб плюхнулся в кресло.

Два остальных араба вскочили и, размахивая руками, начали что-то громко выкрикивать. Неказистый мужичок тоже громко выкрикнул: «Та-та-та-та!», что я понял как: «Это вы отпили мое пиво!» Началась перебранка: «Тра-та-та-та», «Ба-ба-ба-ба!»,

«Ого-го-го-го!», «Гу-гу-гу-гу!»…

На крики подбежала машиноподобная немка-официантка и громко крикнула:

– Stop!

Ее окрик остановил перебранку. Только слышались остаточные звуки: «Бу-бу-бу-бу!», «Ду-ду-ду-ду!».

Но вскоре эти звуки усилились и, несмотря на старания машиноподобной немки-официантки, повторявшей раз за разом «Stop! Stop! Stop!», в них зазвучали угрожающие нотки – «Трам-бара-бам-бам-бам!», «Трах-тара-рах-тах-тах!» А старший

Пораженный старший араб как-то «закис» в кресле

араб, изображая из себя пораженного в бою, как-то «закис» в кресле, опустив голову и надеясь, видимо, на молодого араба, который должен защитить его честь, которую уронили не просто толкнув рукой, а раздавили дном какой-то поганой пивной кружки. Молодой араб стал махать руками. Но между ним и неказистым мужичком стояла машиноподобная немка-официантка. Твердо стояла.

В этот момент я встал и, не забыв прихватить свою кружку пива, подошел к враждующей компании.

– I am sitting in front of you. I have seen everything (я сижу напротив вас, я видел все), – громко сказал я.

Все посмотрели на меня.

– They (они), – я показал на арабов, – did not drink your beer (не пили твоего пива), – сказал я, обращаясь к неказистому мужичку.

– Sure? (Неужели?) – возразил неказистый мужичок. – But why has my beer become less when I was in the bathroom (но почему мое пиво уменьшилось, когда я был в ванной)?

– Your beer has evaporated (твое пиво испарилось), – обрезал я. – I am drinking beer very slowly... it is my habit... I know that about 50% of the beer should evaporate (я пью пиво очень медленно... это моя привычка... и я знаю, что примерно 50% пива должно испариться).

Наступило молчание. Неказистый мужичок недоверчиво смотрел на меня. Его женские глаза выражали недоумение – ему ведь совсем недавно показалось, что я на его стороне по поводу того, что именно арабы отпили его пиво тогда, когда он ходил в туалет. А тут я несу какую-то чушь об испарении пива!

Арабы, чувствовалось, не знали английского слова «evaporate» (испаряться), поэтому ничего не поняли. Они вопросительно посмотрели на машиноподобную немку-официантку.

А она, немка эта, посмотрела на меня и твердым голосом сказала:

– The Austrian beer does not evaporate (австрийское пиво не испаряется).

Арабы, не поняв сути, напряглись. Неказистый мужичок, поняв все, тоже напрягся.

«Ох и дура же ты! – подумал я про немку-официантку. – Могла бы хоть здесь вильнуть!»

Машиноподобная немка-официантка продолжала смотреть на меня обличающим взглядом.

– Do you drink beer? (Ты пьешь пиво?) – спросил я немку.

– Never (Никогда), – ответила она.

– But why are you so sure that the Austrian beer does not evaporate? Only the beer drinker knows it (а почему ты столь уверена, что австрийское пиво не испаряется? Только пьющий пиво знает это), – пошел я в атаку на немку-официантку.

Этот треп на тему испарения пива как-то разрядил инцидент. Арабы, так и не уловив смысл слова «evaporate», недоуменно хлопали веками. Даже «закисший» в кресле старший араб поднял голову. А неказистый мужичок, переключив свои мысли на тему испарения пива, тоже как-то остыл.

– Sit down! (Садись!), – сказала немка-официантка неказистому мужичку.

Тот нехотя пошел на свое место и сел, продолжая злобно поглядывать на арабов. Молодой араб подошел к старшему арабу и стал ему говорить на арабском языке что-то наподобие того, что он сейчас задаст жару этому неказистому мужичку, но старший араб сказал что-то типа того, что «Аллах его рассудит».

А я улыбнулся, посмотрел на всех и громко сказал:

– Smile, my friends! Life is wonderful! (Улыбнитесь, друзья! Жизнь прекрасна!)

Все недоуменно посмотрели на меня... как на дурака посмотрели.

Я возвратился за свой столик. А мысли мои опять возвратились к тому времени, когда я был доверенным лицом В. В. Путина.

Купите мне крылья

Я вспомнил, как наш джип колесил по дорогам Башкирии. За рулем всегда был мой друг и водитель Владимир Иванович Селиванов – очень интеллигентный человек, который, кстати, умеет хорошо одеваться и учит меня этому, приговаривая: «Шеф, ты что? Этот галстук сюда вообще не подходит».

У нас с Венером Гафаровым есть принцип – никогда не отделять водителей от шефов. Поэтому во время предвыборной кампании В. В. Путина мы на все банкеты брали Владимира Ивановича с собой, удивляя глав администраций районов и городов, водители которых мерзли в машинах.

Владимир Селиванов

А еще я распустил слух, что мой помощник и друг Венер Гафаров очень любит татарский бялиш (это почти то же самое, что и русский курник), хотя это не совсем так. И на всех банкетах ему клали самый большой кусок бялиша, приговаривая, что наш, например, буздякский* бялиш значительно вкуснее дюртюлинского.

Пичкали его, короче говоря, бялишами. В конце, когда я открыл Венеру «тайну бялиша», он сказал: «Ты что сделал, а?! Так ведь и разжиреть можно!»

Запомнилось еще то, что полные залы людей действуют как вампиры. После двух выступлений в день сил вообще не остается. Я как-то душой понял артистов и других публичных людей. Наверное, в залах бывает немало аутистов, которые, воспользовавшись тем, что ты, выступая, открываешься (то есть открываешь душу), сосут твою энергию. Лучше бы слушали твою речь, чем, полуприкрыв веки, настраивались на твои вол-

---

* – по названию районов Башкирии.

ны и, настроившись, хапали твою энергию!

Но больше всего мне запомнилось вот что. Однажды, когда мы поехали с агитационной работой в отдаленный Кигинский район Башкирии, мы взяли с собой Свету Аллаярову – нашу медсестру, уроженку этого района, чтобы она проведала своих родителей. Дорога шла по сплошному березняку. За окном автомобиля мелькали белые стволы берез. Одна береза, вторая, третья, четвертая... деся-

Венеру Гафарову предлагают бялиш

тая... сотая... тысячная... Я погрузился в эту красоту. И мне казалось, что за окном мелькают не березы, а мелькают наши прапрапрадеды, которые, обуреваемые розовой-розовой мечтой, шли от березы к березе, осваивая огромные российские просторы, и которые... сейчас превратились в березы – прекрасные русские березы, лучше которых, конечно же, не бывает на свете.

Залы – вампиры

И вдруг во время созерцания березовой красоты я услышал голос Светы Аллаяровой:

– Купите мне крылья!

Я посмотрел на нее. А она, чуть-чуть сконфузившись, тихо повторила:

– Купите мне крылья!

В голубых-голубых глазах этой чистой девушки я прочитал, что она

Купите мне крылья!

тоже прочувствовала русские березы… вернее, поняла тайну берез, ту тайну, за которой скрывается огромная сила Мечты, та сила, которая вселялась в наших прапрапрадедов, которые запрягали лошадь, клали котомку на сани и отправлялись в путь, шагая от березы к березе. Я понял, что она, эта Света, не просто чувствует силу Мечты, а она хочет лететь ей навстречу, лететь на крыльях. У меня стало светло на душе, – я ощутил, что у России есть будущее… поскольку не исчезло желание лететь навстречу Мечте.

Мы, помню, остановились, чтобы подышать воздухом. Походили

Она поняла тайну берез

по обочине дороги туда-сюда… И вдруг я увидел несколько пакетов и бутылок, лежащих на обочине. Мне стало противно.

Землю надо любить

Тем, что на обочинах дорог, по берегам рек, на полянках, в парках и в других местах у нас валяются пустые бутылки, полиэтиленовые пакеты, пачки от сигарет и тому подобный мусор, никого не удивить. Такое свинство стало составной частью нашей жизни.

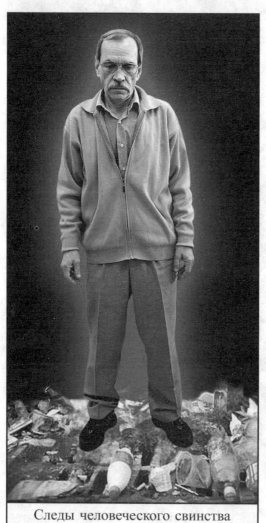

Следы человеческого свинства

Однажды мы отправились в уфимскую лесопарковую, чтобы вместе с женщинами раскинуть на лужайке скатерть, выложить туда закусь (прежде всего яйца, конечно) и выпить водочки на природе, по культурному, разбивая яйца о свой лоб. Но не тут-то было! Везде и всюду валялись бутылки и пакеты. Я, как «природный человек», пометался по лесу туда-сюда, но так и не нашел чистого места. Тогда я полез в высокую траву, думая, что я ее притопчу, и мы сможем раскинуть скатерть на чистом месте, но... увидел целый настил из бутылок, которые уже оплетала травка, как бы стараясь скрыть это безобразие от человеческого взора.

– Какие свиньи! – возмутился я.

Потом я развел костерок и стал сжигать пластиковые бутылки и пакеты. Среди мусора появился островок чистоты.

– Ой, Эрнст, как хорошо водочка-то идет на чистой полянке! – сказала некая Наташа.

А я, будучи еще под впечатлением от человеческого свинства, с негодованием разбил яйцо о свой лоб...

С моим другом Венером Гафаровым мы почти каждую субботу и воскресенье выезжаем на рыбалку и ночуем в палатке где-нибудь на берегу. И как вы думаете, что мы первым долгом делаем? Мы разводим костер, собираем мусор и сжигаем его. Только после этого ставим палатки. Мы даже про-

Отдыхающие «свиньи»

славились этим среди местного населения. Деревенские жители говорят: «Вот приезжают два профессора-медика и убираются после городских отдыхающих свиней, которые водку пьют на помойке».

Обидно и противно это! Люди не ценят и не любят Землю! Как можно загаживать Землю?

Мы с Венером Гафаровым постоянно выезжаем на природу и всегда ночуем в палатке. Хоть ранней весной, хоть поздней осенью. На снегу часто ставим палатки. Во время морозов спим в палатке. Земля тянет к себе. Не в многоэтажке поспать хочется, а на Земле-матушке. Силу она дает, Земля-то.

Венер Гафаров почти каждую неделю мне говорит ноющим голосом:

— Слушай, Эрнст! Давай поехали на рыбалку в пятницу, а?! Ну хоть две ночи в палатке поспим, а! Земля ведь силу дает! А то ведь только одну ночь в неделю спим на земле!

— Ну, Венер, операции в пятницу

Венер Гафаров: — Давай, Эрнст, поехали на рыбалку в пятницу. Хоть две ночи поспим в палатке, а! Земля ведь силу дает!

я закончу поздно. Пока соберусь, пока то да се… На ночь глядя ведь выедем! Ночью приедем. Где дрова-то найдем для костра ночью! Да и, Венер, знаешь что, знаешь…

— Что?

— По пятницам у меня всегда мозговой штурм… науку делаю или книги пишу… Работаю до утра, короче говоря, зная, что завтра я увижу природу, залезу в палатку и… и Земля-матушка снимет всю мою усталость. Ладно уж, поработаю я в пятницу до одури, а! - обычно отвечаю я.

— Эх, Эрнст! — разочарованно вздыхает в ответ Венер Гафаров. — Володя Селиванов и Марат Давлетшин тоже хотят ехать в пятницу. Залегли бы в палатку вчетвером и захрапели бы… на земле. Эх!

Многих людей, как и нас с Венером, тянет на природу. Но меня удивляет, что люди свинячат на земле, даже не задумываясь над этим. От Дьявола, что ли эти люди?

«Экологическими свиньями» являются не только многие российские люди. Маленькая страна Ливан, размером всего-то 200 на 50 км, представляет собой сплошную помойку. Даже знаменитый Баальбекский мегалит весом 2000 тонн был, оказывается, откопан из огромной помойки. Вначале ливанцы, оказывается, просто бросали мусор в то углубление, где находится этот уникальнейший (самый тяжелый в мире!) мегалит, а потом и мусоровозки (грузовики, возящие мусор!) стали втихаря разгружаться на Баальбекский мегалит, чтобы не ездить далеко. Инициативный араб по имени Абд эль Наби эль Афу очистил это место, за что власти разрешили ему там открыть свой магазинчик.

— Каждый день ведь собираю мусор! Каждый день! Бросают ведь! Бросают на самый знаменитый мегалит древности! - помню, причитал инициативный араб Абд эль Наби эль Афу.

А наш гид по имени Алекс добавил:

— А что вы хотите, если один из лидеров Ливана однажды высморкался на землю прямо перед телекамерой!

Знаменитый Баальбекский мегалит и араб Абу эль Наби эль Афу, который инициативно убрал вокруг него мусор

Многие из вас, дорогой читатель, наверное, посещали великие пирамиды Гизы в Египте и видели, сколько мусора валяется вокруг пирамид. Пустынные ветры гонят песок, который частично засыпает этот мусор. Но все равно противно! Как можно бросать мусор вокруг одной из Святынь Мира?! Но делают это не только арабы-египтяне. Делает это в основном международная туристическая братия, которая, возможно, не может проявить свои «свинские качества» в своей родной стране, зато отрывается здесь – у Святыни Мира. Я видел однажды, как один француз, допив пакет с соком, брезгливо бросил его прямо на пирамиду Хеопса, а на мое замечание ответил: «Shut up! (заткнись!)». А египтяне могли бы, вообще-то, поставить вокруг пирамид урны, а не бойко торговать туалетной бумагой при входе в примитивные туалеты, да и могли бы вместо того, чтобы по поводу или без повода выжимать из туристов бакшиш (взятку!),

Как можно бросать мусор вокруг пирамид – одной из Святынь Мира!!

штрафовать их за то, что они бросают мусор… бросают вокруг Великих Пирамид.

А Ливия? Немцы построили там великолепные дороги, вдоль которых вскоре появились бордюры – бордюры из бутылок и пакетов. Если идти по пустыне вне дороги, то везде и всюду видны эти пакеты и бутылки, – ветер разнес их по пустынной земле, обижая ее человеческим пренебрежением, которое, вообще-то, называется свинством.

Но больше всего меня удивила Италия. Если идешь или едешь по северной Италии (в районе Милана) – чистота и порядок, порой даже лучше, чем в Германии. Но если едешь по южной Италии (в районе Неаполя, например), то удивлению твоему нет предела, – бордюры из бутылок и пакетов вдоль дорог, мусор на улицах… парадокс какой-то… И это в одной и той же стране! И не зря в Италии народ все время говорит о желании Северной Италии отделиться от Южной и создать новую страну – Подонию (по названию реки По). А если с северными итальянцами разговориться по душам на эту тему, то они просто начинают кипеть, возмущаясь тем, что они, «северяне», тянут «южан» как на буксире. И возмущает их даже не то, что «каждый уважающий себя южный итальянец должен украсть

автомобиль», а то, что «южане» буквально загадили древнюю землю великой Римской империи – цитадели европейской цивилизации.

Объездив очень много стран и наблюдая за тем, как люди относятся к Земле, я был вынужден сделать вывод, что отношение к Земле не зависит от нации, а зависит от законов и традиций, направленных на осознание и выполнение святого постулата, называемого «Землю любить надо». «Экологические свиньи» встречаются в любой нации. Какой-то дьявольский компонент сидит в душах этих «свиней», подталкивая их к тому, чтобы гордо и брезгливо задрав голову, бросить пустую бутылку на траву или в воду, даже не задумываясь над тем, что Бог сверху видит все и что... возможно... в будущей жизни он пошлет тебя именно в тело

Бог сверху видит все

свиньи, чтобы ты, сладостно хрюкая, вдоволь нарылся в грязи, которую так горделиво, прямо-таки как «Хозяин Природы», разводил в предыдущей жизни в «человеческом» обличье.

Мои наблюдения в разных странах мира привели меня к заключению, что «экологическое свинство» имеет прямое отношение к закону единства и борьбы Личного и Общего. Человек редко гадит у себя дома, а вот нагадить в подъезде – «сам Бог велел», не говоря уж о том, чтобы насвинячить на улице или на природе. Ненавистью Личного к Общему можно назвать «экологическое свинство». А из этого следует, что кроме бескультурных идиотов, «экологическими свиньями» являются чаще всего аутисты-индивидуалисты, живущие в своем

аутист

Ненавистью
Личного к Общему
можно назвать
„ЭКОЛОГИЧЕСКОЕ
СВИНСТВО"

личном (!) внутреннем мирке с пресловутым «королем» в душе, который и диктует дьявольскую ненависть к внешнему миру (Общему!), где, к сожалению, приходится жить и где ты отнюдь не король, а всего лишь «серая мышка», завидующая даже не отдельному человеку, а завидующая аж всему прекрасному внешнему миру, куда тебя и послал Бог в качестве изгоя с гордыней прошлой жизни в душе, которая ну никак не может вырваться за пределы этой «серой мышки», а просто скребет изнутри. Вот и… приходится гадить и свинячить.

Для иллюстрации противодействия Личного Общему мне бы хотелось привести один пример. В Башкирии есть село с красивым названием Хорошаево. На берегу Павловского водохранилища оно стоит среди берез, сосен и елок. Красиво там! На душе становится хорошо, когда туда приезжаешь. Не зря богатые люди построили там свои дачи и коттеджи, чтобы, накопив денег, коротать среди этой красоты остаток своей жизни! На красивых джипах они туда ездят.

От грунтовой (государственной!!!) дороги до деревни Хорошаево 7 км. Вот только проехать эти 7 км очень трудно: грязь, лужи, колея... Поэтому приходится покупать дорогие джипы стоимостью этак по 100 000 долларов, чтобы, как в ралли, преодолеть эти ужасные 7 км и добраться до своего прекрасного коттеджа на берегу.

Дороги...

О, как костерят государство (считай, Общее!) богатеи, живущие в Хорошаево! О, как костерят они местный колхоз, который не построил дорогу туда! О, как неприятно унижаться перед трактористом Колей, протягивая ему 200 рублей, чтобы он вытащил застрявший джип! О, как противно слушать, когда он говорит, что, вытаскивая джип, он сжег солярки на «Беларуси» аж на 500 рублей! О, как омерзительно шагать эти 7 км по осенней грязи в поисках этого самого Коли в ближайшую деревню Дубровку!

Однажды мы ехали на рыбалку в Хорошаево на УАЗике. По пути (в пределах этих злосчастных 7 км) мы увидели севший на пузо джип «Мерседес-Геленваген». Из окна автомобиля выглядывало холеное лицо. Мы подъехали ближе и услышали из окна столько проклятий в адрес местного колхоза, что... на все колхозы Башкирии хватило бы. Когда мы толкали «Мерседес-Геленваген» и дергали его нашим УАЗиком, то никто (богатеи!) из него не вышел. Им, чувствовалось, не хотелось пачкать ноги...

– Машина-то на пузе сидит! Выйдите, а! – заорал мой водитель Володя Селиванов.

Но выдернуть «Мерседес-Геленваген» не удалось. Не хватило сил у УАЗика. Вывозились мы все в грязи. Но и богатеи ноги запачкали, чем нам удовольствие доставили. Порекомендовали мы им, богатеям-то, сходить до деревни Дубровка (всего-то 2 км там оставалось!) и попросить «знаменитого» тракториста Колю пригнать «Беларусь». Богатеи согласились, но... пред-

«Мерседес-Геленваген»

ложили нам 50 рублей (2 доллара), чтобы мы съездили на УАЗике за трактористом Колей.

И тут меня прорвало.

– Ребята! – сказал я. – Здесь всего-то 2 километра до Дубровки. Сходите! Ноги разомните! Грязь помесить тоже иногда полезно! А вообще-то, могли бы вы, собрав деньги со всех жителей коттеджей в деревне Хорошаево, насыпать грунт на этом участке дороги длиной 7 км, а не уповать на бедный колхоз.

И мы уехали на УАЗике, и оставили «Мерседес-Геленваген» прозябать в грязи. Жестоко это было. Но проучить хотелось... богатеев-то. Осень была. Дождь шел.

На следующий день после обеда, когда мы возвращались с рыбалки, то увидели как «Беларусь» тракториста Коли тащит «Мерседес-Геленваген». В окне джипа я увидел уставшее лицо богатея. Чувствовалось, что они – богатые люди – переночевали в джипе, обогреваясь печкой при заведенном моторе, но... в деревню Дубровка (2 км!) пешком не пошли. Только утром, когда совсем приперло, они сходили за трактористом Колей.

Открыв окно УАЗика, я приветливо помахал богатеям рукой.

Но главное здесь в другом. Построить коттедж на берегу стоимостью этак в 400–500 тысяч долларов – пожалуйста! Купить джип «Мерседес-Геленваген» стоимостью этак в 150 тысяч доларов – пожалуйста! А вот вложить этак 10 тысяч долларов в ремонт этих 7 км дороги – никогда! Вот и приходится уповать на захудалый колхоз, где есть деревня Дубровка и где живет тракторист Коля, у которого так мало солярки, так мало...

Давайте, дорогой читатель, зададимся вопросом: почему жители села Хорошаево, где коттеджи растут как грибы на навозе, не скинутся на строительство дороги (длиной 7 км!)... хотя бы самой примитивной дороги, где можно не буксовать, хотя бы на джипе? Почему они плюются в адрес государства и захудалого колхоза? Ответ очень прост, и его можно выразить словами того же Коли из соседней деревни Дубровка, который сказал следующее:

— Они (богатеи!) не могут пережить того, что по дороге от Дубровки до Хорошаево (7 км!) будут ездить не только они, но и мы – колхозники. Жаба их задушит, если я на тракторе «Беларусь» проеду, разбивая... их личную насыпь. Чую, что если бы они на свои личные деньги построили эту дорогу (7 км), то поставили бы шлагбаум с надписью: «Проезд разрешен только богатым людям!»

Оголтелое Личное противодействует Общему. Жаба задушит... если по той дороге, которую ты построил на личные деньги, проедет какой-то колхозник по имени Коля.

«Жаба» эта очень сильна. А суть ее в том, что ушедший в Личное обладатель личного коттеджа, буквально ненавидит Общее... ненавидит потому, что он, вообще-то, будучи посредником, «самоотверженно» вынимал из карманов колхозников и рабочих последние крохи.

А как надувать народ без ненависти-то?!

Эта ненависть к народу, то есть Общему, сидит в душе. И ... как приятно выкинуть через окно автомобиля недопитую бутылку сока «Манго», чтобы они, колхозники, шагая вдоль «общаковой» дороги, увидели, что на свете есть люди, которые могут позволить себе недопить дорогой сок «J-7 Манго». Признаком ненависти к Общему можно назвать бордюры из бутылок и пакетов вдоль дорог.

Давайте, дорогой читатель, задумаемся над вопросом: почему у нас, когда страна буквально «пухнет» от денег, не строятся новые дороги? Каких только отговорок нет: то деньги разворуют, то морозы сильные! Но суть в другом, а именно в том, что государство хочет привлечь к дорожному строительству частные деньги, услаждая слух бизнесменов сладкими речами о платных дорогах. Однако бизнесмен, привыкший получать «быстрые посреднические деньги», склонен скорее построить еще один торговый центр, чем вложить деньги в многолетнюю программу по строительству платных дорог, от которой, как говорится, «народом пахнет»... тем народом, который ты обобрал и который ненавидишь (как Общее!). Только тогда, когда люди перестанут гадить на общественных дорогах, можно надеяться, что частный капитал придет в дорожное строительство. А пока... пока можно надеяться только на Общее (то есть на государство). Народ надо любить, чтобы дороги строить! Ведь не могут же существовать личные дороги, как существуют личные самолеты... того и гляди какой-нибудь тракторист Коля заедет

Народ надо любить,
чтобы дороги строить!

грязными колесами на своей «Беларуси» на личную дорогу олигарха Фрадковича!

Но если мы, дорогой читатель, согласимся с тем умозаключением, что «свинство» связано с протестом Личного оголтелому Общему, то почему же тогда при коммунизме люди свинячили в общественных местах даже больше, чем сейчас, при капитализме? Ведь при коммунизме человек жил в основном Общим! Ответ, мне кажется, очень прост – загнанное в угол Личное ненавидело оголтелое Общее, именно оголтелое Общее, которое не оставляло места Личному и нарушало принцип Гармонии между Общим и Личным. «Вот тебе!» – наверное, приговаривал коммунистический человек, бросая окурок или мочась в подъезде. И это звучало как протест Личного против оголтелости Общего. Это была месть оголтелому Общему.

А почему тогда в Европе и в Америке, где много аутистов-индивидуалистов, чисто? Почему они не загадили все? Ответ на этот вопрос, на мой взгляд, тоже прост: в Европе, как и в Америке, издревле существуют жесткие законы, противодействующие проявлению «свинских качеств» человека, которые уже вылились в нечто более сильное, чем законы, – традиции. Традиции обладают огромной силой, потому что они впитываются с молоком матери. Представьте, например, немецкого пацана – в него с малолетства войдут немецкие традиции, такие как работать не покладая рук, соблюдать чистоту, любить землю и тому подобное, все то, чему его учили мать и отец. И если даже этот немецкий пацан станет аутистом, немецкие традиции, вошедшие в него с молоком матери, будут сильнее, чем его индивидуальное желание нагадить внешнему миру. Сила традиций столь велика, что немецкому пацану даже в голову не придет втихаря где-то обгадить землю, – традиции в виде памяти предков, создавших самую чистую страну в мире, давят. Но если немецкие традиции начать нарушать, то уже в следующем поколении люди начнут гадить на земле; сравните, например, чистоту Восточной Германии, где немецкие традиции были попраны, с чистотой Западной Германии, где они свято сохранялись и явились главным оружием послевоенного восстановления былого величия немцев.

В наш Всероссийский центр глазной и пластической хирургии приезжает много немцев на лечение. И вот однажды я одновременно консультировал двух немцев – некую фрау Фраус из Мюнхена и некого Питера из Лейпцига. Помню, я сказал фрау Фраус:

Как бороться с экологическим свинством?

Жесткие законы, которые позже перерастут в традиции

– Я считаю немцев самой работящей и самой чистоплотной нацией в мире.

– Только западных немцев! – обрезала фрау Фраус. – Восточные немцы нарушили немецкие традиции, они – лентяи и грязнули.

Помню, как восточный немец Питер опустил голову.

Поэтому можно констатировать, что если есть традиции чистоплотности, то они сильнее всякого там аутизма.

Но как привить эти традиции? Конечно же, с помощью законов – очень жестких законов, которые, кстати, помимо тра-

Западные немцы
имеют крепкие традиции
чистоплотности

диций, до сих пор действуют в Европе и Америке. Попробуйте, например, в Европе оставить после пикника на природе грязь и бардак, – Вас тут же «засечет» какой-нибудь гуляющий по лесу и доложит туда, куда надо, за что Вас хорошо оштрафуют. Попробуйте выкинуть пустую бутылку из окна автомобиля, – люди, едущие сзади на машине, запишут номер вашего автомобиля, и вы будете долго врать в разных инстанциях, что им это показалось. Попробуйте выкинуть окурок… Страх перед наказанием заставляет людей не загаживать землю.

И только где-то за рубежом своей европейской страны, где нет таких законов, несчастный аутист может выплеснуть свою ненависть к прекрасному внешнему миру… как, например, тот француз, что бросил пакет из-под сока на пирамиду Хеопса.

Вот и нашей Госдуме стоило бы принять свод законов по охране окружающей среды, где было бы прописано строгое наказание за «экологическое свинство»: не только в отношении промышленных предприятий, сливающих сточные воды, но и за каждую выброшенную бутылку, пакет и даже окурок. Борьбой с «экологическим свинством» должны заниматься все инспектирующие органы: рыбинспекция, охотинспекция, ГАИ, милиция и тому подобное. Их надо наделить правами штрафовать за нарушение экологической чистоты. И пусть здесь будет много несправедливостей, как, например, в работе ГАИ, но зато у людей выработается рефлекс, что за свинство ты можешь получить наказание. Людей сделает культурными только страх. А потом появится привычка не гадить на той Земле, где ты живешь, которая посте-

ЗАКОНЫ
по соблюдению чистоты

Людей сделает
культурными только страх

пенно перерастет в традиции чистоплотности и любви к Земле... как у немцев.

А как обстоят дела с экологией у нас? Честно говоря, Правительство России не только выделило большие деньги на экологию, но и создало в каждом регионе министерства или управления по экологии. Но работают они вот как.

Однажды в наш Центр пришла комиссия по экологии из местного башкирского министерства. Члены комиссии обошли здание Центра, стоящее на краю дикого леса на самом возвышенном месте города Уфы, подышали свежим воздухом, полюбовались на исключительную чистоту наших лужаек и асфальта и... придрались к тому, что мы имеем 8 служебных автомобилей, которые загрязняют воздух. Оказывается, нам, медикам, нужно создать целый отдел экологии, который ежедневно изучал бы выхлопные газы наших легковых автомобилей и составлял сводку на эту тему. Но самое главное, что нам вручили – это огромные отчетные формы, которые мы должны заполнять ежеквартально по принципу «пишу то, не знаю что», да еще и платить приличную сумму по принципу «без нарушений ведь не бывает».

Я, пользуясь возможностями «местного авторитета», вполне понятно, выгнал эту комиссию, сказав, чтобы они окурок не бросили на нашей территории. К тому же я позвонил местному министру экологии и устроил скандал по поводу бутылок и пакетов, которых не замечают новоявленные экологи, подменяя истинную экологическую работу бюрократической вакханалией и «игрой в выхлопные газы». А министр сказал, что такие требования к экологической работе спустила Москва.

Я также помню, как во время рыбалки к нам подъехала шикарная моторная лодка с надписью «Экологическая полиция». И вы думаете, они стали проверять – не намусорили ли мы на природе? Нет. Они придрались к моему охотничьему якутскому ножу. А когда я их спросил про загаживание природы, они даже меня не поняли.

Зато в Башкирии появилась одна молодежная организация, которая инициативно убирает мусор в парках, вдоль дорог и по берегам рек. Вот если бы деньги, отпущенные государством на экологию, отдать этим инициативным ребятам – они бы навели порядок!

Да и пропаганда чистоты нужна! Нужно все время говорить на эту тему по телевизору и радио! Нужно привлекать школьников к наведению чистоты на природе, учитывая еще и то, что какой-нибудь Петя из 6-го «Б», поубирав следы человеческого свинства, сам, когда вырастет, так делать не будет! Нужно создать молодежное движение под названием «За чистую Россию!». Нужно проводить рейды по подъездам, по типу советского «народного контроля»! Нужно создать приемно-сборочные пункты мусора от населения и платить людям за это (по килограммам, например), – люди быстро очистят землю…

да и бомжи приучатся работать!

Вот чем должно заниматься министерство экологии, а не производить «бумажный мусор»! Да и министерство по делам молодежи могло бы взяться за реальную работу в этом направлении, а не вести треп на тему национальной молодежной идеи. Но главное, кто бы мог подвиг-

За чистую Россию!

Петя из 6-го «Б», поубирав следы человеческого свинства, сам так делать не будет

нуть наш народ к борьбе за чистоту Родины – это лидирующая партия, потому что, если в идеологию партии внести девиз «За чистоту Родины!», то это будет звучать как «За Любовь к Родине!».

Мы, живущие на Земле и находящие главную радость в перемывании косточек звездам шоу-бизнеса, даже не хотим понять того, что мы не просто дети Земли, а ее родные клеточки, которые должны с любовью служить огромному и прекрасному организму, называемому планетой Земля. Земля ведь живое существо! Представьте, что на Вас – человека – плюют, сморкаются, кидают в Вас мусором! Противно будет ведь, а?! Также и Земле противно.

Земля дает силу только тем людям, кто ее любит... как некогда дала силу русскому мужику, который только за счет этой силы смог освоить огромную Сибирь. Вот и нам бы, современным людям, надо бы меньше болтать на тему возрождения России, а начать это возрождение с наведения чистоты и порядка на гигантской российской территории.

Широка страна моя родная

Да, мы уже далеко не наши прапрапрадеды. Моща человеческая не та. Но память предков давит. Давит сильно. Да и подарок прапрапрадедов в виде огромной российской территории ко многому обязывает. Мы, обуреваемые памятью предков, много дискутируем о трех маленьких островах Курильской гряды, хотя вскоре можем потерять весь Дальний Восток, а за ним и всю Сибирь. Люди уезжают оттуда, уезжают потому, что они оторваны от центра России, оторваны потому, что цены на авиабилеты внутрироссийских рейсов намного превышают цены на международные рейсы. Например, слетать из Москвы до Нью-Йорка и обратно дешевле, чем долететь в одну сторону из Москвы до Владивостока.

А помните, как было при Советском Союзе? Билет «Уфа–Москва» (1200 км) стоил 27 рублей, а билет «Уфа–Петропав-

Подарок наших прапрапрадедов

При СССР ценовая политика была направлена на сохранение
целостности огромной страны

ловск-Камчатский» (7300 км) стоил всего-то 139 рублей. Ценовая политика была, политика, направленная на сохранение целостности огромной страны. Да и солидные надбавки к зар-
плате жителям отдаленных районов существовали. Ведь человек может, например, заболеть и ему надо лететь в Москву. А билет стоит дорого!

Частные авиакомпании, принцип работы которых направлен
только на прибыль (считай, на жадность!), могут развалить Россию. Нужно создавать мощную государственную или полуго-
сударственную авиакомпанию по типу советского «Аэрофлота», которая могла бы устанавливать цены на билеты с точки
зрения сохранения целостности огромной страны. Нефтяных
денег у нас полно, в народ их пускать пора, ведь карманы олигархов не заполнить никогда только потому, что они больны денежной шизофренией.

К тому же надо отметить, что многие страны уже давно отошли от «авиационного бардака» в виде мелких частных компаний и создали единые государственные или полугосударственные (то есть когда контрольный пакет акций находится в руках

государства) компании; это германская «Lufthansa», это финская «Finair», это японская «Japanair» и другие.

Недавно я видел интервью с первым заместителем Председателя Правительства России Сергеем Ивановым – великолепным мощным политиком, которому президентом поручено преобразовать всю систему воздушных сообщений в стране. Он сказал, что сейчас в России существует около 200 авиакомпаний, которые он старается укрупнить и довести их число хотя бы до 40–50 авиакомпаний.

О, как трудно это сделать С. Б. Иванову! Ведь во время правления Ельцина по сути дела бесплатно были присвоены самолеты, что называлось «приватизацией воздушного транспорта». Попробуйте выдрать их обратно! Владельцы самолетов костьми лягут, чтобы не отдать их обратно государству. В суд подадут. Адвокатов наймут. Депутатов Госдумы будут подначивать на лоббирование их интересов.

А страна должна иметь не 40–50 авиакомпаний, а максимум четыре-пять, да и то с контрольным пакетом акций у государства, чтобы можно было ввести государственное регулирование цен на билеты в интересах сохранения целостности огромной страны. Вот и придется, видимо, государству выкупать эти старенькие самолеты у тех людей, кто получил их в качестве «ельцинского подарка». Конечно, этих ловкачей начала девяностых надо поджать так, чтобы треск стоял, но… заплатить им, наверное, придется. Таковы законы рынка. Но если мы даже потратим деньги ради создания нескольких мощных авиакомпаний, это будет иметь смысл – мы страну сохраним от развала.

Человек бизнеса редко бывает патриотичным. Человек бизнеса думает только о прибыли. Человеку бизнеса нельзя доверять такие стратегические направления, как авиация. Человек бизнеса никогда не будет думать о будущем страны, он будет думать только о своем личном будущем. Человек бизнеса будет гонять уже списанный ТУ-134 до того момента, пока тот не упадет. Человек бизнеса будет покупать почти уже списанные «Боинги» и будет их гонять, пока они тоже не упадут. Человек бизнеса никогда не вложит свои деньги в авиационную промышленность, потому что он хочет получать прибыль немедленно. Остается надеяться только на государство… где так много чиновников с протянутой рукой, но где появились уже такие люди, как С. Б. Иванов, которые не о себе, а о стране думают.

Давайте, раз уж мы коснулись авиации, зададимся вопросом: почему рейс Уфа–Хургада (Египет), туда и обратно стоит всего-то 500–700 долларов с 10-тидневным пансионом в отеле на берегу Красного моря, а рейс Уфа–Москва туда и обратно стоит столько же (без льготного тарифа), хотя расстояние от Уфы до Хургады в 3 раза больше? А где же экономические расчеты, связанные со стоимостью топлива? Но дело оказывается не в стоимости топлива, а в так называемом «феномене необходимости», который и эксплуатируют законы рынка.

В чем суть «феномена необходимости»? Лететь из Уфы в Хургаду необходимости большой нет – можно ведь и не поваляться на пляжах Красного моря, а провести отпуск на берегу озера где-то в Башкирии. А вот лететь из Уфы в Москву, как правило, есть большая необходимость: то ли в командировку, то ли на лечение, то ли еще за чем-нибудь. И именно эту «необходимость» используют законы рынка, вздувая цены, пользуясь тем, что человеку позарез нужно лететь. У людей чаще возникает необходимость летать внутри страны, чем за рубеж… потому и цены на внутренние рейсы намного выше, чем на международные…

хотя (тоже, кстати, по законам рынка!) можно было бы увеличить количество рейсов, а не поднимать цены.

Рынок должен быть регулируемым! Государству, а именно Министерству (или агентству) авиации, нужно устанавливать лимиты цен на те или иные рейсы и следить за их выполнением. Не то вскоре перелет Уфа–Москва» будет стоить столько же, сколько перелет Москва–Буэнос–Айрес. Пусть владельцы авиакомпаний вынут свои денежки из «чулков» и купят новые самолеты, увеличив количество рейсов, чем привычно прикажут бухгалтеру: «Увеличьте цену билетов на 30%!»

К нам, во Всероссийский центр глазной и пластической хирургии, приезжают больные со всей России и всего мира. На иностранцев я смотрю нормально, так как цены на международные рейсы нормальные, а вот на больных с Дальнего Востока я смотрю как на героев, – какие же деньги они выложили, чтобы добраться до Уфы!

Законы рынка основаны на конкуренции. Конкуренция может быть между двумя киосками, стоящими рядом и торгующими идентичными товарами. А какая конкуренция может быть в авиации, когда, например, Уфу соединяют с Москвой всего-то четыре-пять рейсов? Самолеты, это Вам, не киоски! Цены надо регулировать!

Вы, дорогой читатель, пытались когда-нибудь добраться на самолете, например, из Уфы до Нижнего Новгорода или из Казани до Челябинска? Поверьте, это у Вас не получится. Нет таких рейсов. Потому что не осталось малых самолетов. Потому что все авиакомпании летают в основном в Москву, а оттуда, как через перевалочный пункт, еще куда-либо. Вот и до Нижнего Новгорода из Уфы можно добраться на самолете только через Москву. Зато авиакомпании имеют двойную прибыль.

Имело бы смысл, кстати, взять под крыло государства все большие перелеты, а местные авиалинии отдать на попечение бизнесу, поставив конкретные задачи перед ним: например, обеспечить перелеты из Уфы в Нижний Новгород. Наверное, такой бизнес вскоре привьется… если лишить частные авиакомпании самых прибыльных рейсов на Москву.

То же самое можно сказать в отношении железных дорог. Ну какая конкуренция может иметь место при пассажирских перевозках по железной дороге? Не проведешь же по пять железных дорог к одному населенному пункту, чтобы пассажир мог купить более дешевый билет у одной из пяти конкурирующих железнодорожных компаний! Хотим мы того или не хотим, мы

МОНОПОЛИЯ

Железные дороги

должны признать, что существует железнодорожная монополия, которая по законам рынка будет, естественно, повышать и повышать цены на билеты, чтобы иметь большую прибыль. Дошло ведь уже до того, что стоимость железнодорожных билетов кое-где сравнялась со стоимостью билетов на самолеты. И все из-за того, что многие люди боятся летать самолетами, особенно сейчас, когда летают такие развалюхи, такие развалюхи... как списанный 20 лет назад ТУ-134.

Как понизить цены на железнодорожные пассажирские перевозки? Ответ тот же – только с помощью государственного регулирования цен на билеты.

Сейчас многие страны стараются ввести регулируемый рынок. И многие страны добились успехов в этом. Например, Канада. Не говоря уж о Японии.

А нам, имея такой подарок прапрапрадедов, как безбрежная Россия, нужно не просто стараться ввести государственное регулирование цен, а надо обязательно это сделать, чтоб какой-нибудь заболевший Иван Петрович Сидоров из Комсомольска-на-Амуре, купив на свою пенсию билет до Москвы, почувствовал, что государство заботится и о нем, а не только о карманах бизнесменов... которые такие глубокие, такие глубокие, что глубже карманов не бывает на свете. Да и люди тогда поедут жить в Сибирь и на Дальний Восток... поедут с верой в государство, которое они будут называть гордым словом «Россия». А то ведь люди сейчас уже поговаривают о том, что существует какой-то, то ли масонский, то ли «ЦРУ-шный» план развала России, в основе которого лежит коммерческий беспредел с ценами на билеты. Люди вспоминают, что в советские годы даже студент мог ездить в Сибирь, что сейчас стало уделом богатых людей, или людей, прижатых «феноменом необходимости».

Мечта неказистого мужичка

Думая обо всем этом, я сидел в международном венском аэропорту. Неказистый мужичок допил последний глоток пива. Арабы облегченно вздохнули.

Наступило время расплачиваться за кружку пива. Но неказистый мужичок сидел, уставившись в точку. Мысль какая-то его глодала. Брови его сошлись на переносице. Желваки заходили на скулах. Он даже поднял верхнюю губу к задранному наверх носу. Чувствовалось, что плохая мысль его глодала.

Арабы облегченно вздохнули

Но через пару минут лицо неказистого мужичка просветлело. Ухмылка заиграла в уголках губ. Он даже без презрения посмотрел на арабов. Какой-то мечтательный блеск появился в глазах. Светло у него, чувствовалось, стало на душе.

Однако еще через пару минут лицо неказистого мужичка снова напряглось. Брови опять сошлись на переносице. Разбитая нижняя губа презрительно оттопырилась. Я понял, что поганая мысль, которая глодала неказистого мужичка, снова возвратилась. Он даже три раза пристукнул пальцами по столу.

А еще через пару минут неказистый мужичок помотал головой, как бы отгоняя поганую мысль, которая заглодала его.

Неказистый мужичок мечтает

И это ему удалось. Лицо его опять просветлело. Он даже подпер свой бычий подбородок ладонью и мечтательно посмотрел куда-то вдаль. В его глазах я прочитал что-то розовое и возвышенное, то розовое и возвышенное, что должно было состояться, обязательно состояться... ведь мечты имеют одну особенность – они сбываются. Неказистый мужичок даже улыбнулся.

Арабы заметили улыбку неказистого мужичка. Старшему арабу она не понравилась. Ему, видимо, показалось, что неказистый мужичок насмехается над тем, что он, вдавив араба в кресло дном какой-то поганой пивной кружки, не получил сдачи. Старший араб сказал молодому арабу что-то типа «Ды-ды-ды», в связи с чем молодой араб состроил рожицу неказистому мужичку. Но тот этого не заметил. Он весь был в мечтах.

— О чем же мечтает этот неказистый мужичок? — задался я вопросом. — Может быть о том, что неразделенная любовь будет ответной? А может быть о том, что… он сам станет женщиной, той женщиной, которую полюбит такой же, как он сам… но с мужскими глазами? А может быть…

Я перевел взгляд на машиноподобную немку-официантку. Я увидел, что она тоже периодически наблюдает за неказистым мужичком, ведь когда кружка пива выпита, пора уже расплачиваться или заказывать вторую. Но неказистый мужичок не торопился.

Тогда немка-официантка сама подошла к нему и спросила его: «Та-та-та-та?», из чего я понял: «Вы расплачиваться будете или вторую кружку заказывать?»

Неказистый мужичок, с глаз которого еще не сошла мечтательность, гордо сказал: «Па-па-па», что я понял, как: «Я буду платить». Он полез в карман за кошельком.

И тут немка-официантка с металлическими нотками в голосе произнесла то, что я четко расслышал:

— Five dollars, please (Пять долларов, пожалуйста).

Неказистого мужичка как плетью огрели.

— Five dollars?! (Пять долларов?!) — громко воскликнул он.

— Yes (да), — механически ответила немка-официантка.

— Five dollars?!!! (Пять долларов?!!!) — еще раз вскричал неказистый мужичок.

— Yes, of course! (Да, конечно!) — опять-таки механически ответила немка-официантка.

– No, no, no! (Нет, нет, нет!) – прорычал неказистый мужичок и отвернулся.

Арабы с ухмылкой наблюдали за этой сценой.

А машиноподобная немка-официантка, постояв еще мгновение, удалилась, не забыв сказать: «Пять долларов, пожалуйста!»

Неказистый мужичок сидел, обиженно отвернувшись, и напоминал мне одну из двух поругавшихся доярок, о которых я писал выше. Чувствовалось, что он отвернулся не просто от обиды по поводу цены пива, а отвернулся от всего этого мира, где столько несправедливостей, столько… Разве этот мир, где ходят всякие там машиноподобные женщины, может понять мечту человека? Разве может? Разве може-е-е-т?!!! Да не может этот мир уже мечтать! Не может! Не може-е-е-т! Этот мир превратился в мир роботов, в мир человеко-машин! В этом мире даже из кружки пива хотят выжать большие деньги! В этом мире только деньги ценятся! В этом мире мечта умерла… у-мер-ла!

Я обратил внимание на чисто бабский поворот головы неказистого мужичка. Мощные мышцы его шеи напряглись, не давая голове повернуться еще дальше. Вена на шее пульсировала. Испарина на лбу выступила. Волосы даже стали шевелиться. Но во всем этом облике была видна обиженная баба, самая натуральная обиженная баба, которой так тоскливо жить в мужском обличье, что… только мечтать остается.

Арабы продолжали ухмыляться

И тут неказистый мужичок взял в руку пустую кружку пива, повертел ее в руке и с грохотом поставил на стол.

Я начал сомневаться по поводу возвышенности его мечты, той мечты, которая может быть нелепой и дурной, но которая обязательно должна быть высокой и светлой, напоминая сказку.

Я еще понаблюдал за неказистым мужичком и вдруг понял, что он мечтал... о дешевом австрийском пиве... всего-то навсего.

Арабы продолжали ухмыляться.

Мне стало грустно. Я поморщился.

Бик айбат кеше

Я снова погрузился в свои мысли. А они опять привели меня к закону единства и борьбы Общего и Личного, о чем я писал выше. И вдруг я почувствовал, что не только этот закон объясняет многие причуды нашей жизни, а существует еще что-то очень важное, то важное, что действует не только внутри нас, но и в пределах целой страны и даже мира. Я задумался.

И тут я вспомнил один любопытный случай. В общем, работает в нашем Центре операционной сестрой некая красивая девушка по имени Лилия. Татарка она. Мы с ней обычно по-татарски разговариваем. Толковая она и работящая. Деревенская. Из деревни, где женщины только доярками работают, вышла и сама, без всякой протекции, стала аж медсестрой. Когда она в свою деревню приезжает, то все местные доярки на нее как на профессора смотрят. А Лиля к тому же сама поступила в Башкирский Государственный университет и вскоре закончит его, после чего ее односельчанки-доярки будут смотреть на нее, наверное, чуть ли не как на академика. В общежитии она живет, Лиля-то, аж в самой Уфе. Счастливая, значит. В общежитии-то тепло.

Но главная особенность Лили в том, что она беспредельно романтична, столь романтична, что возникает ощущение, что она живет не головой, а душой... хотя голова у нее тоже на месте. Ее уста вроде как открывает не мысль, а открывают чистые чувства, исходящие из души. Поэтому она порой говорит такие глубокие фразы, пропитанные такой мудростью, что аж дух захватывает. Глаза у нее часто на мокром месте. Не замужем она.

И вот однажды я начал сводить ее с одним очень хорошим парнем, да не просто с хорошим парнем, а с мощным, симпатичным и сильным мужиком, с которым, как говорится, пойдешь в разведку. Лиля ему понравилась. И он ей тоже.

Процедуру сведения я начал с того, что отправил их обоих в магазин, чтобы они подыскали двум нашим серьезным сотрудникам подарки на день рождения, да и в придачу дал им 2000 рублей (примерно 80 долларов), чтобы Лиля купила себе кофточку. Ездили они долго и приехали с хорошими подарками.

Но удивило меня вот что. Лиля, надев новую красненькую кофточку, заплакала, сказав:

– Мне никогда еще никто ничего не дарил. Спасибо! Спасибо! Вот... вот... у меня с 2000 рублей осталось 500 рублей (20 долларов)... их Вам, Эрнст Рифгатович, обратно вернуть?

– Да ты что! – запротестовал я. – Коф-

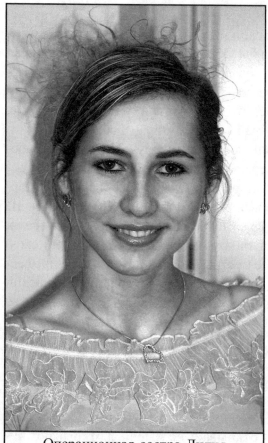

Операционная сестра Лилия

точка – это и не подарок вовсе, а просто так – в придачу, чтобы тебе, Лиля, другим людям подарки покупать не обидно было.

– Это подарок! – отрезала Лиля и снова заплакала.

Помню, я в тот момент на мгновение закрыл глаза и представил зажравшихся московских шоу-теток, которые «поют душой» и которым богатые бизнесмены, чтобы показать всему московскому бомонду широту русской бизнес-души, покупают «Мерседесы», получая за этот подарок кривую усмешку с игривым поцелуем в щечку, добавляя к чмоку «искреннего» поцелуя звук «м-м-а!».

Но суть этого рассказа не в этом. Суть в другом. Через некоторое время после их знакомства, когда у меня начала проходить досада оттого, что эта кофточка-подарок оказалась, вообще-то, нелепым поступком с моей стороны в тонкой процедуре сведения, я спросил Лилю:

– Как дела с… ним? Хорошо?

– Хорошо… только вот…

– Что – «только вот»?

– Ну-у… – Лиля смутилась.

– Что «ну»?

– Ул бик айбат кеше (он очень хороший человек), – ответила она мне по-татарски.

– Ну-у… – тут уже смутился я, – это же хорошо, что он очень хороший человек! Он тебе нравится?

– Ул бик айбат кеше (он очень хороший человек), – отрешенно промолвила Лиля.

Я совсем растерялся.

– Не могу тебя понять, Лиля, – сказал я, – ты говоришь «бик айбат кеше» (очень хороший человек) чуть ли не в отрицательном смысле. Это же хорошо, что он «бик айбат кеше» (очень хороший человек)! Понимаешь?

– Понимаю… – Лиля опустила голову.

– У Вас скоро возникнет любовь… – продолжал настаивать я.

Операционная сестра Лиля: — Ул бик айбат кеше (он очень хороший человек)!

– Ул бик айбат кеше (он очень хороший человек), – как завороженная, опять проговорила она.

На этом наш разговор закончился.

– Что она как заведенная повторяет – «бик айбат кеше», да «бик айбат кеше»? – думал я. – Что, плохого в том, чтобы быть «бик айбат кеше», то есть очень хорошим человеком?

Но я чувствовал, что ее устами говорит ее душа, та душа, в глубинах которой сокрыта не просто вековая мудрость, а какие-то непонятные нам божественные постулаты, во многом определяющие нашу жизнь. И только редкие люди, которым Бог дал счастье жить душой, могут озвучить то, чего они, в общем-то, сами и не понимают. Но даже одна фраза такого романтичного и чистого человека порой стоит больше, чем целый учебник философии.

История с «бик айбат кеше» зацепила меня. Я поделился ею с моими друзьями и коллегами. И вдруг после моего рассказа один из них воскликнул:

А я ведь стал «бик айбат кеше»!

– А я ведь стал «бик айбат кеше»!

И он рассказал нам свою историю. В общем, у него завязалась любовь с одной незамужней девушкой. Романтичная... до беспредельности! На крыльях они летали, когда видели друг друга. Улыбки с лиц не сходили. Целовались, конечно, на полную катушку. Мир стал розовым.

Но через какое-то время у девушки появились мелкие семейные проблемы, которые, как говорится, и выеденного яйца не стоят. Девушка начала «плакаться в жилетку» своему любимому человеку. А он, любимый, сопереживал ей и гладил ее по го-

Он гладил ее и жалел, гладил и жалел...

ловушке, жалея. Гладил и жалел. Гладил и жалел, приговаривая: «Ну как тебе помочь-то, а?!»

И вдруг этот мощный парень, который жалел свою девушку, почувствовал охлаждение с ее стороны. Вначале ему думалось, что это ему показалось. Ведь он делал все, чтобы облегчить душу девушки, выслушивая ее проблемы (которые, кстати, выеденного яйца не стоят!!!). Но вскоре он заметил, что глаза любимой девушки стали стекленеть, и в них исчезло то свечение, которое дает Энергия Любви. Парень понял, что у нее начала проходить любовь к нему. Он начал грустить, но компенсировал свою грусть тем, что еще больше внедрился в ее мелкие семейные проблемы и стал еще больше жалеть ее. И чем больше он ее жалел, тем больше стекленели ее глаза. Вскоре он заметил, что ее раздражает даже то, что он ее жалеет. А еще через какое-то время девушка при его виде начала фыркать. Он подумал, что у нее появился другой, но это оказалось не так. И наконец девушка сказала ему: «Ты прямо-таки как мой папа!» С оттенком сарказма сказала.

Это, конечно, обидело парня, и он закатил ей скандальчик, не злой такой скандальчик, с негромкими выкриками типа: «Ты за кого меня принимаешь, а?!» И вдруг в глазах любимой девушки он уви-

Она сказала: – Ты прямо-таки как мой папа!

дел ненависть к себе, самую натуральную ненависть. Это его вначале удивило, поскольку он ведь делал ей только хорошее и так жалел ее, так жалел, что сильнее жалеть, возможно, никто не мог на всем белом свете. Но осадок в душе остался. Поганый такой осадок!

Этот осадок проявился на следующий день, когда он вдруг не стал слушать привычное уже нытье любимой девушки, а пресек его и стал заниматься своими делами. Девушка вначале посмотрела на него недоуменно, а потом лицо ее покраснело и она, с нескрываемой ненавистью в голосе, сказала: «Слушай, папаня…» С желанием обидеть сказала этому молодому парню.

С этой обидой парень провел всю ночь. Не спал, конечно. А ночью, когда все кружилось в голове и стало облекаться фантастическими картинками ее измены, он решил вызвать у нее ревность. Ничего умнее не придумал, конечно.

Встретившись с девушкой, он достал свой мобильный телефон и стал его вертеть в руке, делая вид, что ожидает очень важного звонка. Девушка насторожилась. Долгожданный звонок раздался… так как парень договорился с одной женщиной-другом, чтобы она по-

Он решил вызвать у нее ревность телефонным флиртом

звонила ему именно в это время. Парень начал телефонный флирт на виду у любимой девушки, приговаривая: «Да что ты! Что ты! Я всегда тебя, Ирина, самой красивой считал!»

Телефонная авантюра возымела свое действие. Любимая девушка закатила истерику, разбила чашку, разрыдалась, но... когда стала успокаиваться, опять с ненавистью посмотрела на своего парня и сказала: «Я ведь к тебе лучше, чем к своему папе отношусь... у меня ведь никого ближе нет. А ты?!!!»

Уже надоевшее слово «папа» не давало этому парню покоя.

– Я ведь не намного старше ее! Что она, охренела, что ли?! Зарядила – папа, папа!.. – думал он. – Может, я старо выгляжу, а?

На следующий день девушка, превозмогая негодование в душе, попыталась возвратить своего парня на накатанные рельсы смакования ее нытья по поводу ее семейных проблем (которые и выеденного яйца не стоят!) и даже положила его крепкую волосатую руку на свою голову, чтобы он, как всегда, ее гладил. Но он, пару раз погладив ее волосы, убрал руку. Не получилось у него быть таким – вечно жалеющим – на этот раз.

Она истерично закричала: – Я ненавижу тебя!

Девушка подняла на него глаза и увидела... стеклянные глаза своего парня. Она поняла, что он больше не хочет ее жалеть.

Глаза ее сузились. Она вскочила и истерично закричала:

– Я ненавижу тебя, ненавижу, ненавижу!!!

Но конец этой истории, дорогой читатель, не столь печален. У девушки пару месяцев поклокотало в душе. Она похудела и стала напоминать жердь. А потом потихоньку стала налегать на манную кашу и на печенье «Юби-

— Какая же я была дура!!!

лейное», после чего у нее вернулись кое-какие формы, но свежесть лица так и не возвратилась. Наконец она поняла, что ее семейные проблемы и в самом деле выеденного яйца не стоят и что она зря докучала нытьем своему любимому парню, превращая его в «бик айбат кеше», который бы гладил ее по головке и жалел, гладил и жалел… Она даже воскликнула пару раз: «Какая же я дура была!» Но подойти к нему у нее не хватало духа. Вскоре она все же решилась и сделала это. Парень, конечно, все понял и радостно хлопал глазами… вот только в его глазах оставался легкий стеклянный отблеск – оттенок того, что он не так давно был переведен в ранг того, что на татарском языке называется «бик айбат кеше» и переводится на русский как «очень хороший человек», которому так приятно «плакаться в жилетку», но…

История эта, дорогой читатель, еще не закончилась. Любовь ведь крепкая штука. Да и слово «прости» обладает немалой силой. К тому же, как говорится, время лечит. Однако не все зависит от нас. Бог рассудит, исходя из того, почему же искренне любящего человека превратили в «бик айбат кеше», которого… так трудно любить.

Феномен «бик айбат кеше» еще сильнее увлек меня. Я стал размышлять об этом. Я вспомнил одну весьма длинноногую особу с капризным ртом, которая как-то в разговоре по душам рассказала мне о себе. Из ее рассказа я понял, что муж ее уже давно «бик айбат кеше», который так надоел тем, что он каждую ее прихоть исполняет, что… даже порой хочется, чтобы он побил ее, суку такую, показав, что он – настоящий мужчина, а не этот самый… как его… «бик айбат кеше». Она еще рассказала, что от душевной скуки завела себе любовника, которого, к сожалению, не удержавшись, по накатанной колее… быстренько опять превратила в «бик айбат кеше». Длинные ноги, и особенно капризный рот, в этом помогли. А я, к счастью, удержался и не превратился в «бик айбат кеше»… капризный рот меня нервировал.

Специалистка по превращению мужчин в «бик айбат кеше»

Я вспомнил еще одну весьма внешне интересную особу с ласковым взглядом стервозных глаз, которая обладала тем, что в народе называется словом «чары». Виртуозом чар можно было назвать эту женщину. Она, конечно же, очаровала того, кто стал ее мужем и, естественно, превратила его в «бик айбат кеше». Но на этом дело не кончилось. Она стала очаровывать других мужчин, добиваясь не только превращения их в «бик айбат кеше», но и того, чтобы новоявленный «бик айбат кеше»... сам разрушил свою семью. Несколько семей разбила эта ведьма. Кроме того, она делала так, чтобы все это доходило до ее мужа, и он страдал... ведь, будучи уже пе-

Как здорово, что такие женщины быстро стареют!

реведенным в ранг «бик айбат кеше», он уже никуда не мог деться, стоило лишь, когда он поднимал голову, применить свои чары.
К счастью, эта женщина как-то быстро постарела, а я, злорадно
так, намекнул на появившуюся у нее сеточку морщин под глазами. С удовольствием это сделал, понимая, что Бог послал эти
морщины как противодействие дьявольским чарам. О, какая мощная реакция была на этот намек! Буря какая-то! А я опять-таки

Древние легенды

Испытание чарами

злорадно пока-
зав взглядом на
ее морщины,
тихим голосом
добавил: «Ком-
плексовать пора!
Ведь уже…».
И поделом!
Ведь шлейф раз-
рушенных судеб
тянулся за этой
женщиной.

Отвлекаясь,
мне бы хотелось
сказать Вам, до-
рогой читатель,
что понятие
«чары» весьма
осуждаемо в
древних сказа-
ниях и легендах.
Взять хотя бы
алтайскую ле-
генду о подзем-
ном мире,
где говорится:
«Только богаты-

и, умеющие принимать бестелесную форму, могут пройти через узкие проходы и войти в подземный мир, где плещется желтое море, в центре которого находится дворец хозяина подземного мира Эрлика. Чтобы дойти до него, надо пройти по волосяной нити через море, когда девять дочерей Эрлика будут своими чарами испытывать пришельца. Только тот, кто устоял перед чарами, встретится с самим Эрликом». Так что чары, господа, есть не синоним слова «привлекательность», а есть нечто дьявольское, перед чем надо устоять… чтобы не превратиться в «бик айбат кеше», которого в обезличенном варианте «положат в карман» и будут относиться как к игрушке.

Богатые люди чарами, как известно, не обладают. Они чаще обладают жадностью, в которую порой вложена даже большая дьявольская страсть, чем в чары. А как накопить денег-то без жадности?! Поэтому те «очаровашки», которые охотятся прежде всего за богатыми мужиками, стараясь превратить их в подручного «бик айбат кеше», очень часто терпят неудачу. Жадность спасает богатеев от нелегкой судьбы «бик айбат кеше».

Тем не менее феномен «бик айбат кеше» присутствует и в жизни богачей. Но он другой. Представьте, дорогой читатель, что у Вас очень много денег. До фига их, денег-то! Но жадность не позволяет их Вам профукать, в связи с чем Вам приходится их копить с непонятной в будущем целью. Эта самая «цель» каждую ночь цепляет Вас, богача, и с каждым вкладом личных денег в банк становится все более значимой.

– Для чего коплю-то, а?! – думается каждую ночь богачу.

Я, дорогой читатель, изучал богачей, раскручивая их на откровенные разговоры о жизни. Они, конечно, молчат, как партизаны! Но, когда выпьют дармовой водки, начинают приоткрывать свою «душевную форточку», через которую становится видна их знаменитая «цель». Статистика исследования богачей (за дармовой водкой!) показала, что эта «цель» имеет всего-то два аспекта: «я коплю на черный день» и «я коплю на будущее детей». Причем второе встречается чаще.

Ребенок, вообще-то, есть самопрогрессирующее начало

Дети, конечно же, святое. Но.. Ребенок ведь, как и любое живое существо, зарожден Богом как само прогрессирующее начало. То есть он должен увидеть трудности, преодолеть их и добиться чего-то сам. А тут – он обеспечен на всю жизнь за счет активности своих родителей. Что будет делать ребенок, который еще недавно прошел горнило очистки души на Том Свете? У этого ребенка, несмотря на увещевания родителей, учащих «правильно жить», возникает протест – глубинный детский протест. И этот протест будет выливаться в то, что ребенок богачей будет стараться быть похожим не на своих родителей, методично устраняющих все трудности на жизненном пути своего отпрыска, а на обычных пацанов или девах, у которых уже появляются признаки подростковой любви и много другое счастливое, что потом вспоминается как «босоногое детство». «Босоногое детство» многого стоит, господа! Это тебе не детский отдых на Канарских островах или южном берегу Испа

ии! А если
ебя, отпрыска
огатых людей,
аправили еще
учиться в Ок-
форд, с детства
рививая тебе
литарность, то
оска по «босо-
огому детству»
тановится про-
то нестерпи-
ой. О, как гор-
о выглядят де-
очки в деше-
еньких джин-
ах! Они, эти
евочки, о люб-
и говорят, что
ебе – элитарно-
у – не позво-
ено! Они, эти
евочки, не вос-

Счастье босоногого детства

ринимают твоих рассказов о прелестях Канарских островов,
оглядывая на тебя не просто как на чужака, а чуть ли не как на
ришельца из космоса! Им, этим девочкам, «до фени» эти са-
ые Канарские острова, их, видите ли, любовь и «босоногий
омантизм» интересуют! Вот и тоска появляется… тоска чужо-
о для общества элитарного ребенка! Вот и хочется порой по-
лать своих богатых родителей на те три буквы, которые эли-
арный ребенок выучил, встречаясь с теми, кто ему не ровня,
а так послать… послать потому, что его родители переступи-
и божественные принципы жизни и с детства начали воспи-
ывать в своем ребенке самый страшный грех – Гордыню… под

лукавым прикрытием понятия «элитарность». Детская, еще чи
стая душа шепчет, что быть «элитарным ребенком» позорно, н
родители… эти тупые родители… причитают и причитают: «Де
лай так! Делай так! Делай так!» Вот и приходится тебе – по
сланному на испытание элитарностью – порой срываться, за
разившись венерической болезнью в подъезде от бомжихи ил
пугая своих учащих жить родителей словами: «Я ведь, папа, сей

час жизнь само
убийством за
кончу!»

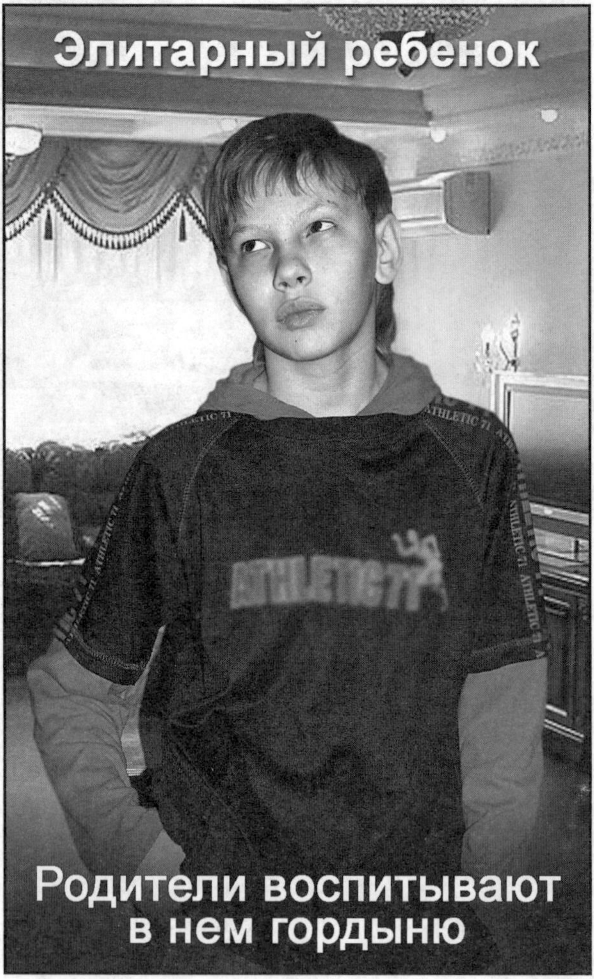

Но само
страшное буде
потом. Элитар
ный ребенок вы
растет. В его душ
вселится душев
ная грязь. Но вос
поминания «об
деленного дет
ства» (элитарно
стью, конечно
останутся и буду
давить тяжелы
грузом, тем глу
бинным грузом
за которым сто
внутренняя оби
да на то, что е
богатые родите
ли воспитали
нем страшны
грех – Гордь
ню… воспитал
ради того, чтоб

Элитарный ребенок

**Родители воспитывают
в нем гордыню**

...х деньги, накопленные на много жизней вперед, не пропали, а ...ередались… с «родительской любовью»… своему чаду, которое ...олжно быть пожизненно богатым, а значит и счастливым. Только ...от… счастья-то и нет. И долгими зимними ночами, пытаясь за...нуть в роскошной отдельной спальне после очередной неудач...ой попытки совершить хоть какое-то подобие полового акта с ...елюбимой женой, с которой его свели родители, бывший эли...арный мальчик, а сейчас грустно-богатый человек, задумается ...ад вопросом: «Почему же я так ненавижу своих родителей?! Не...авижу и все! Ненавижу и все! Ненавижу! Ненавижу!! Ненави...у-у-у!!!». Он, этот бывший элитарный мальчик, хочет даже ...стить своим родителям, мстить за то... сам не зная за что.

Родители, ...ожившие всю ...вою «богатую ...юбовь» в свое ...адо, недоуме...ают оттого, ...то между ними ...их сыном ви...т какая-то пре...ада и что их ...ын чаще огры...ется, чем раз...варивает с ...ими. Но обид...ее всего то, что ...гда кто-нибудь ...з них заболева..., они видят на ...це своего ...ына деланное ...острадание с ...егким оттенком

Бывший элитарный ребенок

Почему же я ненавижу своих родителей?

брезгливо-саркастической усмешки на губах. Они, конечно же говорят об этом между собой и даже вспоминают фразу: «На детях природа отдыхает». Но они не понимают того, что в свое время им не надо было мурыжить своего пацана на южных берегах Испании, а отдать его в самую банальную общагу, ту общагу где, вообще-то, тепло и где есть общественный туалет, чтобы о пожил как, например... вышеупомянутая медсестра Лиля, которая знает цену куска хлеба и которая следует божественному принципу, что человек есть самопрогрессирующее начало. И, поверьте, деревенские родители этой самой Лилии намного мудрее те родителей, которые учат своих отпрысков в Оксфорде. Общаг мудрее Оксфорда.

Но самое главное в другом, а именно в том, что богатые родители, искренне желая богатого счастья своему ребенку, сами своими руками, превратили себя по отношению к своему ребенку в «бик айбат кеше». А быть «бик айбат кеше»... ой... ой. как плохо! Феномен «бик айбат кеше» ставит негативную печать на жизнь и рано или поздно вызывает странную нена

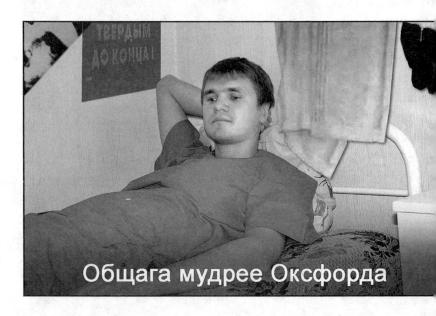

Общага мудрее Оксфорда

зисть у того че-
ловека, в отно-
шении которого
Вы стали «очень
хорошим чело-
веком», то есть
«бик айбат
кеше». Но об
этой странной
ненависти мы,
дорогой чита-
тель, поговорим
чуть-чуть позже.
А пока хочется
сказать: «Не дай
Бог родиться у
богатых родите-
лей».

Феномен
«бик айбат кеше»
проявляется

очень часто и тогда, когда дети ухаживают за своими престаре-
лыми родителями… как Бог велел ухаживать. Старость, конечно
же, не радость. А если появляется маразм, то есть старческая
дурь, – это просто жуть. Даже целый полк родственников, уха-
живающий за одним маразматиком, начнет потихоньку чокаться,
не говоря уж о самых близких. Когда маразматик умирает, то люди
на похоронах говорят всякие там красивые фразы типа «Достойно прожил», но втихаря издают вздох облегчения «Ух!» и даже
шепчут: «Наконец-то!». Хоронят даже с удовольствием. На по-
минках весело пьют.

Я по роду своей профессии часто оперирую стариков и об-
щаюсь с ними и их семьями. И знаете, какой я вывод сделал?
Чем больше дети ухаживают за стариками, тем быстрее у стари-

ков прогрессирует маразм. Если ты видишь «мощного маразматика», то, как правило, рядом с ним встретишь очень хорошего сына или очень хорошую дочь. У жестких, твердых и прикрикивающих на своего родителя детей редко можно встретить очумевшего от маразма старика. Да и выражение «Извини, сынок» чаще слышится.

А вся суть этого парадокса состоит в том, что старик своим нытьем и оханьем взывает к жалости своих детей и, постепенно, играя на чувстве долга перед родителями, превращает детей в «бик айбат кеше»... примерно так же, как это было с описанной выше любовной парой. И чем больше дети ухаживают за стариком, тем больше ноет он, ноет потому, что он уже почувствовал лукавую сладость дьявольской Жалости, с помощью которой он сосет энергию своих собственных детей. И... и... чем больше жалости источают дети, обесточивая себя, тем...

Чем больше жалости
источают дети,
обесточивая себя,
тем быстрее прогрессирует
маразм у стариков

быстрее прогрессирует маразм у стариков. Дьявольской болезнью можно назвать старческий маразм.

Но если Вы твердым голосом скажете своему родителю примерно такие слова: «Папа! Сходи-ка в магазин сам, а! Ноги ведь тебя держат! Я ведь работаю!», то поверьте, через некоторое время усиленного нытья Ваш родитель почувствует себя нужным человеком и начнет не просто улыбаться, когда Вы придете домой, а будет говорить: «Сынок! Я вот рыбку тебе пожарил. Не знаю уж, как получилось…» И пусть эта рыбка подгорела, но она будет казаться самой вкусной. Да и маразм отступит. Любить стариков не означает жалеть их! Как только Вы дадите превратить себя в «бик айбат кеше» под аккомпанемент дьявольской игры в имитацию любви к родителям, Ваша энергия жалости сделает свое черное дело – она превратит Вашего отца или мать в маразматика.

А сейчас, дорогой читатель, наступило время проанализировать то, что мы назвали феноменом «бик айбат кеше». Что же это такое на самом деле?

Золотое лезвие жизни

Мы, на мой взгляд, не живем, а как бы идем по лезвию жизни. Душа твоя трепещет туда-сюда, туда-сюда, туда-сюда… Тебя клонит то в одну сторону, то в другую, но ты все время стараешься выбраться на «золотую середину», которую можно назвать лезвием жизни.

Оно очень тонкое, это лезвие жизни. Уклониться очень легко. Да и не получается четко шагать по лезвию жизни, идешь, как по канату. Тебя всегда заносит. Жизнь такова. Не важно, что ты периодически сваливаешься то в одну, то в другую сторону, гораздо важнее опять выбраться на «золотую середину», чтобы… опять запасть в какую-то сторону и чтобы опять выбраться на «золотую середину» и так далее. Бог таким создал мир: запал в одну сторону – понял, что плохо здесь, запал в другую сторону – понял, что и здесь плохо… И только на «золотой середине» хорошо. Но как трудно удержаться на ней! Как трудно идти по золотому лезвию жизни! Очень редкие люди могут всю жизнь про-

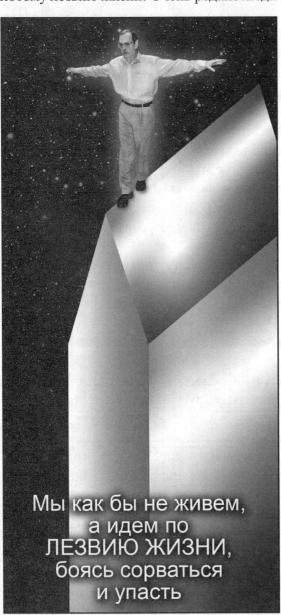

Мы как бы не живем,
а идем по
ЛЕЗВИЮ ЖИЗНИ,
боясь сорваться
и упасть

балансировать на узком лезвии жизни! Важно вовремя вернуться на нее – эту «золотую середину» и хоть немного пройти по золотому лезвию, хоть немного... Но еще важнее не забывать о существовании «золотой середины» и все время стремиться к ней. Если ты хоть раз выбрался на «лезвие», это то же самое, что быть на вершине... Счастье, охватывающее человека при этом, незабываемо и притягательно... тебе опять хочется попасть на лезвие жизни, опять, опять...

Бог создал такой принцип, принцип, называемый лезвием жизни. И этот принцип очень значим. За ним стоит прогресс. В него вложена значимость божественного постулата – «человек есть самопрогрессирующее начало».

Две стороны имеет лезвие жизни. Одна положительная, другая – отрицательная. Но поверьте, мой дорогой читатель, не бывает только отрицательной стороны и не бывает только положительной стороны. Обе стороны создал Бог, чтобы возникало противоречие – стимулятор прогресса, и, чтобы в единстве и борьбе двух сторон (или противоположностей) возникало желание постичь Истину, ту Истину, которую на Востоке называют

Быть на Лезвии Жизни - это то же самое, что быть на вершине

Богом. Представьте, что Вы будете только отрицательным – о каком прогрессе можно думать? К Вам подкрадется Жадность и

ПРИНЦИП ЛЕЗВИЯ ЖИЗНИ

Отрицательная сторона

Положительная сторона

Жадный завистливый человек

„Бик айбат кеше”

В единстве и борьбе двух сторон лезвия жизни возникает ПРОГРЕСС

«счастье» подонка, награбившего деньги, озарится слащаво-дьявольским светом бессмысленного накопительства. Представьте, что Вы будете только положительным – о каком прогрессе можно думать? Вас рано или поздно переведут в ранг «бик айбат кеше», а подкравшийся откуда-то сбоку Дьявол заменит божественное сострадание на банальную дьявольскую жалость, которая и является стимулятором ненависти к тебе – «хорошему». И ненависть эта понятна. Ведь этот «хороший», сдувая пылинки с того человека, которого он жалеет, на самом деле давит в нем его личное и вводит его в жуткий покой, от которого пахнет смертью, пахнет потому, что в нем начинает придавливаться главный стержень жизни, называемый «человек есть самопрогрессирующее начало». Отсюда и ненависть.

Дьявол сидит везде и он очень лукав. Он даже находит путь своего влияния в чисто положительных вещах, таких как «бик айбат кеше». И никто не скажет, кем лучше быть – подонком или «бик айбат кеше». Мы ведь не всегда можем понять – что хорошо, а что плохо. Ну, например, отец выпорол тебя ремнем по попе, – это вроде бы плохо, поскольку отец выступил в качестве изверга, но с другой стороны – это хорошо, поскольку ты – дурак-пацан – хотел превратить своего отца в «бик айбат кеше». А как часто, например, люди говорят спасибо за то, что ты его когда-то наказал за его же гордыню, приговаривая потом: «какой же я был дурак!».

Дьявол – это чуть ли не Бог! Он могуч! С ним борется сам Бог! Но Дьявол для Бога есть стимулятор, поскольку только в борьбе с ним рождается прогресс. Покой страшнее Дьявола!

Вот и создал наш родной Бог гениальный план прогресса – план, приспособленный к существованию Дьявола: уклонился в одну сторону и почувствовал влияние Дьявола (жадность, например) –

Когда тебя мотает по сторонам, ты каждый раз проходишь через ЗОЛОТОЕ ЛЕЗВИЕ ЖИЗНИ

Даже недолгое
пребывание на золотом
лезвии жизни
дает колоссальный
ПРОГРЕСС

иди в другую сторону, уклонился в другую сторону и тоже почувствовал влияние Дьявола («бик айбат кеше», например) – иди обратно. И каждый раз ты будешь проходить через золотое лезвие жизни. Зато даже недолгое пребывание на лезвии дает такой прогресс, такой прогресс…

И этот прогресс мы видим в о о ч и ю . Жизнь-то идет вперед. Мы ведь не вымерли, как мамонты!

Я понимаю, как трудно идти по лезвию жизни… но это многого стоит, господа! И мы, вообще-то, всегда

должны стре-
миться к этому!
Да и «золотой
век» настанет
тогда, когда мы
не просто уве-
ренно будем ша-
гать по лезвию
жизни, а хотя бы
будем меньше
уклоняться в
стороны.

Принцип
лезвия жизни
имеет отноше-
ние и к обще-
ству. Представь-
те, дорогой чи-
татель, узкое зо-
лотое лезвие
жизни, с одной
стороны которо-
го находится
Общее, а с дру-
гой – Личное.
Если люди укло-
няются в Об-
щее, то это вро-
де бы хорошо…
до тех пор, пока
не вмешается
Дьявол и не пе-
реведет обще-
ственное созна-

Золотой век настанет
тогда, когда мы будем
уверенно шагать по
лезвию жизни

ЛЕЗВИЕ ЖИЗНИ

права человека - капитализм

Личное

Общее

оголтелое Общее - коммунизм

О, как трудно сохранять баланс между Общим и Личным!

ние в вариан
«оголтелого Об
щего», то ест
коммунизма
«прелести» ко
торого мы уж
испытали. Есл
люди уклоняют
ся в Личное, т
это вроде бы
вначале намног
лучше, чем
сплошной «об
щак», но..
вскоре появля
ется Дьявол
лозунгом о «пра
вах человека»
начинает разби
вать общество
на много-много
индивидуумов
каждый из кото
рых есть «би
айбат кеше», но
«бик айба
кеше» для само
го себя – люби
мого… под дья
вольским управ
лением. О, как
важно следо
вать золотому
правилу «золо

ой середины» и
тараться идти
о лезвию жиз-
и!

Мы уже на-
чились четко
осознавать по-
нятие «подо-
нок», а вот поня-
тие «бик айбат
кеше» плохо
еще осознаем.
Мы даже хотим
стать «бик айбат
кеше»... с дуро-
сти, конечно.
Мы не понима-
ем, что это так-
же плохо, как и
быть подонком.

Страстный
поиск «золотой
середины» дол-
жен присутство-
вать в нашей
жизни, когда,
например, муж
не реагирует на
тупые призывы
жены быть во-
время дома, а
всласть занима-
ется своей лю-
бимой работой

**Мечта ведет
человека по золотому
ЛЕЗВИЮ ЖИЗНИ**

во имя непонятного для жены прогресса человечества... как
наши прапрапрадеды, превозмогая ворчание жен, складывали
котомки на телегу или сани и, прикрикивая: «Замолчи, Машка!», шли от березы к березе туда, не знаю куда... шли навстречу
Мечте, которая, вообще-то, и ведет человека по лезвию жизни.
Да и времена матриархата не приблизились бы к нам, если бы
мужики не стали столь домашними, как сейчас. Мужик ведь не
баба, — ему дорога и борьба нужны! Да и бабы уважают таких
мужиков... хотя и ворчат, иной раз поддаваясь дьявольскому
желанию превратить их в «бик айбат кеше».

И снова «бик айбат кеше»

А эта Лиля, та самая Лиля, которая выросла в «деревне доярок» и которая сохранила способность говорить душой, ведь
была права, когда как автомат повторяла: «Бик айбат кеше»!
«Бик айбат кеше»! «Бик айбат кеше»! Она чувствовала опасность
этого.

Она, эта Лиля, сказала мне позже такие слова:

— Эрнст Рифгатович! Поговорите с ним, пожалуйста, чтобы
он не был «бик айбат кеше».

— Ладно! — ответил я и выполнил ее просьбу.

Феномен «бик айбат кеше» встречается и в коллективах. Это
бывает чаще всего тогда, когда руководителем является очень
добрый человек, старающийся во всем и всегда помочь своим
сотрудникам. Один просит его, второй, третий... но в конце
концов возможности исчерпываются и руководитель начинает
то в одном, то в другом отказывать сотрудникам. И вот тогда-то
и начинаются обиды с капризными отворотами головы (за каждую мелочь!!!), которые постепенно перерастают в непонятную
глубинную ненависть к доброму и порядочному руководителю.

Я сам не избежал судьбы «бик айбат кеше» в качестве руководителя. Когда я понял, что я стал им, то я вначале принципи-
ально поговорил с теми людьми, которые уже возвели меня в
ранг ненавистного «бик айбат кеше», а потом, посмотрев им в

глазки и, будучи по натуре жестким человеком, волевым решением выгнал их с работы. 45 человек уволил. Двух замов даже не пожалел. Я понял, что превращение первого руководителя в «бик айбат кеше» приведет к разрушению коллектива.

Я сам пережил судьбу «бик айбат кеше»

Зато сейчас в нашем Центре такая атмосфера, про которую, например, европейские пациенты говорят следующее:

– У вас в России… в вашем Центре… такие добрые и работящие люди, такие… Таких в Европе не встретишь! Там все только о деньгах и о себе думают.

Феномен «бик айбат кеше» имеет и общемировое значение. Давайте зададимся вопросом: почему нас ненавидит Грузия? Ведь советские времена для Грузии были отнюдь не самыми плохими. Более того, под крышей СССР грузины жили чуть ли не лучше всех в нашей огромной стране. А что? Дармовая нефть была. Дармовой газ был. Дармовое электричество тоже. Техникой снабжали. К ужасному грузовику «Колхида» не придирались. Низкосортный грузинский чай покупали. На обрусении не настаивали. Но самое главное – это мандарины, которые Москва не покупала дешево в Марокко, а позволяла грузинам торговать ими на рынках страны, обеспечивая значительный дополнительный заработок многим грузинским семьям. Гостеприимные грузины

Почему грузины сейчас ненавидят Россию?

принимали гостей из России и, держа в руках рог с грузинским вином, произносили тосты за вечную дружбу русских и грузин. Русские, не имеющие в своих традициях столь изысканного гостеприимства, как у грузин, считали, что лучше друга, чем грузин, не бывает на всем белом свете.

И тут наступили времена горбачевской перестройки, когда была сделана робкая попытка введения рынка в виде кооперативов, но была допущена глобальная ошибка. А именно то, что государственные предприятия продавали продукцию по госценам, а кооперативы могли продавать

Мандарин

по свободным ценам. И в связи с этим, естественно, у кооперативов исчез стимул производить, а возник стимул, называемый
«купи-продай», это когда можно по блату купить продукцию по
госценам, а про-
дать ее по сво-
бодным ценам.
Русские «олу-
хи», например
слесарь Вася
или инженер
Петров, ну ни-
как не могли со-
риентироваться
в этой ситуа-
ции, зато грузин
Вано, «натрени-
рованный на
мандаринах»,
быстро ухватил
суть дела и начал
торговать уже не
как несчастный
фарцовщик, а
свободно, как
положено дос-
тойному чело-
веку. Грузинское
достоинство
стало возрас-
тать, возрас-
тать… и даже
появились мыс-
ли такого поряд-
ка, как: «А что

— И что эти русские так плохо живут? Значит,
лентяи и олухи! – думал грузин Вано.
Но он никогда не думал о том, что дармовые
газ, бензин и электричество производит
русский Ваня

эти русские-то так бедно живут? Лентяи, значит! Еще какие лентяи! Хорошо, что в лаптях не ходят! Замучили тем, что каждое лето приезжают на отдых и пьют грузинское вино, закусывая хачапури!» И при этом грузин, конечно же, не думал о дармовом бензине, о дармовом газе, о дармовом электричестве и многом другом, что производит русский Ваня. Появившийся дисбаланс в доходах грузин и русских гипертрофировался в грузинский апломб под лозунгом: «Русские – это лентяи и олухи, поэтому плохо живут!»

Наступил жуткий 1992 год – год развала СССР. «Кооперативная подготовка» не прошла даром, – грузины с удовольствием вышли из состава СССР, думая, что это они кормили русских... и без русских лентяев будут жить еще лучше. Кроме того, воспользовавшись пьяно-ельцинской приватизацией после расстрела Съезда народных депутатов в «Белом доме», многие грузины, имеющие российское гражданство, смогли, как и представители других стран СНГ, приватизировать задарма целый ряд российских предприятий. Но и это не помогло.

Сработал какой-то странный механизм, который вначале расколол самодостаточную и гордую Грузию, а потом превратил ее в нищую страну. Да и с президентами не повезло, будь то Шеварднадзе, будь то Саакашвили...

При Советском Союзе мы даже не различали грузин, осетин, абхазов, аджарцев... Все они были для нас грузинами и, конечно же, самыми близкими друзьями. И вдруг они передрались между собой. Почему? Может быть исчезло давление со стороны «старшего брата» – России, которая в советские времена была стержнем единения народов огромной страны? В какой-то степени это так, поскольку в «черные девяностые» у России хватало своих проблем, да и не могла Россия особенно воздействовать на независимое государство. Но это только в какой-то степени объясняет ситуацию. Здесь есть что-то еще.

Может быть, причиной хронического экономического кризиса в Грузии и связанного с этим распада страны является то, что Россия стала продавать энергоносители этой стране по мировым ценам? Но это не так. Под эгидой СНГ (считай под эгидой «бывшего Советского Союза!») Россия долго продавала Грузии энергоносители чуть ли не по советским ценам (это независимому и не очень дружелюбному государству!!!), и только в последнее время, когда Саакашвили со своей антироссийской риторикой совсем очумел, Россия сделала попытку продавать

Почему Грузия во всех своих бедах винит Россию и почему этого не делают немцы или финны, которые покупают у нас энергоносители по мировым ценам?

энергоносители Грузии по мировым ценам, хотя до сих пор этого не сделала в полной мере. Жалко ведь бывших друзей-то! Каждый ведь помнит своего бывшего друга Гиви или Шоту! Хочется сказать: «Попробуйте, грузины, жить как, например, немцы

Мы, русские,
превратились
в „бик айбат кеше"

или финны, которые все энергоносители покупают по мировым ценам. Почему вы, грузины, во всех своих бедах вините Россию и почему этого не делают немцы или финны?» Да и хочется задать вопрос самим себе: «Почему мы терпим унижения со стороны Грузии и почему не относимся к этой стране как к равноправному субъекту... который торговал бы с нами по мировым ценам и который не загонял бы в Россию, как в клоаку, поддельное вино, приправленное антироссийскими настроениями?»

Какая-то странная сила толкает нас и грузин и такому поведению. Что же это за сила?

А название этой странной силе – феномен «бик айбат кеше». И надо признать, что мы, россияне, превратились в отношении грузин в очень хороших людей, то есть в «бик айбат кеше»: дешевую нефть – пожалуйста, дешевое электричество – пожалуйста... и все ради того, что слишком высоко ценили два-три раза в год накрытые столы с грузинским гостеприимством, забывая о том, что и русское гостеприимство многого стоит.

Но надо признать, что Грузия была для России колонией, пусть добровольно присоединившейся, но колонией. А мы в своем геополитическом порыве, подслащенным коммунистическим выражением «мировая революция», старались удержать свои колонии, хотя неэффективная коммунистическая экономика не позволяла этого делать. Вот и догадались мы, россияне, вводя в нищету коренное российское население (русских, татар, башкир и других), кормить свои колонии, выступая в качестве доброго папы, который сам будет голодать, но будет от пуза кормить своих отпрысков. И ни для кого не секрет, что уровень жизни в советские времена в Тбилиси был на голову выше, чем в Саратове, получившим прозвище «город-герой», так как только герои могли выжить в саратовской нищете.

Коммунистические лидеры, партийная власть которых и удерживала Советский Союз от развала, знали, что коренное российское население никуда не денется, поэтому и обдирали его во имя... братства с «любимыми колониями». Только вот немного близорукими были коммунистические лидеры, – они не учли силы феномена «бик айбат кеше».

Слово «колония» звучит, конечно же, обидно... и для грузин тоже. Но «колония» есть понятие относительное. Например, когда Бисмарк объединял Германию, каждое мелкое германское княжество считало себя колонией... хотя даже язык у них был един. То же самое было в Югославии... несмотря на легкие различия в диалектах. А почему татары не считают себя

Германия

Колония -
понятие относительное!

колонией и вос
принимают всю
Россию как свою
Родину, хотя раз
личия в татарс
ком и русском
языках колос
сальны? А по
чему не счита
ют себя колони
ей башкиры?
А почему н
считают себя
колонией удмур
ты? А почему н
считают себя
колонией яку
ты... и многие
многие народы
России? Почему

все многочисленные народы России считают ее своей Роди
ной? Ответ очень прост – перед российскими народами никто
не заискивал, никто их целенаправленно не ублажал, а все они
влились в единую многонациональную семью, ту семью, кото
рая стала Великой, вместе переживая и радость, и горе. Русска
нация не стала «бик айбат кеше» для многонациональной рос
сийской семьи.

А вот для Грузии (например!) многонациональная россий
ская семья стала «бик айбат кеше». А дальше все пошло по зако
ну «бик айбат кеше». Представители «старшего брата» (России!)
плохонько одетые в костюмы «Большевичка», корчили за гос
теприимным грузинским столом из себя этого самого «старше
го брата», хотя чуть-чуть пресмыкались перед грузинами, ка
это обычно делают бедные родственники перед богатыми. Они

говорили такие примерно слова: «Да ты что, Гиви?! Да я что, отвалить тебе не могу что ли сотню тысяч тонн бензина?! Ты мне только на новый год мандаринов прислал!» Вот и докорчили мы из себя всемогущих пап. Докорчили до такой степени, что за счет обнищания российских народов у грузин появился даже некий комплекс неполноценности по типу «А что, нас, грузин, кормить надо, что ли?

А почему татары и башкиры не считают себя колонией?

Русская нация не была „бик айбат кеше" для многонациональной российской семьи

Мы что – сами себя прокормить не можем, что ли?»

Этот комплекс стал усиливаться, потому что от такой российской заботы стало попахивать жалостью, жалостью к слабому... хотя гордый и имеющий глубокие исторические корни грузинский народ никогда не был слабым. Это в глубине души начало обижать грузин, обижать раз, обижать два... и в конце концов вылилось в непонятную ненависть к России, которая

Зловещий закон „бик айбат кеше"

Стало попахивать жалостью к слабому, хотя гордый грузинский народ никогда не был слабым

делала Грузи только хорошее но… делала п зловещему зако ну «бик айба кеше».

И не над думать, что в всех бедах гру зинского народ виноват анти российски президент Саа кашвили, – о не смог бы вес ти свою оголте лую политик без глубинно поддержки на рода, который обидой на «би

айбат кеше»… пожинает плоды своего прежнего оголтелого го степриимства к «петушащимся беднякам с широкой душой». И н исключено, что противодействие феномену «бик айбат кеше перекочевало во все грузинское общество с характерным выяс нением «кто кого кормит» с последующим переходом в нена висть и национальную рознь.

Но не только Россия виновна в том, что была слишком (! хорошей для Грузии. Грузины тоже виноваты. Могли бы, вооб ще-то, взять пример с татар, башкир, якутов, бурятов и други народов России, которые «пахали и пашут» наравне с русски ми, а не занимаются слащавым гостеприимством!

Сейчас грузины ищут другого «бик айбат кеше». Конечн же, США. Посмотрим, что из этого получится.

А вообще-то древний грузинский народ мог бы встряхнуться и без поисков очередного «бик айбат кеше» пойти своим путем, трудным, но гордым путем.

Все, что я написал о Грузии, имеет, видимо, в той или иной степени отношение к другим странам бывшего Советского Союза. Но о назарбаевском Казахстане этого не скажешь, – умная политика лидера в сочетании с тем, что казахи в бывшем СССР были приравнены к татарам, башкирам и другим нациям России и не столкнулись с феноменом «бик айбат кеше», дала свои плоды, – страна развивается семимильными шагами.

А вот о странах Прибалтики стоит кое-что сказать. Им – эстонцам, литовцам и латышам – не повезло с географическим расположением. Две великие державы – Россия и Германия – вечно воевали, и эти войны вечно прокатывались через территории этих стран. Поэтому они были то под протекторатом Германии, то под протекторатом России. И не надо было создавать в этих странах унизительные для этих народов музеи оккупа-

Музей советской оккупации в Риге

ции, один из которых я видел в Риге и который посвящен советской оккупации. Такие музеи как бы взывают к жалости и говорят, примерно, такое: «Слушайте, вы – воюющие стороны! Пожалейте нас и обойдите наши территории стороной!» Но у войны свои законы.

Жалость – дьявольское явление. Взывать к жалости не только низкопробно, но и антибожественно. И, видимо, наши советские лидеры, подхватив после Великой Отечественной войны эту «прибалтийскую жалость», стали ублажать эти страны. У меня с давних советских времен в памяти остались две цифры – по какому-то из социальных критериев житель Уфы получал в год 242 рубля, а житель Риги – 1348 рублей. То есть ни для кого не секрет, что Россия выступала в отношении стран Прибалтики в качестве «бик айбат кеше» и, как следствие, по дьявольскому парадоксу… заслужила ненависть к себе и низкопробные протесты в виде переноса статуи «Солдата-освободителя».

Россия была для прибалтов „бик айбат кеше"

А вообще-то прибалтам стоило бы понять, что история есть история, и не надо искать виноватых, а строить свою жизнь самостоятельно и гордо, без указаний нового «бик айбат кеше». К тому же им еще и индивидуализм понять бы, который является главным фактором регресса нации. Ведь литовцы, латыши и эстонцы — очень работящие и талантливые люди. Высокие и красивые они. Но... не гостеприимные. У грузин или узбеков им поучиться бы гостеприимству... без ублажения «бик айбат кеше».

Прибалтам бы надо научиться гостеприимству у грузин и узбеков, но... без ублажения „бик айбат кеше"

Если проанализировать советские годы, то психология «бик айбат кеше» была чуть ли не превалирующей. О, сколько стран мы кормили! Только на Кубу уходило 12 миллионов советских рублей в день. А в Африку? А во Вьетнам? А в страны соцлагеря Европы? И хоть кто-нибудь сказал нам спасибо?! К сожалению, никто! Даже наоборот. И... поделом. «Бик айбат кеше» не уважают, как не уважают дьявольское чувство, называемое жалостью. Люди в большинстве своем не могут отличить жалость от сострадания, и

Феномен „бик айбат кеше" угнетает
собственное достоинство людей
и вводит психологию нищих,
отбирая стимул работать

только подспудная ненависть подсказывает им, что их жалеют, угнетая в них собственное достоинство и уводя от божественного пути развития, когда каждый человек должен достигнуть всего сам и только сам... как и каждая страна. В противном случае, будь то человек, будь то страна, могут вобрать в себя психологию нищего, которых, как я выяснил в эксперименте под названием «Как я был нищим», так часто жалеют, отбирая у них стимул работать.

Вот сейчас мы строим газопровод по дну Балтийского моря в обход Польши, строим напрямую в Германию. Почему мы так делаем? Почему мы не верим бывшим друзьям по социалистическому лагерю (к тому же еще и братьям-славянам), а верим немцам, с которыми столько воевали, столько воевали...? Да все из-за того же, – для поляков, например, мы были «бик айбат кеше», а для немцев – никогда. Мы уважаем немцев, и они нас уважают. История заставила уважать друг друга... как достойных соперников, как силу, как мощь...

Мое немецкое имя Эрнст мне дали не зря. Мой отец воевал под Сталинградом. Был простым автоматчиком. Чудом выжил, имея 61 рану на теле от немецких пуль и бомб. И я помню его слова, сказанные некогда мне – пацану:

– Вся ведь Европа воевала против нас, сынок! Каких только солдат я не видел – и румын, и итальянцев, и поляков!.. Но немецкие солдаты были самыми сильными. Мощные ребята были... как и мы.

Вот и получается, что бывшие враги протягивают друг другу руку дружбы в обход... некогда дружественной Польши, строя газопровод, который можно было бы назвать не газопроводом «Дружба», а газопроводом «Сила». И пусть эстонцы скандалят по поводу то ли территори-

Бывшие враги – Россия и Германия – уже протягивают друг другу руку дружбы и строят газопровод в обход... некогда дружественной Польши

альных вод, то ли по поводу чего-то еще, но я убежден, что этот газопровод будет построен, поскольку в него не вошел душок «бик айбат кеше» и за ним стоит уважаемая всеми сила.

Россия уже прошла период «бик айбат кеше» и вновь становится великой державой. Путин, лавируя среди сил постельцинского бардака, смог вывести Россию на новый курс, от которого... о счастье... не пахнет феноменом «бик айбат кеше». Уважать нас начали. Антисоветские (считай, антироссийские!) настроения стали уменьшаться. Да и перестали мы «петушиться» за гостеприимными иностранными столами.

Зато в мире стал проклевываться новый «бик айбат кеше» – Соединенные Штаты Америки. До всего дело есть у американцев – и до Косово, и до Ирака, и до Грузии, и до Ирана, и до Украины, и до стран Прибалтики... А все это геополитическое влияние не обходится без вливания в эти страны американских денег, которые идут туда «добрым путем», то есть тем путем, который рано или поздно попадется на удочку Дьявола под названием жалость с последующим превращением великих Соединенных Штатов в ненавистного «бик айбат кеше». Да и попались уже, наверное, Соединенные Штаты на эту удоч-

В мире появляется новый „бик айбат кеше"

ку, – антиамериканские настроения-то в мире нарастают… как некогда нарастали антисоветские настроения. Жалко еще и американского рабочего Джона, который, упрямо закручивая гайки, «делает эти деньги», которые так беспутно выбрасывают во имя того, чтобы… в скором будущем стать ненавистным «бик айбат кеше».

В заключение я хотел бы сказать, почему я этот феномен назвал по-татарски – «бик айбат кеше». Это отнюдь не только из-за операционной сестры Лили. Я живу в регионе России, где очень много татар. И сам, будучи полутатарином, знаю, что никакой национальной розни и противодействия между русскими и татарами воистину нет. Все вместе – и в беде и в горе. Перемешались все. Родина одна – Россия. Как татары, так и русские радуются возрождению шаймиевского Татарстана и гордятся тем, что Казань отметила свое тысячелетие.

Почему так? А потому, что некогда Русь была под татарами, и татары, видимо, не жалели русских… так же, как после падения Казани при Иване Грозном рус-

Единая Родина
Россия

Татары никогда не были
для русских
"очень хорошими людьми",
так же, как и русские не были
для татар "Бик айбат кеше"

ские, наверное, не жалели татар. Зато уважают друг друга, уважают потому, что не пролезла дьявольская уловка, которую можно назвать «бик айбат кеше».

О, как важно не взывать к жалости, ощущая себя каким-то неказистым человеком!

Трагедия неказистого мужичка

Сидя в международном венском аэропорту, я опять посмотрел на неказистого мужичка. Он продолжал сидеть с обиженно повернутой головой.

– Как долго терпит, а! Ведь шея при таком положении головы быстро устает. Видимо, обида по поводу цены кружки пива оказалась для него слишком сильной, – подумал я.

Я перевел взгляд на машиноподобную немку-официантку в полосатой юбке. Она стояла за стойкой и молча смотрела в зал. Народ уже рассосался. Только арабы и обиженный неказистый мужичок сидели за своими столиками. Да еще один японец сел за

Неказистый мужичок продолжал сидеть отвернувшись и от обиды слегка ухмылялся, видимо приговаривая: «Ну и тварь!»
(рис. автора на салфетке)

столик, заказал пива и, достав портативный компьютер, вкусно закурил.

Машиноподобную немку, чувствовалось, совершенно не смутило и не обидело поведение неказистого мужичка. Она, видимо, уже привыкла к разношерстной международной публике. Но платить-то за пиво надо!

Она снова подошла к неказистому мужичку. Он даже не посмотрел в ее сторону и продолжал все так же сидеть, обиженно отвернув голову. От обиды он даже слегка ухмылялся, видимо приговаривая: «Ну и тварь!».

– Hello! – окликнула она его.

Неказистый мужичок брезгливо посмотрел на нее.

– Five dollars, please! (Пять долларов, пожалуйста!) – без нотки эмоций сказала немка-официантка.

В зале было мало людей. Было тихо. Поэтому слышно было хорошо.

– I will not pay so much! (Я не буду платить так много!) – в бешенстве вскричал неказистый мужичок.

– It is a fixed price for a glass of beer. Five dollars, please (Это фиксированная цена за кружку пива. Пять долларов, пожалуйста!) – механически сказала немка-официантка и подняла глаза вверх.

– The glass is small! The glass is small! (Кружка маленькая! Кружка маленькая!) – стал орать неказистый мужичок. – Such glass of beer can not cost so much... (Такая кружка пива не может стоить так много…). Five dollars... are you kidding?! (Пять долларов... смеешься, что ли?!)

– The price of such glass of beer is five dollars (Эта кружка пива стоит пять долларов), – отчеканила немка-официантка.

– The glass is small (Кружка маленькая), – прорычал неказистый мужичок.

– The glass is big (Кружка большая), – парировала немка.

– Small! Small! (Маленькая! Маленькая!) – начал впадать в истерику неказистый мужичок.

– Very big (Очень большая!) – уже начала терять терпени
немка-официантка.

И тут неказистый мужичок так посмотрел на немку-офици
антку, так посмотрел… В нем все так закипело, так закипело…
Но он взял себя в руки и с достоинством сказал:

– I will pay just three dollars (Я буду платить только три доллара)

– You will pay five dollars (Вы будете платить пять долларов), –
уже начала закипать немка-официантка.

– I will pay three dollars (Я буду платить три доллара).

– You will pay five dollars (Вы будете платить пять долларов).

– I will pay three dollars.

– You will pay five dollars!

– …

В итоге возник самый натуральный скандал с выкриками
оскорблениями и взвизгиванием.

Получилось как в русской интермедии: «рак за 3 рубля, н
маленький, рак за 5 рублей, но большой».

Арабы с нескрываемым удовольствием наблюдали за это
сценой. Молодой араб от удовольствия даже прикусил палец.

Спор разгорелся не на шутку
В ходе спора неказистый мужичо
даже плюнул на стол, на что офи
циантка в полосатой юбке сказа
ла: «Вытрите, пожалуйста! Вытри
те!» Неказистый мужичок вытер
свою слюну… рукавом, но так по
смотрел на немку-официантку
полосатой юбке, так посмотрел, что
хуже взгляда не бывает на свете.

Официантка, может, тоже хо
тела плюнуть, но удержалась
продолжала сверлить негодую
щим взглядом неказистого мужи
ка со вздернутым… по-женски…

Молодой араб даже палец
прикусил от удовольствия

носом. А мужичок так посмотрел на нее, так посмотрел... женским взглядом, что у нее, официантки в полосатой юбке, даже какая-то женская стервозность проснулась и она закричала: «Полиция! Полиция! Полиция!»

Полиция вскоре появилась. Два австрийца, похожие на наших ментов, пришли плюс женщина-ментиха в придачу. Стали спрашивать: «В чем дело?! В чем дело?!» А неказистый мужичок отвечал: «Вот в том-то!» А немка-официантка в полосатой юбке отвечала: «Не так это, а вот так!»

Спор разгорелся такой... по поводу стоимости фужера пива... что дальше некуда. Шум и гам стоял! Неказистый мужичок не сдержался и громко выкрикнул в адрес одного из австрийских ментов:

– Fuck you!

У австрийского мента от такого неуважения глаза налились как сливы, и он резко ударил неказистого мужичка по спине резиновой дубинкой.

– А-а-а! – закричал от боли неказистый мужичок.

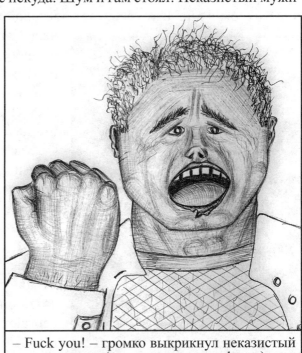

– Fuck you! – громко выкрикнул неказистый мужичок (рис. автора на салфетке)

Австрийский мент, ударивший резиновой дубинкой, сказал что-то наподобие того:

– Тебе что, еще, что ли, надо?!

Неказистый мужичок, не удержавшись и не понимая того, что основная боль от резиновой дубинки приходит позже, дерзко выкрикнул еще раз:

– Fuck you!

За это он получил еще один удар по спине... сочный такой удар, чтобы, гад, перестал... мечтать о дешевом пиве.

Австрийские менты увели неказистого мужичка в участок. И я опять начал думать о жизни.

Привет от медсестры Айгуль

Короче говоря, в нашем Всероссийском центре глазной и пластической хирургии работает постовой медсестрой некая

Медсестра Айгуль

девушка по имени Айгуль, что переводится как «лунный цветок». На посту она сидит. Уколы еще делает. И в глаза капли закапывает.

Коса у нее есть. Толстая и длинная. Все время дернуть ее за косу хочется, что я, вообще-то, и делаю... изредка. И не только я. Даже наши маститые профессора, проходя мимо Айгуль, закапывающей капли в глаза, дергают ее за косу.

– Ай! – говорит она при этом.

Когда я познакомился с Айгуль, то я обратил внимание на то, что она смотрит на мир своими огромными серыми глазами и не моргает. Редко моргает, в общем. Но моргает.

Флегматик она, Айгуль. Когда я, холерик, звоню ей на пост по телефону и говорю: «Айгуль!», то я всегда считаю: «Раз, два, три, четыре, пять», после чего только раздается «Ау!» или «Да?».

Айгули очень не нравится, когда я ее называю «тормоз», и при первой возможности, когда ты сам в чем-то «затормозишь», она восклицает: «А-а! Тоже тормоз!»

Из-за своей флегматичности, то есть замедленности реакций, Айгуль порой попадает в нелепые ситуации, такие как вот эта.

Как-то меня прооперировали по поводу экспедиционной травмы ноги. Я соблюдал постельный режим. В этот день около меня

«Раз, два, три, четыре, пять...»

Облака

дежурила Айгуль. Утром, проснувшись и почувствовав, что нога моя ноет, я подумал, что это связано со сменой погоды. Мои «близорукие» очки лежали в стороне. Я сказал Айгуль:

– Посмотри-ка! Облака есть или нет?

– Не видно, снег идет, – ответила она.

Из-за особенностей ее фигуры Айгуль часто называют «молочной породой».

Когда смотришь в глаза Айгуль, то чувствуешь, что в них нет ни одной мысли, – одни чувства. То есть чувствами и душой живет она… как и положено, кстати, наверное, женщинам.

Айгуль очень любит сладкое и считает, что оно вырабатывает «гормон счастья» (о чем она прочитала в своем любимом журнале «Добрые советы»).

У Айгуль есть талант рассказчика. Как и любой флегматик, Айгуль во время рассказа долго разгоняется, зато когда она разгонится, ее оста-

Серые носки

новить трудно. Чего стоит только ее рассказ о том, как она искала свои серые носки в шифоньере! Целое путешествие по шифоньеру описала, да такое красочное и с чувствами, что эти ее серые носки стали напоминать одушевленные существа.

Однажды я попросил Айгуль записать свой номер телефона в записную книжку моих секретарей. Айгуль сделала это, но потом, подумав, вписала туда слово «медсестра»... с достоинством так вписала, будто бы слово «медсестра» звучит не менее значимо, чем, например, слово «академик». Без всякого комплекса неполноценности вписала это слово.

Айгуль, живущая преимущественно в мире чувств, умеет радоваться жизни и говорит часто примерно такие слова:

— Ой! Я ведь медсестрой работаю. Аж десять тысяч получаю. Я ведь могу себе позволить с зарплаты даже новые джинсы купить! У меня вон даже шуба есть... нутриевая. А ведь не каждый себе это может позволить, не каждый! Счастливая я. Вот санитарка наша, Гульнара, получает четыре тысячи и умудряется на эти деньги двух своих взрослых детей одеть, да и сама чистенькой и аккуратненькой ходит. Как умудряется, а?! Как?! Кушать ведь еще надо! Кашу, наверное, в основном едят. Мы-то и мясо едим. А муж ее, козел, спился. Выгнала она его. И то приходит к Гульнарке деньги просить. Тварь! О детях бы подумал! Ой... счастливая я, счастливая... что медсестрой работаю!

Санитарка Гульнара

Мир богатых людей. Он для Айгуль чужой

Ей, этой Айгуль, конечно же, невдомек, что существует еще и другой мир – мир богатых людей, мир, где люди ездят на «Мерседесах», а не на маршрутке, мир, где люди питаются в ресторанах, а не оставшимся гарниром после раздачи пищи пациентам, мир, где люди копят деньги на много жизней вперед, а не на нутриевую шубку, мир, где люди любят деньги, а не друг друга… Этот мир для Айгуль чужой. Она его видит, но относится к нему как к чему-то иноземному и непонятному. Она его просто не воспринимает. Не воспринимает, и все. Ведь в этом мире нет вкусной «шарлотки», которую она порой делает каждый день, чтобы не сгнили яблоки, принесенные со-

Шарлотка... родная

седкой! Ведь в этом мире люди не едят татарский «тыкмач» (то есть лапшу), одна тарелка которой дает сытость на целый день! Ведь в этом мире люди живут так сложно, так сложно, что, столкнувшись с ним и ничего не поняв в нем, хочется прийти к себе домой, зайти на родную кухню и… может быть… испечь не «шарлотку», а самый натуральный творожный пирог, предварительно сбегав в магазин… надев нутриевую шубку… чтобы продавщицы уважали.

Айгуль, конечно же, в магазине пересчитывает сдачу. А как же еще? Ведь в мире столько плохих людей! И ей, этой Айгуль, конечно же, невдомек, что плохие люди – это не продавщицы, которые могут надуть на копейки, а те люди, которые надувают народ на миллиарды долла-

Айгуль… в нутриевой шубе… пересчитывая сдачу, не понимает, что плохие люди не продавщицы, а олигархи

ров. Она даже не обращает внимания на богатых людей. Они для нее как будто бы и не люди. Она не замечает их. У нее, у Айгуль, есть свой мир, тот мир, где человек радуется малому и находит счастье в том, что… просто-напросто живет на белом свете.

А умеет она радоваться потому, что научилась все и вся «приправлять» чувствами (даже серые носки!), теми чувствами, которыми обделены богатые люди, обделены оттого, что жадность сожрала их чувства.

Но главной особенностью Айгуль является то, что она всем и вся передает приветы и радуется, когда и ей передадут привет… всего-навсего привет. Она, Айгуль-то, оказывается, даже

Профессора и академики передают «привет» медсестре Айгуль

записывает, кто ей привет передал. Приятно это ей. У нее даже «коллекция приветов» существует.

Когда я провожу совещания с профессорами, мои секретари нередко с улыбкой заносят мне трубку, прерывая совещание, и, хихикая, говорят:

— Айгуль звонит.

Я беру трубку и говорю:

— Айгуль, извини. У меня идет совещание с профессорами. Некогда говорить.

— Ну ладно, — флегматично… через «раз, два, три, четыре, пять»… отвечает обычно Айгуль. — Тогда привет от меня всем передайте!

Я всем говорю:

— Всем привет от медсестры Айгуль!

Все начинают хохотать и хором говорят:

— Тоже привет… медсестре Айгуль!

Один раз в Уфу приехали четыре генерала то ли ФСБ, то ли МВД. Из Москвы приехали. Мои книги они, оказывается, читали и решили со мной познакомиться. Я же выступал в нелюбимой мною роли «свадебного генерала».

Когда мы сидели и выпивали с генералами, позвонила Айгуль. Я сказал, что сижу с генералами и говорить не могу. На что Айгуль сказала:

— Привет от меня передайте!

— М-м-м… вам привет от медсестры Айгуль! — проговорил я.

— Э-э-э… — раздалось со стороны генералов, — от нас тоже ей привет передайте!

— Привет тебе, Айгуль, от генералов! — сказал я.

— Спасибо, — без тени конфуза ответила Айгуль.

Честно говоря, мне эта игра в приветы понравилась. Как только кому-либо ни с того ни с сего передашь привет от неизвестной медсестры Айгуль, всем весело и хорошо на душе становится. Хохочут все и улыбаются. Приятно, наверное, людям получать приветы от неизвестных людей, просто так по-

„Привет" означает „Я люблю тебя Человек"

Если бы люди чаще передавали приветы друг другу, то и Лезвие Жизни бы расширилось

лучать простой и душевный привет. Ведь этот привет передают не кому-то нужному или не ради выгодного знакомства, а передают просто так – как Человек Человеку… как и положено, вообще-то… если уметь радоваться тому, что ты живешь на Земле!

И если люди умели бы просто так передавать приветы друг другу, то и мир стал бы добрее… ведь слово «привет» на любом языке мира сродни выражению «Я люблю тебя, Человек!». Если бы такие приветы раздавались чаще, то и Лезвие Жизни,

Улица Приветов

возможно, расширилось бы, позволяя людям подольше… за счет доброты… продержаться на искомой «золотой середине», обеспечивая животрепещущий прогресс человечества.

Душа просит приветствия. Из ее души, этой медсестры Айгуль, исходят ее приветы. Ей, видимо, так хочется, чтобы все люди, когда идут по улице, говорили друг другу «Привет!». Добро и ласково говорили. И ей, медсестре Айгуль, возможно, даже снится, что она когда-нибудь выйдет на многолюдную улицу, где все люди будут идти не молча, а будут идти, улыбаясь друг другу и говоря красивое слово «Привет!». И вполне возможно, ей, медсестре Айгуль, еще приснится, что в каждом городе России или даже мира появятся «Улицы Приветов» по которым люди будут обязаны не просто идти, а… обяза-

Если бы тогда кто-нибудь передал мне «Привет», я был бы счастлив

тельно, обязательно... передавать приветы друг другу, будь то людям с портфелями, будь то людям в очках, будь то людям с пирсингом в носу, будь то старушке с авоськой, будь то нищему...

Я вспомнил тот день, когда я сидел в подземном переходе в качестве нищего. Я вспомнил свое подавленное состояние в «низовом мире». И я вдруг понял... вдруг понял, что если бы мне, нищему, кто-нибудь... кто-нибудь передал привет, простой банальный привет как Человеку, то... весь подземный переход озарился бы розовым светом.

Кому только я не передавал приветы от медсестры Айгуль! Я уже позабыл. Надо бы заглянуть в картотеку Айгуль.

А совсем недавно было вот что. Меня пригласил Андрей Малахов участвовать в передаче «Пусть говорят» вместе с

Леонидом Яку-
бовичем и Ал-
лой Пугачевой.
Я согласился.

Перед отле-
том Айгуль про-
стодушно сказа-
ла мне:

– Не забудьте
им от меня при-
вет передать!

И я им пере-
дал привет от
медсестры Ай-
гуль, рассказав
всю предысто-
рию этого. Яку-
бович хохотал.
Малахов хохо-
тал. Оба они пе-
редали искрен-
ние приветы
медсестре Ай-
гуль. И даже
Алла Борисовна,

Леонид Якубович и Андрей Малахов,
передавшие привет медсестре Айгуль

отвечая на мой вопрос: «Можно ли от Вас передать привет медсестре Айгуль?», благосклонно кивнула головой.

Но апофеозом «приветственной деятельности» медсестры Айгуль явился тот момент, когда Башкирия отмечала
450-летие добровольного присоединения к России. Меня
пригласили на официальные торжества, так как я включен в
«административную обойму» и меня не забывают, хотя я
имею склонность... засыпать в кресле... Но удивлению моему
не было предела, когда меня включили в «малую обойму»,

Айгуль:
– Не надо от меня привет Путину передавать.
Все равно ведь никто не поверит,
что Путин мне привет передавал

которая имела честь быть в одном небольшом ресторане вместе с президентом В. В. Путиным.

Я об этом рассказал медсестре Айгуль. Она сказала:

– Привет от меня Путину передайте!

Я, честно говоря, несколько опешил.

Но перед самым входом в ресторан раздался звонок моего мобильного телефона. Звонила Айгуль. Она, несколько сконфузившись, сказала:

– Я… вот… думаю, что не надо от меня передавать привет Путину. Все равно ведь никто не поверит, что Путин мне привет передавал.

От этих слов мне стало тепло на душе. У этой простой медсестры не было и тени сомнения в том, что она, простая медсестра, может передать привет аж самому президенту России. Она, эта молодая девушка, была представителем уже того поколения людей, которое считает президента родным, таким родным, что ему можно и привет передать… например, от медсестры Айгуль, живущей в периферийном городе Уфа.

Неосуществленная мечта

А тогда, в 2005 году, когда я сидел в международном венском аэропорту за кружкой пива, никаких встреч с Малаховым, Якубовичем, Аллой Пугачевой и тем более пребывания в одном ресторане с В. В. Путиным еще не было. Но приветы от медсестры Ай-

Эта девушка принадлежит тому поколению людей, для которых президент родной

гуль уже были. Везде и всюду я передавал от нее приветы.

Мне тогда помню, очень захотелось передать привет от Айгуль неказистому мужичку, чтобы у него повеселело на душе. Но его не было. Его австрийские менты увели в участок.

Вскоре австрийские менты привели неказистого мужичка обратно… тепленького.

— Sit down! Pay! (Садись! Плати!) – сказали ему австрийские менты.

— Yes… – покорно ответил неказистый мужичок.

Подошла машиноподобная немка-официантка и уставилась на него сверлящим взглядом.

Неказистый… тепленький… мужичок стал рыться в бумажнике, чтобы достать положенные пять долларов. Он грустно достал купюру и обреченно протянул ее немке-официантке. Та повертела банкноту в руке, протянула ее обратно и сказала:

– It is Australian money (Это австралийские деньги). Five American dollars, please! (Пять американских долларов, пожалуйста!).

Неказистый мужичок на какое-то время потерял дар речи.

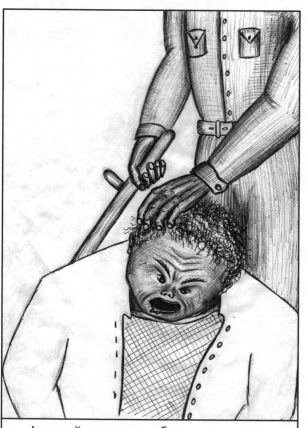

Он захлопал глазами, видимо вспоминая курс американского доллара к австралийскому. Вскоре его мозговой калькулятор сработал. Неказистый мужичок побагровел. Он понял, что австралийский доллар стоит меньше, чем американский. Значит, в итоге ему надо заплатить еще больше, чем он думал.

– Are you sure that I should pay American dollars? (Я должен за-

Австрийские менты бьют неказистого мужичка (рис. автора на салфетке)

латить именно американские доллары?) – прорычал неказис-
ый мужичок.

– Yes, of course. Five American dollars, please! (Да, конечно.
Пять американских долларов, пожалуйста!) – без всяких инто-
аций произнесла немка-официантка.

Окончательно уяснив, что от него требуют именно амери-
анские пять долларов, а не австралийские, неказистый мужи-
ок (австралиец!) буквально завопил и, не удержавшись, опять…
обреченными нотками в голосе… крикнул:

– Fuck you!

О, сколько эмоций было в голосе австралийца! О, какой мощ-
ый удар нанес резиновой дубинкой австрийский мент за такие
оганые слова!

В конце концов неказистый австралийский мужичок с бра-
о задранным носом и женскими глазами заплатил за фужер
ива пять американских долларов, как положено.

Австрийские менты ушли. А неказистый австралийский
ужичок сидел, опустив голову. У него, мужичка-то, отняли

Только довольные лица арабов скрашивали эту
грустную картину

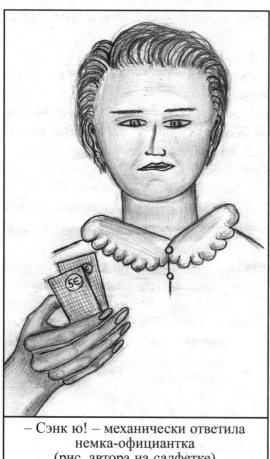

— Сэнк ю! — механически ответила
немка-официантка
(рис. автора на салфетке)

мечту... розовую
Только довольны
лица арабов скра
шивали эту груст
ную картину.

В итоге, уходя
самолету, я доста.
10 евро (примерн
15 американски.
долларов), подошел
официантке в поло
сатой юбке и протя
нул их ей, сказав:

— Это Вам на Лю
бовь и Мечту!

— Сэнк ю! — меха
нически ответила
она.

Часы в подарок

Уже садясь в са
молет, я еще ра
вспомнил предвы
борную кампанию
В. В. Путина.

Предвыборная кампания в Башкирии, как говорится, уда
лась. Башкирия с процентом голосов за В.В. Путина – 91,4% -
стала первой среди крупных регионов России и пятой в об
щем зачете. Я, конечно, понимал, что главная заслуга в этом
принадлежит авторитету президента республики Муртазы Ра
химова и инициативе главы администрации президента Ра
дия Хабирова, но и наша работа с Венером Габдрахимовичем
Гафаровым оказалась, наверное, не бесполезной. Я был рад
Венер Габдрахимович тоже. Мы даже пили по этому поводу

дня два. Мы так хотели, чтобы во главе России, великой России, стоял достойный человек! Так и получилось. К счастью.

Правда, на банкет доверенных лиц В. В. Путина меня почему-то не пригласили... забыли, наверное. На инаугурацию президента России меня тоже не пригласили... мелковат, видимо! Но это мелочи, господа!

Но уж больно обидно было то, что подарок В. В. Путина в виде часов с надписью «От президента России» вручили в виде... дешевой подделки (этак за долларов пять), на которой красовалась нарисованная плохой краской надпись «Россия» и которые были куплены на каком-то вещевом рынке.

Зато диплом за активное участие в избирательной кампании не подделали. Он у меня висит в приемной. Гордо так висит. И я, когда каждый день иду в операционную, смотрю на него. И горжусь.

P. S.: Многие хотели бы, чтобы мы, россияне, стали неказистыми и мечтали о дешевом иностранном пиве. Но прошлое давит на нас, прошлое, связанное с нашими великими прапрапрадедами, которые подарили нам огромную страну. И мы должны оправдать надежды предков, поскольку они старались ради нас. Да и не надо забывать, что времена меняются и что уже наступает эра возрождения духовного, когда даже слово «Привет!», сопровождаемое улыбкой, будет иметь... экономическое значение. А что касается национальной идеи, то надо признать, что ее нельзя выразить несколькими словами, – тайна национальной идеи глубоко сокрыта в «золотой середине жизни». Нам очень повезло, что в тот недавний период, когда мы были неказистыми и никчемными, нас не побили. Но если мы вновь станем такими, нас обязательно побьют.

Эпилог

Когда я дописал эту книгу и поставил точку, мне стало грустно... как обычно бывает, когда ты завершаешь какую-то работу, в которую вложил частичку своей души. Мне стало жалко неказистого мужичка и захотелось чем-то ему помочь... но я уже понимал, что жалеть его нельзя, и что этот человек попался на удочку Дьявола, уронив свой человеческий потенциал до уровня мечты о дешевом пиве и забыв о том, что

Моя жена Татьяна с жареным лещом

сам Бог рисует кармическую линию жизни, которая выражается в детской мечте... той самой детской мечте, которая никогда не бывает мелкой и низкопробной, и которая призвана вести человека к великим целям под флагом Любви.

В четыре часа ночи я пришел домой. Моя жена Татьяна по обыкновению не спала и ждала меня.

– Извини, Таня, что опять так поздно, – промямлил я.

– Ну, сколько тебе говорю – заканчивай хотя бы в два, а! – безнадежно сказала моя жена.

Я, не переодеваясь, прошел на кухню. На столе стояла тарелка с жареным лещом.

Я сел за стол, отрезал хвост леща и стал его есть. Он был таким вкусным... И мне казалось, что вкуснее лещей никто никогда не ел на всем белом свете.

Я с жадностью засунул довольно большой кусок рыбьего мяса себе в рот, напрочь забыв, что лещ, вообще-то, рыба костлявая, и подавился косточкой. Я бескультурно полез пальцами в рот и достал косточку.

– Ешь аккуратнее, а! – послышался строгий голос жены.

Я вдруг задумался: а почему этот обычный лещ такой вкусный? Я даже приостановил процесс пережевывания пищи... и тут понял, что лещ вкусный оттого, что моя жена Татьяна приготовила его с любовью.

Я окинул взглядом кухню и заметил, что занавески на окнах повешены с любовью, что кастрюльки вымыты тоже с любовью и что даже холодильник не гудит, а поет песню о Любви.

Мне стало уютно дома, уютно потому, что в нем живет Любовь.

Неожиданно я поймал себя на мысли, что мне очень бы хотелось, чтобы и в нашей стране – России – тоже жила Любовь, та самая Любовь, которая делает весь мир розовым и тихо нашептывает слово «Родина».

От чистого сердца!

| Э. Мулдашев |

СОДЕРЖАНИЕ

Мулдашев
Эрнст Рифгатович

ЗАГАДОЧНАЯ АУРА РОССИИ
(В ПОИСКАХ НАЦИОНАЛЬНОЙ ИДЕИ)

Ответственные за выпуск
О. В. Ишмитова, С. З. Кодзова
Редактирование
А. Р. Шарипов, А. Г. Шмергельский, В. Г. Яковлева
Подготовка иллюстраций
Э. Р. Мулдашев, О. В. Ишмитова,
З. А. Исхакова, Л. В. Степанова
Компьютерная верстка *О. В. Ишмитова*
Корректоры *Л. С. Самойлова, В. В. Саранчёва*
Предпечатная обработка иллюстраций *Д. В. Кабаков*

Макет подготовлен к изданию Э. Р. Мулдашевым
Текст публикуется в авторской редакции
На обложке использованы рисунки автора

Подписано в печать 22.01.08. Бумага офсетная.
Формат 60×90^1/$_{16}$. Гарнитура «Times».
Печать офсетная. Усл. печ. л. 25,0. Уч.-изд. л. 15,0.
Изд. № ОП-08-0427-пМ. Доп. тираж 50 000 экз. Заказ № 0800900.

ЗАО «ОЛМА Медиа Групп»
105062, Москва, ул. Макаренко 3, стр. 1
http://www.olmamedia.ru

Отпечатано в полном соответствии с качеством
предоставленного электронного оригинал-макета
в ОАО «Ярославский полиграфкомбинат»
150049, Ярославль, ул. Свободы, 97

«В поисках Города Богов»

Т. 5. «Матрица жизни на Земле»

Всемирно известный офтальмолог и исследователь Э. Р. Мулдашев продолжает рассказывать о своей научной экспедиции в поисках легендарного Города Богов. То, что экспедиции удалось найти его на Тибете, не поддается обычным научным трактовкам. И вдруг ученые обнаруживают, что созданная ими карта-схема Города Богов очень похожа на... пространственную структуру ДНК. В конце концов ученые приходят к выводу, что на Тибете им удалось найти место, где Высший Разум создавал человека, но... Нового Человека.

И, наконец, в этом томе Вы, дорогой читатель, увидите легендарный Город Богов. Мы просим прощения за то, что качество снимков, может быть, не совсем хорошее — съемки велись на высоте 5–6 тыс. метров и нередко в облаках.

Что же такое Город Богов? Вы увидите это сами. А также Вы познакомитесь с подробностями путешествия автора в Долину Смерти и место Голодного Черта, которые считаются заколдованными местами.